D1048744

Un homme est tombé

Tony Hillerman

Un homme est tombé

Traduit de l'américain par
Danièle et Pierre Bondil

Collection dirigée par
François Guérif

Rivages/Noir

Titre original : *The Fallen Man*

© 1996, Tony Hillerman
© 1998, Éditions Payot & Rivages
pour la traduction française
© 2000, Éditions Payot & Rivages
pour l'édition de poche
106, boulevard Saint-Germain – 75006 Paris

ISBN : 2-7436-0612-6
ISSN : 0764-7786

NOTE DES TRADUCTEURS

Le lecteur américain est tout aussi ignorant que le lecteur français des mœurs et coutumes des Indiens Navajo. Nous avons donc décidé de respecter le choix de l'auteur, qui a disséminé ici et là dans son roman les informations nécessaires à en assurer la bonne compréhension, et de ne pas alourdir le texte d'une quantité de notes explicatives et de termes en italiques. Toutefois, il nous a semblé utile de faire figurer en fin d'ouvrage un glossaire qui devrait permettre au lecteur qui en éprouverait le besoin d'avoir une meilleure vue d'ensemble de cette civilisation et de ses voisines. Les mots suivis d'un astérisque dans la traduction pourront renvoyer à ce glossaire. Nous avons en outre établi une carte des territoires concernés.

Par ailleurs, certaines particularités orthographiques (accords, majuscules notamment) se retrouvent dans le texte de Tony Hillerman; et des termes d'origine indienne peuvent présenter des différences d'un livre à l'autre : quelques lignes extraites du remarquable ouvrage de Harry Hoijer, *A Navajo Lexicon*, University of California Press 1974, permettront aisément de comprendre pourquoi (extrait consacré aux noms, les verbes étant environ dix fois plus nombreux en navajo).

N 102 táščìžìì 'swallow (the bird)'.
N 103 -tášłòh 'hair of arms and legs'.
N 104 tàčééh 'sweathouse'.
N 105 -táál : hàtááł 'chant ; ceremony'. See S 139.
N 106 tááláhòòyàn 'Awatobi ruin'. táálá-? ; hòòyàn, N 303A.
N 107 -tàáł- : hàtààł' 'singer (in ceremonies)'. Lit. 'one who sings'; see S 139.4 E 5.
N 108 tàžìì 'turkey'. See S 147.1.

Ce livre est dédié aux membres du cercle de philosophie Dick Pfaff qui, tout au long du dernier quart de siècle, s'est réuni chaque mardi soir afin de tester les lois de la probabilité et parfois, hélas, la Théorie du Chaos.

Remerciements

Quand j'écris des livres de fiction qui font intervenir la Police tribale navajo, je m'en remets aux professionnels. Pour ce roman, cette aide m'a été fournie par la P.T.N. et les Rangers navajo, et tout particulièrement par mon vieil ami le capitaine Bill Hillgartner. Mes remerciements vont également au chef Leonard G. Butler, aux lieutenants Raymond Smith et Clarence Hawthorne, et aux sergents McConnel Wood et Wilfred Tahy. Si certains détails techniques sont inexacts, ce n'est pas, de leur part, faute d'avoir essayé de m'instruire. Robert Rosebrough, l'auteur de *The San Juan Mountains*, m'a prêté son compte rendu détaillé d'une ascension de Ship Rock et m'a apporté son aide par ailleurs.

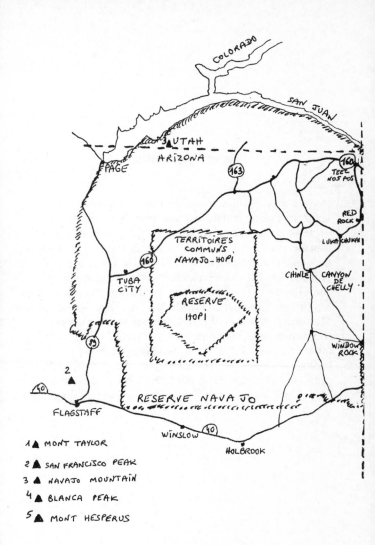

1 ▲ MONT TAYLOR

2 ▲ SAN FRANCISCO PEAK

3 ▲ NAVAJO MOUNTAIN

4 ▲ BLANCA PEAK

5 ▲ MONT HESPERUS

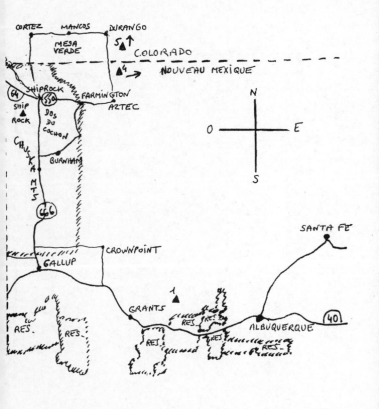

CORTEZ   MANCOS   DURANGO

MESA VERDE

S

COLORADO

NOUVEAU MEXIQUE

64   SHIPROCK
550
SHIP ROCK   FARMINGTON
AZTEC
DOS DU COCHON
CHUSKA MTS
BURNHAM
66

N

O   E

S

SANTA FE

CROWNPOINT

GALLUP

GRANTS

RES.   RES.

RES.

RES.   RES.

ALBUQUERQUE   40

RES.

        10   20   30 MILES
0
     10 20 30 40   KM

11

1

De l'endroit où il était assis, le dos appuyé contre la roche détritique rugueuse, Bill Buchanan voyait le côté de la tête de John Whiteside à environ un mètre de lui, mais quand celui-ci se penchait en arrière, il distinguait le sommet coiffé de neige du mont Taylor qui se dressait au-dessus de Grants, au Nouveau-Mexique, à près de cent trente kilomètres à l'est. Pour l'instant, John était penché en avant, et il parlait.

– Descendre comme ça pour remonter, puis remonter pour pouvoir redescendre, contestait-il. Ça semble une bien piètre méthode pour y parvenir. C'est peut-être la seule manière d'atteindre le sommet, mais pour la descente, je suis prêt à parier qu'on pourrait trouver un chemin plus rapide.

– T'énerve pas, conseilla Buchanan. Du calme. On est là pour se reposer, il paraît.

Ils étaient perchés sur l'une des rares saillies de basalte relativement planes au passage que les grimpeurs qui s'attaquent à Ship Rock appellent le Ravin en Rappel. Lors de l'ascension, c'est le point de départ de l'ultime et difficile escalade vers le sommet, une surface de basalte légèrement inclinée mais régulière qui possède approximativement la taille d'une table de travail, cinq cent vingt-cinq mètres au-dessus de la prairie qu'elle domine. Quand on redescend, c'est là qu'on aborde une ascension presque verticale, plus courte mais plus difficile encore, pour rejoindre la pente qui conduit vers le bas avec une chance raisonnable de ne pas se tuer.

Buchanan, Whiteside et Jim Stapp venaient d'atteindre le sommet. Ils avaient ouvert la boîte à munitions des surplus de l'armée qui renferme le registre des vainqueurs de Ship Rock et avaient apposé leur signature, certifiant de la sorte la réussite de l'une des ascensions les plus dures de toute l'Amérique du Nord. Buchanan était fatigué. Il se disait qu'il était trop vieux pour ce genre de choses.

Whiteside enlevait son baudrier d'escalade, posait à côté de lui la ceinture de nylon et l'assortiment de pitons, jumars, étriers et mousquetons qui permettent de gravir de tels sommets.

Il effectua une flexion complète des genoux, toucha ses doigts de pied et s'étira. Buchanan l'observait, mal à l'aise.

– Qu'est-ce que tu fabriques ?

– Rien, répondit Whiteside. En fait, je me conforme aux instructions de ce guide du montagnard que tu menaces tout le temps d'écrire. Je me débarrasse de tout le poids superflu avant d'effectuer une traversée périlleuse.

Buchanan se redressa. Il faisait partie d'un cercle de poker dans lequel Whiteside était surnommé « John Cinquante-contre-un » en raison de la foi inébranlable qu'il accordait au donneur, certain qu'il allait lui distribuer une cinquième carte à cœur s'il en voulait une. Il adorait prendre des risques.

– La traversée de quoi ? demanda Buchanan.

– Je vais seulement me glisser jusque là-bas pour jeter un coup d'œil, répondit Whiteside en désignant la paroi verticale. Si on avance d'une trentaine de mètres de ce côté, le regard porte sous le surplomb, en plein sur les orgues basaltiques. Je n'arrive pas à croire qu'il n'y ait pas un moyen de descendre tout droit en rappel.

– C'est un moyen de te tuer que tu cherches. Si tu es tellement pressé d'arriver en bas, bon Dieu, procure-toi un parachute.

– Il est plus facile de descendre en rappel que de monter, affirma Whiteside.

Il montra la petite cuvette, derrière eux, où Stapp s'apprêtait à se hisser le long de la paroi de basalte, ajouta :

– Je n'en ai que pour quelques minutes.

Il entreprit de s'avancer avec mille précautions sur la paroi.

Buchanan s'était levé.

– Arrête, John ! C'est beaucoup trop risqué, bon Dieu.

– Pas vraiment. Je vais juste regarder par-delà le surplomb. Juste un coup d'œil pour voir à quoi ça ressemble. Si c'est tout de la roche détritique rugueuse comme ici ou s'il n'y aurait pas un bon gros doigt de basalte bien dressé en l'air qu'on pourrait tranquillement emprunter pour descendre ?

Buchanan se rapprocha en se collant à la paroi, admirant la technique de Whiteside à défaut d'admirer son discernement : il progressait lentement le long de la roche à pic, le corps presque parfaitement vertical, le bout des pieds supportant tout son poids sur environ deux centimètres de pierre inclinée, les doigts trouvant les fentes, les crevasses et les aspérités qui lui permettraient de conserver son équilibre si une rafale de vent survenait. Il effectuait cette traversée à la perfection. C'était magnifique à voir. Jusqu'à son corps qui était idéal pour cette entreprise. Un peu plus petit et plus mince que celui de Buchanan. Tout en os, en tendons et en muscles, sans une once de poids superflu ; il se déplaçait comme un insecte sur le mur de basalte fissuré.

Et trois cents mètres sous lui... non, quatre cents mètres sous lui, s'étalait ce que Stapp aimait appeler « la surface du monde ». Buchanan porta son regard dans cette direction. Presque juste sous leurs pieds, deux Navajos à cheval suivaient la base du monolithe, deux silhouettes minuscules qui conféraient aux risques pris par Whiteside une terrifiante perspective. S'il glissait, il mourrait, mais pas avant un bon moment. Il faudrait du temps à un corps pour dévisser sur deux cents mètres, puis rebondir sur une avancée rocheuse et tomber à nouveau, rebondir et tomber encore, jusqu'à ce qu'il gise enfin au milieu des blocs rocheux au pied de cet étrange et ancien noyau volcanique.

Buchanan détourna son regard et ses pensées des cavaliers. C'était le début de l'après-midi, mais le soleil d'automne était loin, au nord, et l'ombre du Vaisseau de Pierre s'étendait déjà vers le sud-ouest sur des kilomètres de prairie fauve. L'hiver allait bientôt mettre un terme à la saison des ascensions. Le soleil était déjà si bas qu'il ne se réfléchissait que tout au sommet du mont Taylor. À cent trente kilomètres au nord, les neiges précoces couvraient déjà les pics les plus hauts de la chaîne des San Juan au Colorado. Pas un nuage, nulle part. Un ciel de ce bleu profond propre aux régions arides. L'air était frais et, fait exceptionnel à cette altitude, d'un calme absolu.

Il régnait un silence si total que Buchanan perce-
vait le faible chuintement des semelles en caoutchouc
souple de Whiteside lorsqu'il déplaçait les pieds sur
la roche. Une soixantaine de mètres en contrebas,
une buse à queue rousse se laissait porter le long de
la falaise par un courant ascentionnel. Dans son dos,
Buchanan entendit le cliquetis que faisait Stapp en
bouclant son équipement de rappel.

C'est pour cela que je grimpe, pensa-t-il. Pour
m'éloigner de la « surface du monde » de Stapp au
point que je ne l'entende même plus. Mais Whiteside, lui, il grimpe pour ressentir le plaisir de défier la
mort. Et là, il en est à trente mètres parcourus au-
dessus du vide. C'est beaucoup trop risqué, bon
Dieu.

– T'es assez loin comme ça, John, lança-t-il. Ne
tente pas le diable.

– Plus que cinquante centimètres pour avoir une
bonne prise, répondit Whiteside. Et je pourrai regarder tranquillement.

Il avança. S'arrêta. Baissa les yeux.

– La roche détritique continue sous le surplomb,
annonça-t-il en répartissant son poids autrement
pour mieux orienter sa tête. Il y a beaucoup de ces
petites cavités qui sont dues à l'érosion, et on dirait
de belles crevasses où on distingue le basalte...

Il changea à nouveau de position.

– ... et une belle plate-forme à environ...

Silence. Puis Whiteside dit :

– Je crois que je vois un casque.

– Quoi ?

– Mon Dieu ! s'exclama Whiteside. Il y a un crâne
à l'intérieur.

2

La Porsche blanche qui grossissait rapidement dans le rétroviseur de son pick-up truck [1] tira Jim Chee de ses pensées moroses. Il roulait vers le sud, sur la Route 666, en direction de Salt Creek Wash*, à environ cent cinq kilomètres à l'heure, vitesse sensiblement supérieure à ce qu'autorisait la loi qu'il était payé pour faire respecter. Mais la politique adoptée par la Police tribale navajo pour l'exercice en cours tolérait à peu près cette marge d'erreur chez les conducteurs adeptes des excès de vitesse. De plus, la circulation était très fluide, la fin de la journée dépassée (au-dessus des monts Carrizo, le soleil de mi-novembre teintait les nuages d'un rose éclatant), et il économisait à la fois l'essence et l'usure du moteur de son vieux pick-up en le laissant accélérer dans la descente pour prendre de l'élan en prévision de la longue côte et franchir la bosse entre le lit asséché du torrent et la ville de Shiprock.

Mais le conducteur de la Porsche dépassait largement le seuil de l'erreur tolérable. Il devait faire du

1. *Pick-up truck* : omniprésent dans les États de l'Ouest, il s'agit d'un camion léger, en général monté sur un châssis d'automobile, dont l'arrière ouvert autorise tous les transports. *(N.d.T.)*

cent cinquante. Chee prit la lumière clignotante portable sur le plancher côté passager, l'alluma, baissa la vitre et appliqua l'aimant sur le toit du pick-up. Exactement au moment où la Porsche le dépassait en coup de vent.

Instantanément assailli par l'air froid et la poussière de la route, il remonta la vitre et écrasa l'accélérateur. L'aiguille du compteur atteignit le cent-dix quand il traversa Salt Creek Wash, monta péniblement presque jusqu'à cent-vingt puis retomba à cent-quinze en oscillant lorsque la pesanteur due à la déclivité et la fatigue du moteur se firent sentir. La Porsche avait déjà un kilomètre cinq d'avance sur lui dans la montée. Chee s'empara du micro, le brancha et obtint la standardiste de Shiprock.

– Shiprock, annonça la voix. Je vous écoute, Jim.

Ça ne pouvait être qu'Alice Notabah, la plus ancienne des deux. Sa collègue, qui était jeune et, sur ce poste, presque aussi nouvelle que Chee sur le sien, l'appelait toujours lieutenant.

– Je vous écoute, répéta Alice d'un ton qui semblait légèrement impatient.

– Juste un excès de vitesse. Porsche Targa blanche, plaques de l'Utah, roule vers le sud direction Shiprock sur la triple six. Rien de très grave.

Le conducteur n'avait probablement pas vu son signal clignotant. Il n'y a aucune raison de regarder dans son rétroviseur quand on dépasse un pick-up rouillé. Néanmoins, cela ajoutait une frustration mineure supplémentaire à la moisson du jour. Tenter de se lancer à la poursuite de la voiture de sport aurait été purement et simplement humiliant.

– Bien reçu, dit Alice. Vous rentrez au poste?

– Je rentre chez moi.

– Le lieutenant Leaphorn est passé. Il vous cherchait.

– Qu'est-ce qu'il voulait ?

En réalité, c'était désormais l'ancien lieutenant Leaphorn. Le vieux policier avait pris sa retraite l'été précédent. Enfin. Après quelque chose comme un siècle. Retraité ou non, cependant, le fait d'apprendre qu'il le cherchait engendrait chez Chee un malaise et l'incitait à interroger sa conscience. Il avait passé trop d'années à travailler sous ses ordres.

– Il a juste dit qu'il vous joindrait ultérieurement. On dirait que vous avez eu une sale journée.

– Zéro sur toute la ligne, acquiesça-t-il.

Mais ce n'était pas exact. C'était pire que ça. D'abord il y avait eu l'épisode du gamin avec son uniforme de la Police tribale de la Réserve de Ute Mountain (Chee regimbait devant l'idée qu'il s'agissait d'un policier), sans oublier madame Twosalt.

Il avait du toupet, ce môme. Chee s'était garé vers le haut de la pente, en dessous de Popping Rock, à un endroit où son pick-up était dissimulé par un écran de broussailles et d'où il avait une belle vue sur les routes du gisement de pétrole, en contrebas. Il observait depuis un moment un pick-up GMC bleu de deux tonnes, tout maculé de boue, garé près d'une grille à bétail [1] à environ quinze cents mètres de lui. Il avait pris ses jumelles puis les avait réglées, essayant de déterminer pour quelle raison le conducteur s'était garé là et si quelqu'un occupait le siège du passager. Tout ce qu'il distinguait, c'était la poussière du pare-brise.

Et c'était à peu près à ce moment-là que le jeune avait crié « *Hé !* » d'une voix forte, et quand Chee s'était retourné, il était là, à moins de deux mètres de

1. Les *cattle guards* sont des grilles encastrées horizontalement dans le sol afin d'interdire au bétail l'accès des routes ou des ponts. (*N.d.T.*)

lui, et il le fixait derrière les verres noirs réfléchissants de ses lunettes de soleil.

– Qu'est-ce que vous fabriquez ici ?

Chee avait reconnu ce qui semblait être un uniforme flambant neuf de la Police tribale de Ute Mountain.

– J'observe les oiseaux, avait-il répondu en tapotant ses jumelles.

Ce que le gamin n'avait pas trouvé amusant.

– Montrez-moi un peu vos papiers.

Ce qui convenait parfaitement à Chee. La procédure normale lorsqu'on est confronté à une situation qui peut sembler suspecte. Il avait sorti de sa poche l'étui dépliant qui contenait les documents officiels attestant son appartenance à la Police tribale navajo, regrettant la remarque narquoise qu'il s'était permise sur l'observation des oiseaux. C'était précisément le genre de sarcasme que les policiers entendent chaque jour et qu'ils détestent. Il ne l'aurait pas fait, avait-il pensé, si l'autre ne s'était pas approché de lui de façon aussi efficace sans qu'il s'en aperçoive. Une situation embarrassante.

Le gamin avait étudié l'étui, posant son regard alternativement sur la photo de Chee et sur son visage. Ni l'un ni l'autre ne semblaient lui plaire.

– Police navajo ? Qu'est-ce vous fabriquez ici, sur la réserve ute* ?

Chee lui avait alors poliment expliqué qu'ils n'étaient pas sur la réserve ute. Ils étaient sur les terres navajo, la frontière se situant peut-être à huit cents mètres environ à l'est du lieu où ils se trouvaient. Et le gamin avait eu une sorte de petit sourire suffisant en affirmant que Chee s'était perdu, que la frontière était de l'autre côté, à une distance pratiquement double, et il avait tendu le doigt vers la

pente. La discussion qui aurait pu s'ensuivre aurait
été totalement vaine, aussi Chee avait-il dit au revoir
et était-il remonté dans son pick-up. Il était parti, en
proie à une fureur noire, se rappelant que, dans
quantité de mythes navajo, les Utes représentent
l'ennemi, et comprenant parfaitement pourquoi. Il se
disait également qu'il avait mené cette confrontation
de manière pitoyable pour quelqu'un qui remplissait
les fonctions de lieutenant, ce qu'il faisait maintenant
depuis près de trois semaines. Ce qui avait orienté
ses pensées vers Janet Pete, car c'était pour elle qu'il
avait travaillé afin d'obtenir cette promotion. Ça lui
remontait toujours un peu le moral de penser à elle.
La journée ne pouvait aller qu'en s'améliorant.

Mais non. Ensuite il y avait eu Grand-mère Twosalt.

Exactement comme le policier ute, elle était arrivée derrière lui sans qu'il entende un bruit. Elle
l'avait surpris à la porte du bus de ramassage scolaire
garé à côté du hogan* des Twosalt, et il n'avait pas
eu d'autre choix que de rester planté là, à bégayer et
à bredouiller, expliquant qu'il avait actionné son
klaxon, qu'il avait attendu, appelé et fait toutes les
choses polies que l'on se doit de faire pour protéger
l'intimité d'autrui quand on rend visite à une habitation située dans une région essentiellement déser-
tique. Il avait fini par conclure qu'il n'y avait personne. Et il avait fini, aussi, par se taire.

Madame Twosalt était restée sans rien dire, regardant poliment ailleurs pendant qu'il parlait plutôt
que de le fixer dans les yeux, ce qui correspond à la
manière navajo traditionnelle d'exprimer l'incrédulité. Et quand il en avait enfin terminé, elle n'y était
pas allée par quatre chemins.

– J'étais partie m'occuper des chèvres, avait-elle

dit. Mais qu'est-ce que vous cherchez dans mon bus ? Vous pensez y avoir perdu quelque chose, ou quoi ?

Ce que Chee cherchait dans le bus scolaire, c'était une trace de bouse de vache, des poils de vache, de la laine, ou n'importe quel autre indice établissant que ce véhicule avait été utilisé pour transporter des animaux autres que des enfants scolarisés. C'était lié à ce même problème qui l'avait amené à scruter dans ses jumelles le gros pick-up près de Popping Rock. Des têtes de bétail disparaissaient des pâturages dans la zone d'intervention de l'agence de Shiprock, et le capitaine Largo avait fait de la fin de ces vols la priorité numéro un du service d'enquêtes criminelles de Chee. Il avait placé cela avant une histoire de drogue à l'institut universitaire, un échange de coups de feu entre gangs, une affaire de contrebande d'alcool, et plusieurs autres délits que Chee trouvait plus intéressants.

Le matin même, dans l'aube froide, il avait roulé au bas de la couchette de sa petite maison mobile, enfilé son pantalon et sa veste en jean, puis il avait lancé le moteur du vieux camion dans l'intention de passer la journée à rôder incognito en quête du genre de véhicules dans lesquels ces bêtes pouvaient disparaître.

Le pick-up GMC était tout indiqué. C'était un modèle équipé d'une sellette d'attelage conçue pour tirer les lourdes remorques dont nul n'ignore qu'elles ont les faveurs des voleurs de bétail sérieux, qui aiment pratiquer leur besogne en gros, par fournées entières. Mais il avait remarqué par hasard le car de ramassage alors qu'il passait en cahotant sur la piste, en revenant de Popping Rock ; il se souvenait que la famille Twosalt non seulement élevait des bêtes mais possédait une réputation douteuse, et il se demandait ce qu'ils pouvaient bien faire d'un vieux bus de toute façon. Rien de tout cela ne l'avait aidé pour fournir la réponse que madame Twosalt attendait sans bouger.

– Pure curiosité, avait-il répondu. Je prenais un de ces machins-là pour aller à l'école quand j'étais gamin. Je me demandais si on les avait changés.

Il avait accompagné ces paroles d'un rire peu convaincant.

Madame Twosalt n'avait pas semblé partager son amusement. Elle avait attendu, l'avait regardé, avait attendu encore... lui donnant l'occasion de changer son histoire et de lui proposer une explication plus plausible de cette visite.

À défaut d'une meilleure idée, Chee avait sorti son étui officiel. Il avait prétendu qu'il était passé pour savoir si les Twosalt avaient des vaches ou des moutons qui avaient disparu, ou s'ils avaient remarqué quoi que ce soit de suspect. Madame Twosalt avait répondu qu'elle savait parfaitement où se trouvaient tous ses animaux. Aucun ne manquait. Et ça avait été le fin mot de l'affaire à l'exception de la gêne qui persistait.

Il faisait presque nuit quand il parvint au sommet de la côte dominant les lumières disséminées de la ville de Shiprock. Aucune trace de la Porsche. Il bâilla. Quelle journée ! Il quitta la chaussée goudronnée, s'engagea sur la route gravillonnée qui menait à la piste de terre laquelle débouchait sur l'allée envahie d'herbes conduisant à son tour à la maison mobile où il vivait, sous les trembles de Frémont, près de la San Juan. Il se frotta les yeux, bâilla à nouveau. Il allait réchauffer ce qui restait de son café du petit déjeuner, ouvrir une boîte de chili et se glisser tôt dans les toiles. Une mauvaise journée, mais maintenant elle était finie.

Erreur. Ses phares se reflétèrent dans un pare-brise, sur une voiture poussiéreuse garée juste à côté de son habitation. Chee la reconnut. L'ancien lieutenant Joe Leaphorn, comme promis, l'avait joint ultérieurement.

3

Quand il l'avait quittée à l'aube, sa maison mobile était plus que fraîche. Maintenant elle était glaciale, ayant laissé échapper le peu de chaleur qu'elle conservait encore dans la froidure qui régnait sur les rives de la San Juan. Il alluma le poêle à propane, mit le café à chauffer.

Joe Leaphorn était assis, droit et raide, sur le banc derrière la table. Il posa son chapeau sur le plateau en Formica et passa sa main dans ses cheveux, coiffés en brosse à l'ancienne, qui avaient très à propos tourné au gris. Puis il remit son couvre-chef, parut mal à l'aise, l'enleva à nouveau. Aux yeux de Chee, l'usure du temps semblait s'être pareillement attaquée au chapeau et à son propriétaire.

– Je déteste venir vous ennuyer de la sorte, déclara Leaphorn avant de marquer une pause. À propos, félicitations pour votre promotion.

– Merci, dit Chee.

Il quitta des yeux la cafetière, où l'eau chaude gouttait encore à travers le café moulu, et hésita. Oh, et puis merde. Il n'avait pas trouvé ça crédible quand on le lui avait dit, mais pourquoi ne pas s'en assurer ?

– On m'a dit que c'est vous qui m'aviez recommandé pour le poste.

Si Leaphorn entendit ces mots, son visage n'en montra pas trace. Il contemplait ses mains croisées dont les pouces étaient engagés dans le processus consistant à tourner l'un autour de l'autre.

– Ça apporte quantité de travail et de soucis, dit-il, et le salaire n'est pas en conséquence.

Chee sortit deux grandes tasses du meuble de rangement, posa celle qui était à la gloire du *Farmington Times* devant Leaphorn et chercha le sucrier.

– Vous profitez bien de votre retraite ? demanda-t-il.

Ce qui était un peu une manière détournée de l'amener à l'objet de sa venue. Ce n'était assurément pas une visite de courtoisie. Impossible. Leaphorn avait toujours été le chef et Chee le subordonné. Cette visite était obligatoirement liée, d'une façon ou d'une autre, au maintien de la loi et à quelque chose qu'il voulait lui demander de faire.

– Eh bien, quand on est retraité, il y a beaucoup moins d'énervement. On n'est pas obligé de supporter...

Il haussa les épaules et eut un petit rire.

Chee l'imita, mais il se forçait. Il n'était pas habitué à cette version nouvelle et inconnue de l'ancien policier. Ce Leaphorn-là, hésitant et manquant de confiance en lui, qui venait lui demander quelque chose, n'était pas le lieutenant dont il gardait le souvenir, associant perplexité, irritation, et admiration. Il trouvait gênant de le voir dans un rôle de quémandeur. Il allait y mettre un terme.

– Le jour où vous m'avez annoncé que vous preniez votre retraite, si je me souviens, vous m'avez dit que si jamais j'avais besoin de mettre votre cerveau à contribution pour quoi que ce soit, je ne devais pas hésiter. Alors je vais vous demander ce que vous savez sur les vols de bovins.

Leaphorn réfléchit, ses pouces continuant leur manège circulaire.

– Eh bien, je sais qu'il y en a en permanence. Et je sais que votre supérieur hiérarchique et sa famille sont dans l'élevage des bovins depuis trois générations environ. En conséquence il ne porte probablement pas les voleurs de vaches dans son cœur.

Il cessa de contempler ses pouces pour lever les yeux vers Chee.

– Il y a une série en cours, là ? Importante ?

– Pas très importante. Le ranch Conroy a perdu huit génisses le mois dernier. C'est ce qu'il y a eu de pire. On a eu six ou sept autres plaintes dans les deux derniers mois. Essentiellement des disparitions d'une ou deux têtes dont certaines s'étaient sans doute simplement égarées. Mais le capitaine Largo me dit que c'est pire que d'habitude.

– Assez pour le faire bouger. Sa famille détient des droits de pâturage disséminés du côté de la Réserve*-aux-Mille-Parcelles.

Chee grimaça un sourire.

– Je suppose que vous le saviez déjà, conclut Leaphorn avec un petit rire.

– Oui, fit Chee en versant le café.

Leaphorn but.

– Je ne pense pas savoir quelque chose que le capitaine Largo ne vous ait déjà dit sur la façon d'attraper les voleurs de bétail. Maintenant, nous avons les Rangers navajo, et puisque le bétail constitue une ressource tribale et que leur tâche consiste à protéger les ressources tribales, c'est à eux que le problème revient, en fait. Mais ils ne sont vraiment pas nombreux et ils sont déjà amplement occupés avec les braconniers, les gens qui abîment les parcs, qui volent du bois ou qui siphonnent les distillats de pétrole. Ce genre de choses. Pas assez de rangers pour tout faire, et donc vous travaillez avec les gens de la Commission sanitaire du Bétail du Nouveau-Mexique, du Bureau d'Inspection du Bétail marqué de l'Arizona et ceux du Colorado qui couvrent la région. Et vous êtes à l'affût des camions inconnus et des carrioles servant au transport des chevaux. (Il leva les yeux et haussa les épaules.) Pas grand-chose que vous puissiez faire. Je n'ai jamais eu beaucoup de chance pour les attraper, et les rares fois où j'y suis parvenu, on n'a jamais pu obtenir de condamnation.

– Je ne crois pas non plus que le temps que j'ai investi va porter beaucoup de fruits.

– Je parie que vous faites déjà tout ce que j'ai suggéré.

Leaphorn ajouta du sucre dans son café, but, regarda Chee par-dessus le rebord de sa tasse :

– Et, bien sûr, vous entrez dans la saison des cérémonies et vous savez comment ça se passe. Quelqu'un organise un chant*. Il faut nourrir tous les proches et les amis qui viennent participer au rite* guérisseur. Quantité de gens qui ont faim et qui sont peut-être là pour une semaine entière si c'est une cérémonie complète. Vous savez ce que l'on dit au Nouveau-Mexique : personne ne mange le bœuf qui lui appartient.

– Ouais, fit Chee. En consultant les rapports des années passées j'ai remarqué que les petits vols qui concernent une ou deux bêtes augmentent quand les orages s'arrêtent et que les chants commencent.

– J'allais juste fouiner un peu autour de ces réunions. Il m'arrivait de trouver des peaux toutes fraîches qui portaient la mauvaise marque. Mais vous savez que ça ne sert pas à grand-chose d'arrêter quelqu'un pour ça. Je leur disais juste un mot ou deux pour qu'ils comprennent qu'on les avait pris la main dans le sac, et après j'informais le propriétaire. Et s'il était navajo, il comprenait qu'il aurait dû savoir qu'ils avaient besoin d'un peu d'aide, et qu'il aurait dû abattre une bête et leur donner pour leur éviter la peine de la voler.

Il s'arrêta, sachant que tout cela était une perte de temps.

– Ce sont de bonnes idées, apprécia Chee sans ignorer que Leaphorn n'était pas dupe. Est-ce que je peux faire quelque chose pour vous?

– Rien d'important. C'est juste un truc qui depuis des années ne m'est jamais vraiment sorti de l'esprit. Simple curiosité, en réalité.

Chee goûta son café qu'il trouva absolument délicieux. Il attendit que Leaphorn choisisse la façon dont il souhaitait demander ce service.

– Ça a fait onze ans cet automne. J'étais en poste au bureau de Chinle, à l'époque, et nous avons eu un homme jeune qui a disparu de l'auberge de Canyon de Chelly. Un gars qui s'appelait Harold Breedlove. Sa femme et lui étaient venus célébrer leur cinquième anniversaire de mariage. Son anniversaire à lui, aussi. D'après le récit de sa femme, il reçoit un coup de téléphone. Il lui dit qu'il faut qu'il voie quelqu'un pour affaires. Il lui dit qu'il revient tout de suite et il part dans leur voiture. Il ne revient pas. Le lendemain matin, elle appelle la police des routes d'Arizona. Ils nous appellent.

Leaphorn se tut un instant, comprenant qu'une réaction en chaîne de cette importance pour un événement qui n'avait, en apparence, rien de plus grave que le désir d'un homme de s'éloigner un peu de sa femme, nécessitait une explication :

– C'est une famille de gros éleveurs. Les Breedlove. Le ranch Lazy B, au Colorado, des baux au Nouveau-Mexique et en Arizona, toutes sortes d'intérêts financiers liés à des ressources en minerais, etc. Le père a été candidat au Congrès une fois. Enfin bon, on a diffusé la description de la voiture. C'était une Land Rover neuve de couleur verte. Facile à repérer par ici. Et environ une semaine plus tard, un policier la repère. Elle avait été abandonnée dans un arroyo* à côté de la route qui part de la 191 et qui va au bâtiment* administratif de Sweetwater.

– Cette histoire me revient plus ou moins vaguement maintenant, dit Chee. Mais de manière très imprécise. J'étais nouveau à l'époque, je travaillais tout là-bas, à Crownpoint.

Et, pensa-t-il, je n'avais strictement rien à voir avec cette affaire Breedlove. Alors à quoi cette conversation pouvait-elle bien mener ?

– Aucune trace de violence à l'endroit où était la voiture, c'est ça ? demanda-t-il. Pas de sang. Pas d'arme. Pas de message. Rien de rien.

– Pas même d'empreintes. Il y avait eu une semaine de vent pour régler le problème.

– Et rien de volé dans la voiture, si je me souviens bien. Il me semble avoir entendu dire qu'il y avait une stéréo chère et qu'elle se trouvait encore à l'intérieur, la roue de secours aussi, tout était encore là.

Leaphorn but son café en réfléchissant. Puis il dit :

– C'est l'impression que ça donnait à l'époque. Maintenant je ne sais pas trop. Il est possible que du matériel d'escalade ait été volé.

– Ah, fit Chee.

Il posa sa tasse. Maintenant il comprenait où Leaphorn voulait en venir.

– Ce squelette qu'on a trouvé sur Ship Rock, poursuivit Leaphorn. Tout ce que j'en sais, c'est ce que j'ai lu dans le *Gallup Independent*. Est-ce que vous avez déjà procédé à l'identification ?

– Pas à ma connaissance. Il n'y a aucun indice laissant envisager un meurtre, mais le capitaine Largo a demandé aux gars du laboratoire du FBI de tout regarder. Aux dernières nouvelles, ils n'avaient rien trouvé.

– Pas grand-chose sur quoi travailler à part des os complètement nettoyés, insista Leaphorn. Et ce qui reste des vêtements. Je suppose que les gens qui font de la varappe n'emportent pas leur portefeuille avec eux.

– Ni de bijoux gravés, ajouta Chee. Ou quoi que ce soit d'autre qui ne serve directement à l'escalade. En tout cas, pour lui, c'était comme ça.

– Vous avez une estimation sur son âge ?

– Le pathologiste a dit entre trente et trente-cinq. Aucune trace de problèmes de santé affectant le développement osseux. Non pas qu'on s'attende à rencontrer des problèmes de santé chez les gens qui pratiquent ce sport. Et il a probablement grandi dans un endroit où il y avait plein de fluor dans l'eau courante.

Leaphorn eut un petit rire.

– Ce qui signifie pas de dents plombées et aucune aide au niveau des soins dentaires.

– La chance nous a beaucoup souri, à ce niveau, pour lui, renchérit Chee.

Leaphorn vida sa tasse, la posa.

– Comment était-il habillé ?

Chee fronça les sourcils. Une curieuse question.

– Comme quelqu'un qui pratique l'escalade. Vous savez. Chaussures spéciales avec semelles en caoutchouc tendre, tout le matériel qui pend de partout.

– C'était à la saison que je pensais, précisa Leaphorn. Aussi noir que soit Ship Rock, le soleil rend la roche chaude l'été, même là-haut, à deux mille deux cents mètres au-dessus du niveau de la mer. Et l'hiver, c'est recouvert de glace. La neige s'entasse aux endroits qui sont à l'ombre. Des épaisseurs de glace se forment.

– Oui, fit Chee. Eh bien, ce type ne portait pas un équipement de temps froid. Juste un pantalon et une chemise à manches longues. Peut-être ce genre de sous-vêtements qui conservent la chaleur, quand même. Il était sur une sorte de saillie, à une soixantaine de mètres en dessous du pic. Bien trop haut pour que les coyotes puissent l'atteindre, mais les vautours et les corbeaux s'étaient chargés de lui.

– Est-ce que l'équipe de secours a tout redescendu ? Est-ce qu'il manquait quelque chose que l'on s'attendrait à trouver ? Je veux dire, que l'on s'attendrait à trouver si on s'y connaissait dans le matériel qu'emportent les grimpeurs.

– À ma connaissance, il ne manquait rien. Bien sûr, il est possible qu'il y ait des trucs qui soient tombés dans des crevasses. Les oiseaux ont dû éparpiller des choses.

– Beaucoup de corde, je suppose.

– Une bonne longueur, confirma Chee. J'ignore ce qui serait considéré comme normal. Je sais que la corde qui sert aux escalades est très extensible. Largo l'a envoyée au laboratoire du FBI pour voir s'ils peuvent déterminer si un nœud s'est défait, si elle a cassé, je ne sais pas.

– Est-ce qu'ils ont redescendu l'autre bout ?

– L'autre bout ?

Leaphorn hocha la tête :

– Si elle a cassé, il y a forcément un autre bout. Il l'avait forcément assurée quelque part. À un piton enfoncé dans la roche, ou attachée à quelque chose de solide. Au cas où il glisserait.

– Oh, fit Chee. Les gars qui sont montés chercher les os ne l'ont pas trouvé. Je doute qu'ils l'aient cherché. Largo leur a demandé de grimper là-haut pour redescendre le corps. Et je me souviens qu'ils pensaient qu'il y en aurait forcément deux. Personne ne serait assez fou pour s'attaquer seul à Ship Rock. Mais ils n'ont pas trouvé d'autre corps. Je suppose que notre Homme-qui-est-Tombé était un fou de ce genre.

– On dirait bien.

Chee resservit du café, regarda Leaphorn et dit :

– Je suppose que ce Harold Breedlove pratiquait l'escalade. Je me trompe ?

– C'est exact. Mais si c'est celui que vous appelez l'Homme-qui-est-Tombé, il n'était pas très intelligent.

– Vous voulez dire, pour tenter l'ascension en solitaire ?

– Ouais. Ou s'il n'était pas seul, pour grimper avec quelqu'un qui était prêt à partir en l'abandonnant.

– J'y ai pensé. L'équipe de sauvetage dit que soit il a grimpé jusqu'à la saillie, ce qui, à leur avis, est impossible sans aide, soit il a essayé de descendre de plus haut en rappel. Mais le squelette était intact. Rien de cassé.

Chee secoua la tête. Leaphorn reprit :

– S'il y avait quelqu'un avec lui, pourquoi n'a-t-il pas signalé l'accident ? Été chercher du secours ? Ou n'a-t-il pas descendu le corps ? Vous avez des idées là-dessus ?

– C'est vrai. Ce n'est pas logique, quelle que soit la façon dont on considère les choses.

Leaphorn but du café. Médita.

– J'aimerais en savoir davantage sur cet équipement de montagne dont vous dites qu'il a été dérobé dans la voiture de Breedlove, dit Chee.

– J'ai dit qu'il était possible qu'on l'ait volé, et peut-être dans la voiture, précisa Leaphorn.

Chee attendit.

– Un mois après la disparition environ, nous avons arrêté un jeune de Many Farms qui s'introduisait dans la voiture d'un touriste garée à l'un des panoramas donnant sur Canyon de Chelly. Il avait chez lui tout un lot d'autres objets volés, des auto-radios, des téléphones portables, des lecteurs de cassettes et ainsi de suite, y compris du matériel d'escalade. Cordes, pitons, j'ignore le nom qu'on donne à ces bidules. Il y avait suffisamment longtemps à ce moment-là que nous cherchions Breedlove pour savoir qu'il aimait grimper. Le gamin a prétendu qu'il avait trouvé le matériel à l'endroit où les eaux de la fonte des neiges l'avaient dégagé, dans le lit d'un arroyo. Nous lui avons demandé de nous y conduire et de nous montrer l'endroit. C'était à environ cinq cents mètres en amont du lieu où on a retrouvé la voiture de Breedlove.

Chee réfléchit.

– Vous avez bien dit que personne n'avait forcé les portes de la voiture ?

– Elle n'était pas fermée à clef quand nous l'avons retrouvée. Les trucs que les mômes volent d'habitude étaient toujours à l'intérieur.

Chee fit la grimace.

– Vous avez une explication sur le fait qu'il n'a pris que le matériel d'escalade ?

– Et laissé tout ce qu'il pouvait revendre ? Je ne sais pas.

Il prit sa tasse, s'aperçut qu'elle était vide, la reposa.

– J'ai appris que vous alliez vous marier, dit-il. Félicitations.

– Merci. Vous en revoulez ?

– Une très jolie femme, commenta Leaphorn. Et intelligente. Excellente avocate.

Il tendit sa tasse.

Chee rit.

– Je ne vous avais jamais entendu utiliser ce terme en parlant d'un avocat. En tout cas, pas d'un avocat de la défense.

Janet Pete travaillait pour le Dinebeiina Nahiilna be Agaditahe, ce qui se traduit plus ou moins littéralement par « les gens qui parlent vite et aident les gens ». Ils avaient davantage de chances d'être appelés « DNA », « avocats commis d'office », ou autres termes moins polis, par la police navajo.

– Il faut un début à tout, dit Leaphorn. Et mademoiselle Pete...

Il ne parvint pas à trouver comment finir sa phrase.

Chee prit sa tasse et la remplit.

– J'espère que vous me tiendrez au courant s'il y a du nouveau pour votre Homme-qui-est-Tombé.

Ce qui surprit Chee. L'affaire n'était pas close ? Leaphorn avait trouvé son homme qui avait disparu. Celui de Largo, la victime de cette chute, était identifié. Affaire classée. Que pouvait-il y avoir d'autre qui fût digne d'intérêt ?

– Vous voulez dire, si nous vérifions l'identification du squelette et s'il se révèle ne pas être de la bonne taille, de la bonne race, ou si Breedlove portait un dentier ? Ce genre de choses ?

– Oui, confirma Leaphorn.

Mais il restait assis là, sa tasse nouvellement remplie à la main. La conversation n'était pas terminée. Chee attendit, essayant de déduire dans quelle direction elle allait s'orienter.

– Vous aviez des suspects? Je suppose que la veuve en faisait partie.

– Elle semblait toute désignée, en l'occurrence. Mais ça n'a rien donné. Et puis il y avait un cousin. Un homme de loi de Washington nommé George Shaw. Qui se trouvait justement être lui aussi un grimpeur, qui se trouvait justement présent sur place et qui semblait absolument parfait pour être le troisième homme du triangle amoureux si c'était cela qu'on cherchait. Il nous a expliqué qu'il était venu parler à Breedlove de je ne sais plus quelle proposition de cession des droits d'exploitation de minerais sur les terres du Lazy B. Ça semblait exact d'après ce que j'ai pu établir. Shaw représentait les intérêts financiers de la famille et il y avait une compagnie minière qui faisait des offres pour obtenir les droits d'exploitation.

– À Harold? C'était lui le propriétaire du ranch? Leaphorn rit.

– Il venait d'en hériter. Trois jours avant sa disparition.

– Ça alors, fit Chee.

Il réfléchit à cette information pendant que Leaphorn buvait son café puis demandait :

– Est-ce que vous avez vu le rapport concernant les coups de feu tirés l'autre jour dans Canyon de Chelly? Un vieil homme nommé Amos Nez a été blessé par quelqu'un qui a apparemment tiré d'en haut, au bord de la falaise?

– Je l'ai lu.

C'était une étrange affaire. Nez avait été touché au côté. Il était tombé de son cheval sans lâcher les rênes. La balle suivante avait atteint l'animal à la tête. Il s'était écroulé en partie sur Nez et quatre autres coups de feu avaient été tirés. L'un avait blessé Nez à l'avant-bras avant qu'il ne parvienne à s'abriter derrière le cheval. Selon les dernières informations dont disposait Chee, six cartouches de 30-06 vides avaient été ramassées dans les rochers, au bord du canyon. À sa connaissance, c'était là que la piste prenait fin dans cette affaire. Pas de suspect. Pas de mobile. Selon l'hôpital de Chinle, l'état général du blessé était jugé satisfaisant : suffisamment bon pour dire qu'il ignorait complètement pourquoi quelqu'un aurait voulu le prendre pour cible.

– C'est ce qui a attiré mon attention, poursuivit Leaphorn. Le vieux Hosteen* Nez est l'une des dernières personnes qui ont vu Hal Breedlove avant sa disparition.

– Drôle de coïncidence.

Quand Chee travaillait pour Leaphorn à Window Rock, celui-ci lui avait dit de ne jamais croire aux coïncidences. Il le lui avait souvent dit. C'était l'une de ses règles cardinales. Chaque effet a sa cause. Si les deux semblent liés et qu'on ne trouve pas le chaînon manquant, cela signifie simplement qu'on n'y consacre pas assez d'efforts. Mais pour une coïncidence, celle-là semblait drôlement tirée par les cheveux.

– Nez leur avait servi de guide dans le canyon. Quand les Breedlove étaient descendus à l'auberge, il faisait partie du personnel. Ils l'avaient engagé pour les conduire jusqu'au fond de Canyon del Muerto un jour, et du canyon principal le lendemain. J'étais allé lui parler à trois reprises.

38

Ce qui semblait exiger des explications :

– Vous savez, poursuivit-il. Un type riche, qui a une femme jeune et jolie, et qui disparaît sans raison. On pose des questions. Mais Nez m'a répondu qu'ils donnaient l'impression de s'aimer beaucoup. De bien s'amuser. Il m'a raconté qu'une fois il s'était enfoncé dans un des canyons secondaires pour satisfaire un besoin naturel, et quand il était revenu, elle donnait l'impression d'avoir pleuré et Breedlove la consolait. Alors il avait attendu un peu avant de se montrer et après, tout allait bien à nouveau.

Chee réfléchit.

– Qu'en pensez-vous ? Ça aurait pu être n'importe quoi ?

– Oui, fit Leaphorn qui but un peu de café. Est-ce que je vous ai indiqué qu'ils fêtaient l'anniversaire de Breedlove ? On a découvert qu'il venait de passer la trentaine la semaine précédente, et que pour ses trente ans, il héritait. Son père lui avait laissé le ranch mais il en avait mis la gestion en fidéicommis privé. Il y avait une clause stipulant que le fidéicommissaire conservait le contrôle jusqu'à ce que Breedlove atteigne l'âge de trente ans. Après, ça lui appartenait en totalité.

Chee réfléchit à nouveau.

– Et sa veuve héritait de lui ?

– C'est ce que nous avons établi. Elle disposait donc d'un mobile et nous tenions notre suspect logique.

– Mais pas de preuves, avança Chee.

– Aucune. Non seulement ça. Juste avant que Breedlove ne disparaisse avec sa voiture, notre monsieur Nez s'était présenté pour une nouvelle petite excursion dans le canyon. Il se souvenait que Breedlove s'était excusé de la manquer, l'avait payé par avance et lui avait donné un pourboire de cinquante dollars. Puis madame Breedlove et Nez étaient partis. Ils avaient passé la journée à visiter. Nez se souvenait qu'elle était pressée quand la nuit avait commencé à tomber parce qu'elle devait retrouver Breedlove et un autre couple pour le dîner. Mais quand ils étaient arrivés à l'auberge, pas de voiture. C'est la dernière fois que Nez l'a vue.

Leaphorn se tut un moment, regarda Chee et ajouta :

– À ce qu'il dit en tout cas.

– Oh ?

– Enfin, je ne voulais pas dire qu'il l'avait revue. C'est juste que j'ai toujours eu le sentiment que Nez était au courant de quelque chose qu'il ne me disait pas. C'est une des raisons pour lesquelles je suis retourné lui parler plusieurs fois.

– Vous pensez qu'il n'était pas étranger à la disparition. Peut-être que ni l'un ni l'autre n'était dans le canyon au moment où Breedlove est censé être parti en voiture ?

– Euh, non. Les gens qui logeaient à l'auberge les ont vus sortir du canyon vers sept heures du soir dans le camion de Nez. Puis, un peu après sept heures, elle est allée à l'auberge et a demandé si Breedlove avait appelé. Vers sept heures trente, elle a dîné avec l'autre couple. Ils se souvenaient qu'elle était irritée de ce long retard, et que ça n'allait pas sans un peu d'inquiétude.

– On dirait bien que c'est ce qui s'appelle un alibi à toute épreuve. Alors combien de temps lui a-t-il fallu pour faire déclarer ce bon vieux Hal officiellement décédé afin de pouvoir épouser son complice ? Et est-ce que je me tromperais si je disais qu'il devait s'agir de George Shaw ?

– Elle est toujours veuve, aux dernières nouvelles, répondit Leaphorn. Elle a offert une récompense de dix mille dollars et, après un certain temps, elle l'a relevée à vingt mille dollars et elle n'a pas déposé de requête pour faire déclarer son mari officiellement mort avant cinq années. Elle vit près de Mancos, dans le Colorado. Elle gère le Lazy B avec son frère maintenant.

– Vous savez quoi ? Je crois que je les connais. Est-ce que le frère s'appelle Eldon Demott ?

– C'est lui.

– C'est un de ceux qui ont déposé une plainte. Le ranch dispose toujours de ces droits de pâturage dont vous avez parlé tout à l'heure, sur les terres publiques de la Réserve-aux-Mille-Parcelles, et ils perdent des veaux Angus. Il pense que ça pourrait être des gens de chez nous, les Navajos, qui les volent.

– Eldon est le frère aîné d'Elisa Breedlove. Leur père était le contremaître du père Breedlove et, quand il est mort, je crois qu'Eldon a en quelque sorte hérité du poste. Quoi qu'il en soit, la famille Demott vivait sur le ranch. C'est sans doute comme ça qu'Elisa et le jeune Breedlove se sont mis ensemble.

Chee étouffa un bâillement. La journée avait été longue et fatigante et cette entrevue avec Leaphorn, aussi utile qu'elle eût été, n'avait rien d'un moment de détente. Chee avait accumulé trop de souvenirs des instants de tension où il avait tenté de se montrer à la hauteur des attentes exigeantes de son supérieur. Il faudrait un bon moment avant qu'il puisse se détendre en sa présence. Une vingtaine d'années y suffiraient peut-être.

– Bon, fit-il. On dirait bien que cela règle le problème de l'Homme-qui-est-Tombé. Je dispose d'une identification probable de notre squelette. Vous avez retrouvé la trace de votre Hal Breedlove qui avait disparu. Je vous appellerai quand nous aurons confirmation.

Leaphorn finit sa tasse, se leva, ajusta son chapeau.

– Je vous remercie de votre aide, dit-il.

– Et moi de la vôtre.

L'ancien lieutenant ouvrit la porte, laissant pénétrer une bouffée d'air froid, les riches senteurs de l'automne et le rappel que l'hiver était dehors, quelque part, comme le coyote, à attendre.

– Tout ce qu'il nous reste à faire, maintenant...

Il s'arrêta, l'air gêné, se reprit :

– Tout ce qui reste à faire, c'est s'assurer que vos ossements correspondent effectivement à mon Breedlove, puis découvrir comment il a bien pu s'y prendre pour aller de la Land Rover abandonnée, à près de deux cent cinquante kilomètres à l'ouest, jusqu'à ce point d'où il a pu tomber de Ship Rock.

– Et pourquoi, ajouta Chee. Et comment il s'y est pris pour faire tout ça par ses propres moyens.

– S'il l'a fait, conclut Leaphorn.

4

Le camion inconnu qui était garé sur l'un des emplacements réservés aux visiteurs officiels, au quartier général de la Police tribale navajo, à Shiprock, portait une plaque du New Jersey et donna à Jim Chee l'impression d'être tout sauf un véhicule officiel. Il avait des roues jumelées à l'arrière et tirait une caravane encombrante dont les vitres étaient couvertes d'autocollants certifiant son passage dans les pièges à touristes allant de Key West à l'île de Vancouver. Parmi les autres décalques placardés à l'arrière, l'un annonçait que UNE MAUVAISE JOURNÉE DE PÊCHE VAUT MIEUX QU'UNE BONNE JOURNÉE DE TRAVAIL, et un autre déclarait que le gros véhicule de camping était L'HÉRITAGE DE NOS ENFANTS. Des inscriptions collées sur les pare-chocs exhortaient ceux qui les lisaient : RÊVONS DEUX P DANS L'UNI VERT et ESSAYEZ LES BONNES ACTIONS IMPROVISÉES. Un autre soutenait l'association des propriétaires et utilisateurs d'armes à feu. Une large bande de papier argent, destiné à réparer les canalisations, courait tout autour du panneau arrière de la caravane, le scellant pour empêcher la poussière de pénétrer dans la jointure et lui conférant un aspect délabré, comme si on l'avait bricolée avec les moyens du bord.

Chee glissa la tête au standard où travaillait Alice Notabah et désigna le camion de la tête :

– Qui est notre visiteur officiel ?

Notabah indiqua de la même manière le bureau de Largo.

– Avec le capitaine, dit-elle. Et il veut vous voir.

Le conducteur du camion était assis dans le fauteuil confortable que le capitaine Largo réservait aux visiteurs importants. Il tenait sur ses cuisses un chapeau noir défoncé orné d'un bandeau concha* en argent, il semblait détendu et confortablement installé.

– Je passerai vous voir plus tard, dit Chee mais Largo lui fit signe d'entrer.

– Je veux vous présenter Dick Finch, dit-il. C'est l'inspecteur du bétail marqué du Nouveau-Mexique qui travaille sur les Four Corners* et il enregistre pas mal de plaintes.

Chee et Finch échangèrent une poignée de main.

– Des plaintes ? reprit Chee. Quoi par exemple ?

– Plus ou moins ce qu'on peut s'attendre à recevoir quand on est inspecteur comme moi. Des gens qui ne retrouvent plus leurs vaches. Qui pensent qu'il y a peut-être quelqu'un qui les leur vole.

Finch accompagna ces paroles d'un sourire, atténuant un peu leur agressivité sarcastique.

– Ouais, reconnut Chee, on entend pas mal parler de ça, nous aussi.

Finch haussa les épaules.

– On dit toujours que les gens n'aiment pas manger le bœuf qui leur appartient. Mais ça va un peu plus loin que ça, à mon avis. Avec les génisses d'élevage qui se vendent soixante dollars les cinquante

44

kilos, il n'en faut que trois pour entrer dans la catégorie du vol qualifié.

Le capitaine Largo avait l'air hargneux.

– Soixante dollars les cinquante kilos, mon œil,
dit-il. C'est plus proche de mille dollars la tête si vous
voulez mon avis. J'essaye d'élever des animaux de
race pure. (Il eut un geste de la tête pour désigner
Chee.) Jim dirige notre section d'enquêtes criminelles. Il travaille là-dessus.

Largo attendit. Finch aussi.

– Je suis ici pour autre chose, là, finit par dire
Chee. Je crois que nous tenons peut-être une identifi-
cation, pour le squelette qui a été retrouvé sur Ship
Rock.

– Tiens donc, fit Largo. Et d'où cela vient-il ?

– Joe Leaphorn s'est souvenu d'une affaire de disparition dont il s'est occupé il y a onze ans. L'homme
avait disparu à Canyon de Chelly mais c'était un pas-
sionné d'escalade.

– Leaphorn, dit Largo. Je croyais que, normalement, le vieux Joe était à la retraite.

– Il l'est, dit Chee.

– Onze ans, ça fait un sacré bout de temps pour se
souvenir d'une histoire de disparition. Combien de
cas comparables on voit par mois, en moyenne ?

– Plusieurs. Mais la plupart ne restent pas des disparitions très longtemps.

Largo hocha la tête.

– Alors, c'est qui, cet homme ?

– Celui qui avait disparu s'appelait Harold Breedlove. Il était propriétaire du ranch Lazy B au sud de
Mancos. Lui ou sa famille.

– C'est un gars du nom d'Eldon Demott qu'est le
proprio maintenant, intervint Finch. Il élève plein de
Herefords dans le comté de San Juan. Il a des terres

transférées par acte enregistré légalement et des baux du BLM [1], et une super belle maison, là-haut, au Colorado.

– Qu'est-ce que vous avez, en plus du fait que ce Breedlove est porté disparu depuis suffisamment longtemps pour faire un squelette et qu'il aimait grimper?

Chee exposa ce que Leaphorn lui avait dit.

– C'est tout? demanda Largo avant de réfléchir un moment. Bon, ça pourrait être ça. On dirait bien, et Leaphorn a jamais été du genre à beaucoup se tromper. Est-ce que Joe avait la moindre idée de la raison que ce type pouvait bien avoir de laisser sa femme au canyon? Ou de s'attaquer à l'ascension de Ship Rock en solitaire?

– Il ne me l'a pas dit, mais je pense qu'à son avis Breedlove n'était peut-être pas tout seul là-haut. Et la veuve en savait peut-être davantage qu'elle ne le lui a dit à l'époque.

– Et qu'est-ce que c'est que cette histoire d'Amos Nez qui s'est fait tirer dessus la semaine dernière à Canyon de Chelly? Je n'ai pas bien suivi le rapport.

– Il était plutôt mince. Nez se trouvait être l'un des témoins dans cette histoire de disparition. Leaphorn m'a dit qu'il était la dernière personne connue à avoir vu Breedlove vivant. La veuve exceptée.

Largo réfléchit. Afficha un sourire forcé.

– Et bien sûr, elle était le suspect de Joe. (Il secoua la tête.) Il n'a jamais voulu croire aux coïncidences.

– Ils avaient encore le matériel d'escalade dans la réserve des pièces à conviction, à Window Rock, et je leur ai demandé de nous l'envoyer. Moi, je trouve

1. Bureau of Land Management : agence chargée de la gestion de l'attribution des terres. *(N.d.T.)*

que ça ressemble beaucoup à l'équipement qu'on a retrouvé sur notre Homme-qui-est-Tombé, alors j'ai appelé madame Breedlove à Mancos.

– Qu'est-ce qu'elle a dit ?

– Elle était en ville pour je ne sais quelle raison. La femme de ménage m'a dit qu'elle serait de retour d'ici deux heures. Je lui ai fait savoir que j'allais passer dans l'après-midi pour lui montrer des choses qui pourraient apporter des éléments d'information sur la disparition de son mari.

Finch se racla la gorge, leva le regard vers Chee.

– Pendant que vous y serez, pourquoi vous ouvririez pas l'œil, comme qui dirait ? Dites-leur que vous avez entendu des propos élogieux sur leur façon de gérer l'exploitation. Histoire de visiter un peu. Vous me suivez ?

Chee estima que Finch pouvait avoir une cinquantaine d'années. Il avait une cicatrice en creux, en haut de la joue droite (consécutive, pensa-t-il, à une opération chirurgicale), de petits yeux bleus vifs, et un teint brûlé et crevassé par le climat de la région des Four Corners. Il attendait la réponse de Chee à la suggestion qu'il venait de faire.

– Vous soupçonnez Demott d'augmenter son cheptel avec quelques bêtes venues de l'extérieur ? demanda-t-il.

– Euh, pas exactement, répondit Finch avec un haussement d'épaules. Mais qui sait ? Les gens perdent leurs bêtes. Peut-être que ce sont les coyotes qui les attaquent. Peut-être que Demott a quinze ou vingt têtes qu'il expédie au parc d'engraissement et il se dit que ça serait bien d'arrondir le chiffre à vingt ou à vingt-cinq. Ça peut pas faire de mal de vérifier. De regarder ce que vous pouvez voir.

– Je vais le faire. Mais vous me dites que vous n'avez rien de spécifique contre Demott ?

Finch étudiait Chee d'un œil narquois. Il essaye de déterminer, se dit le policier, jusqu'où va ma stupidité.

– Rien que je puisse porter devant un juge pour obtenir un mandat de perquisition. Mais il y a des bruits qui courent.

Sur ces mots, il se prit à ricaner :

– Merde, on en entend sur tout le monde.

Il pointa son pouce sur Largo.

– On m'a même raconté que votre capitaine, ici présent, a des marques très bizarres sur certaines de ses bêtes. C'est vrai, capitaine ?

– J'ai entendu dire la même chose, fit Largo avec un sourire crispé. Nous avons un barbecue là-bas, sur le ranch, pour tous les voisins qui veulent venir jeter un coup d'œil sur les peaux.

– Vrai, c'est beaucoup moins cher que d'acheter du bœuf chez le boucher. Alors peut-être que quelqu'un mange les aloyaux de Demott et que les Demott lui rendent la pareille.

– À moins que ce soit du mouton, ajouta Largo à qui il manquait plusieurs brebis ainsi qu'un veau ou deux.

– Et si je vous accompagnais jusque là-bas, proposa Finch. Je veux dire, jusqu'au Lazy B ?

– Pourquoi pas ? répondit Chee.

– Ça sera pas nécessaire de me présenter, vous savez. Je me contenterai comme qui dirait de mettre pied à terre pour me dégourdir les jambes. Et jeter un petit coup d'œil. On sait jamais ce qu'on peut découvrir.

5

Ils arrivèrent en vue du siège du Lazy B alors que le soleil d'automne était bas sur Mesa Verde, dessinant des motifs d'ombre sur Bridge Timber Mountain. Depuis quelque temps, Chee pensait davantage à des sites où vivre, et il songea que cette petite vallée ferait un endroit merveilleux pour Janet et lui. La maison dans son bouquet de trembles de Frémont, en dessous d'eux, serait trop grande, beaucoup trop grande pour qu'il s'y sente bien. Mais Janet l'adorerait.

Finch avait fait la conversation tout au long du trajet depuis Shiprock. Après les premiers quatre-vingts kilomètres, Chee avait commencé à écouter juste assez pour hocher la tête ou grogner à intervalles convenables. Il pensait essentiellement à Janet Pete et aux différences qui existaient entre ce qu'ils aimaient et ce qu'ils n'aimaient pas. Cette maison, par exemple. Les femmes, en général, avaient un avis prioritaire à donner sur le lieu d'habitation, mais s'il conservait un droit de veto, la leur ne serait certes pas, et de loin, aussi immense que ce manoir de pierre, de bois et d'ardoise que la famille Breedlove s'était construit. Même s'ils en

avaient les moyens, ce qui ne serait assurément
jamais le cas.

Ce qui ramena à son esprit la Porsche blanche qui
l'avait dépassé la veille comme un bolide. Pourquoi
l'associait-il à Janet? Parce qu'elle avait de la classe,
comme elle. Et qu'elle était belle. Et, bien sûr, elle
lui aurait plu. À qui ne plairait-elle pas? Alors pourquoi en ressentait-il de l'animosité? Était-ce parce
que la voiture faisait partie du monde d'où elle
venait et dans lequel il ne se sentirait jamais à l'aise?
Ou qu'il ne comprendrait jamais? Peut-être.

Mais pour l'heure, il s'apprêtait à entrer dans une
maison afin de voir s'il pouvait faire identifier par
une veuve un lot d'objets qui établirait incontestable-
ment la mort de son mari. Qui l'établirait, c'est-à-
dire, à moins qu'elle ne le sache déjà... pour l'avoir
tué elle-même. Ou pour avoir organisé le meurtre. Il
s'inquièterait de la Porsche ultérieurement. Le
manoir des Breedlove était juste derrière la clôture.

Selon Finch, le vieux Edgar Breedlove l'avait fait
construire en tant que résidence secondaire, la principale se trouvant à Denver d'où il dirigeait ses
exploitations minières. Mais il n'y avait jamais vécu.
Il avait acquis le ranch parce que ses prospecteurs
avaient trouvé un gisement de molybdène sur la partie haute de la propriété. Mais le prix du minerai
avait chuté après la guerre et, d'une manière ou
d'une autre, l'endroit avait échu à un petit-fils,
Harold. Hal avait adopté la politique de son grand-
père : surexploitation des pâtures jusqu'à dépérisse-
ment.

– Ça risque pas de se produire maintenant, lui
avait dit Finch. La propriété, elle risque pas de partir
à la dérive tant que Demott sera aux commandes.
C'est une espèce d'écolo. À ce que les gens

racontent. Ils disent qu'il s'est jamais marié parce qu'il est amoureux de ce coin.

Chee se gara sous un arbre à une distance polie de l'entrée principale, coupa le moteur et resta assis, tuant le temps nécessaire à ceux qui reçoivent pour être présentables avant d'accueillir leurs visiteurs. Finch, autre habitant des régions peu habitées, semblait le comprendre. Il bâilla, s'étira et examina d'un œil de professionnel la demi-douzaine de vaches qui se trouvaient en stabulation libre à côté de la grange.

– Comment vous savez tout ça sur le ranch Breedlove, sur Demott et tout ? demanda Chee. Nous sommes au Colorado. Ce n'est pas votre territoire.

– L'élevage, et le vol des vaches dans les ranches, ça se préoccupe pas beaucoup des frontières entre les États, répondit Finch sans quitter les bêtes du regard. Le Lazy B a des pâturages alloués sur le territoire du Nouveau-Mexique. Ce qui les place au nombre de mes clients.

Il sortit un paquet de vingt tablettes de chewing-gum de la poche de sa veste, le tendit à Chee, en prit deux pour son propre usage et commença à mastiquer.

– En plus, il faut avoir un truc en train pour que le boulot soit intéressant. Y a un gars bien précis que j'essaye de coincer. La plupart de ces voleurs de bétail sont des « crève-la-dalle ». Des gens qui n'ont plus d'argent pour se nourrir, ou qui ont une traite à payer, et ils vont se choper une vache ou deux pour les vendre. Ou alors, sur la réserve, ils ont peut-être quelqu'un de leur famille qui est malade alors ils organisent un chant pour lui, et il leur faut un bœuf pour nourrir toute la famille qui se pointe. Ceux-là, ils m'ont jamais trop inquiété. S'ils continuent à faire ça, ils oublient toute prudence, ils se font prendre et les voisins leur en touchent un mot. Ils règlent le problème. Mais il y en a d'autres qui font ça pour en vivre. C'est de l'argent qui rentre facilement et c'est bien plus agréable que de travailler.

– Qui est-ce, l'individu que vous recherchez en particulier ?

– Si je le savais, on serait pas là à en parler, vous croyez pas ?

– Il y a des chances, reconnut Chee.

Il était impressionné par la faculté qu'avait son interlocuteur de se montrer insultant même quand il adoptait une attitude amicale.

– On aurait qu'à aller l'arrêter, pas vrai ? conclut Finch. Mais tout ce que je sais de lui c'est sa manière d'opérer. Son *modus operandi*, si vous avez retenu votre latin. Il choisit toujours les ranches qui ont une grande superficie, où quelques têtes de moins, ça va pas se remarquer pendant un certain temps. Il prend toujours ce qu'il peut vendre rapidement. Pas les très jeunes veaux qu'il faut sevrer, pas les gros taureaux reproducteurs qui coûtent cher et qui sont faciles à identifier. Il touche jamais aux chevaux parce qu'y a des gens qui s'attachent à un canasson et qui partent à sa recherche. Il a d'autres trucs qui lui sont propres. Par exemple, il se repère un bon endroit, près d'une route secondaire, où y aura pas beaucoup de voitures pour le déranger, et il y met du fourrage. Généralement de la bonne luzerne. Il fait ça plusieurs fois, comme ça les bêtes prennent l'habitude de venir en chercher quand elles voient son camion qui se gare.

Il se tut, regarda Chee, attendit un commentaire.

– Drôlement malin, fit celui-ci.

– Oui, absolument, acquiesça Finch. Jusque-là, il a été plus malin que moi.

Chee n'avait rien à répondre à ça. Il jeta un regard

à sa montre. Encore trois minutes et il irait appuyer sur la sonnette et en finir avec cette affaire.

— Et j'ai aussi trouvé un endroit ou deux où il avait trafiqué la clôture de façon à pouvoir faire passer les bêtes vite fait.

Il s'arrêta à nouveau pour voir si son auditeur saisissait la manœuvre. Chee la comprenait, mais l'inspecteur lui tapait sur le système.

— On peut couper les fils de fer, bien sûr, développa Finch, mais à ce moment-là le troupeau sort sur la route, y a quelqu'un qui s'en aperçoit tout de suite, alors on procède au comptage des bêtes et on sait qu'il en manque.

— Ah bon ?

— Ouais. Enfin bref, ça fait des années maintenant que j'essaye de coincer ce salopard. Chaque fois que je pars de chez moi pour venir dans le coin, c'est lui que j'ai en tête.

Chee ne dit rien.

— Zorro, compléta Finch. C'est comme ça que je l'appelle. Et cette fois, je crois que je vais enfin me le choper.

— Comment ?

Un silence s'ensuivit, inhabituel chez lui. Puis il dit :

— Ben, euh, c'est un peu compliqué.

— Vous pensez que ça peut être Demott ?

— Pourquoi vous dites ça ?

— Eh bien, vous avez voulu venir jusqu'ici. Et vous avez réuni tous ces renseignements sur lui.

— Quand on est inspecteur du bétail, on apprend à glaner tous les racontars si on veut arriver à bien faire son métier. Et le bruit a couru que Demott rachetait une hypothèque en vendant un lot de veaux alors que personne savait qu'il les avait.

– Alors quels sont les bruits qui courent sur la veuve Breedlove ? Qui était l'amant qui l'a aidée à tuer son mari ? Qu'est-ce qu'ils racontent là-dessus, les voisins ?

Finch arborait un large sourire.

– Les gens que je connais à Mancos la considèrent comme la jeune épouse abandonnée, trompée, dont le cœur est brisé. Dans leur majorité, en tout cas. Ils ont décidé que Hal s'était tiré avec une pétasse.

– Et la minorité ?

– Ils pensent qu'elle avait un petit ami dans le coin. Quelqu'un qui lui donnait du bon temps quand Hal était à New York, qu'il escaladait ses montagnes ou qu'il se livrait à ses occupations favorites.

– Ils lui donnent un nom ?

– Pas qui me soit venu aux oreilles.

– Lesquels ont raison, à votre avis ?

– Pour elle ? J'y ai jamais réfléchi. Ça me regardait pas, cet aspect des choses en tout cas. Ce genre de ragots, ça veut juste dire que les gens du coin aimaient pas Hal.

– Qu'est-ce qu'il leur avait fait ?

– Ben, pour commencer, il était né dans l'Est. Ça correspond déjà à un sacré handicap dès le départ. Et il y avait été élevé. Un citadin. Fils à papa. Université chic. BCBG. Il s'était pas brisé les os en tombant de cheval et il avait pas perdu un doigt dans une ramasseuse-presse. Il avait pas payé de sa personne, vous comprenez. Vous avez pas besoin de vraiment *faire* quelque chose pour que les gens soient contre vous.

– Et la veuve ? Vous avez entendu dire des choses particulières sur elle ?

– J'ai rien entendu sur elle ; sauf des types qui faisaient des suppositions. Et comme c'est une très belle femme, c'était probablement des choses qu'ils se souhaitaient à eux-mêmes. (Il souriait à Chee.) Vous savez comment ça marche. Si vous avez une conduite irréprochable, aucun intérêt.

La porte de la maison des Breedlove s'ouvrit et Chee vit qu'il y avait quelqu'un, derrière la moustiquaire, qui les regardait. Il prit la mallette renfermant les objets et mit pied à terre.

– Je vais vous attendre ici, déclara Finch, et peut-être que je vais faire un petit tour dans le coin si je m'ankylose trop à rester assis.

Madame Elisa Breedlove était de fait une très belle femme. Elle semblait agitée et nerveuse. Sa poignée de main était énergique, sa main aussi. Elle le précéda dans un immense salon, sombre et encombré de meubles massifs et anciens. Elle lui indiqua un siège, expliquant qu'elle avait dû se rendre à Mancos « chercher des choses ».

– Je suis rentrée juste avant que vous arriviez et Ramona m'a dit que vous aviez appelé et que vous veniez.

– J'espère que je ne...

Elle l'interrompit.

– Non. Non. Je vous remercie d'être là. Ramona m'a dit que vous aviez trouvé Hal. Ou que vous pensiez l'avoir trouvé. Mais c'est tout ce qu'elle savait.

– Eh bien, fit Chee avant de marquer une pause, tout ce que nous avons trouvé ce sont des ossements. Nous avons pensé qu'il pouvait s'agir de ceux de monsieur Breedlove.

Il s'assit au bord d'un canapé sans la quitter des yeux.

– Des ossements. Rien qu'un squelette ? C'est le squelette qu'on a retrouvé au moment de Halloween, là-haut, sur le Vaisseau de Pierre ?

– Oui, madame. Nous voulions vous demander de

jeter un coup d'œil aux vêtements et au matériel qu'il portait pour voir si... pour nous dire si c'est la bonne taille, et si vous pensez qu'il s'agit des affaires de votre mari.

– Quel matériel ?

Elle se tenait à côté d'une table, la main posée dessus. La lumière qui entrait à l'oblique par les fenêtres, de part et d'autre de la cheminée, illuminait son visage. Il était menu, encadré par des cheveux châtain clair. Les muscles des mâchoires étaient crispés, l'expression tendue. Trente-cinq ans environ, estima Chee. Un corps parfait, élancé, des yeux verts lumineux, le genre de beauté classique qui survit au soleil, au vent et aux hivers rigoureux, et qui ne semble pas exiger les artifices du maquillage. Mais aujourd'hui, elle paraissait fatiguée. Il pensa à une description que Finch avait appliquée à une femme qu'ils connaissaient tous les deux : « trop forcée, pas assez bouchonnée. »

Madame Breedlove attendait une réponse, ses yeux verts fixés sur le visage de Chee.

– Du matériel d'escalade. Apparemment, le squelette se trouvait dans une fissure, à flanc de paroi. Il a sans doute fait une chute.

Madame Breedlove ferma les yeux et se pencha légèrement en avant, les hanches contre la table.

Chee se leva.

– Vous êtes sûre que ça va ?

– Ça va, dit-elle mais elle posa une main sur la table pour se retenir.

– Vous voulez vous asseoir ? Un verre d'eau ?

– Pourquoi pensez-vous qu'il s'agit de Hal ?

Elle avait les yeux toujours fermés.

– Cela fait onze ans qu'il a disparu. Et il paraît qu'il aimait l'escalade. C'est exact ?

– Oui. Il adorait les montagnes.

– Cet homme mesurait à peu près un mètre soixante-quinze. Le médecin-légiste a estimé qu'il devait peser aux alentours de soixante-dix kilos. Il avait une dentition parfaite. Des doigts plutôt longs et...

– Hal faisait un mètre soixante-treize, je dirais. Il était mince, musclé. Un athlète. Je pense qu'il pesait à peu près soixante-douze kilos. Il craignait de prendre du poids. (Elle eut un faible sourire.) Autour de la ceinture. Avant que nous partions pour ce voyage, j'avais élargi son pantalon de costume pour lui donner deux centimètres de plus.

– Il avait eu le nez cassé, reprit Chee. Remis en place. Le médecin a précisé que ça avait dû se passer durant l'adolescence. Et un poignet fracturé. Il a dit que ça, c'était plus récent.

Madame Breedlove laissa échapper un soupir.

– Le nez, c'était au football avec ses copains étudiants, ou à un de ces trucs auxquels ils pouvaient bien jouer à Dartmouth. Et le poignet, quand un cheval l'a désarçonné après notre mariage.

Chee ouvrit la mallette, en sortit le matériel d'escalade qu'il posa sur la table basse. Il n'y avait pas grand-chose : une ceinture avec baudrier en nylon, les vestiges déchiquetés d'un coupe-vent en nylon, les restes encore plus fragmentaires d'un pantalon et d'une chemise, une paire de fines chaussures avec des semelles en caoutchouc doux et lisse, un petit marteau, trois pitons et deux petits objets en acier dont Chee supposait qu'ils servaient, il ne savait trop comment, à contrôler le défilement de la corde.

Quand il leva les yeux, madame Breedlove regardait fixement ces objets, le visage très blanc. Elle se détourna, faisant face à la fenêtre mais ne contemplant rien d'autre qu'un souvenir.

– J'ai pensé à Hal quand j'ai vu l'article que le journal a publié sur le squelette. Eldon et moi en avons parlé au dîner ce soir-là. Il pensait la même chose que moi. Nous avons décidé que ça ne pouvait pas être lui. (Elle essaya de sourire.) Il était toujours partant pour les trucs à risques. Mais il n'aurait pas tenté d'escalader le Vaisseau de Pierre seul. Personne ne le ferait. Ça serait de la folie furieuse. Deux spécialistes de talent y ont trouvé la mort, et ils escaladaient avec des équipes de montagnards expérimentés.

Elle se tut. Écouta. Le bruit d'un moteur de voiture entra par les vitres.

– C'était avant que les Navajos aient décrété l'interdiction des ascensions, ajouta-t-elle.

– Vous grimpez aussi ?

– Quand j'étais plus jeune. Quand Hal venait, Eldon avait commencé à lui apprendre. À Hal et à son cousin George. Des fois, je les accompagnais et ils m'apprenaient.

– Et Ship Rock ? Vous l'avez escaladé ?

Elle le scruta du regard.

– La tribu a interdit de le faire, il y a longtemps. Avant que je sois assez grande pour escalader quoi que ce soit.

Chee sourit.

– Mais il y a des gens qui le font toujours. Un certain nombre, à ce que j'ai entendu dire. Et il n'y a pas réellement de décret tribal qui s'y oppose. C'est seulement que la tribu a cessé de délivrer les permis d' « arrière-pays ». Vous savez, les autorisations donnant aux non-Navajos le droit de s'introduire sur des terres privées.

Madame Breedlove paraissait songeuse. À travers la fenêtre leur parvint le bruit d'une portière qui claque.

– Pour rendre les choses parfaitement légales, il faudrait aller voir une personne du coin qui possède un droit de pacage s'étendant jusqu'à la base du monolithe et la convaincre de vous accorder sa permission de passer sur cette terre. Mais la plupart des gens ne prennent même pas la peine de le faire.

Madame Breedlove réfléchit à ce qu'il venait de dire. Acquiesça de la tête.

– Nous avons toujours obtenu la permission. Je suis montée une fois. C'était terrifiant. Avec Eldon, Hal et George. Je fais encore des cauchemars.

– Par crainte de tomber ?

Elle frémit.

– Je suis là-haut et je regarde tout autour de moi. Je vois Ute Mountain au nord, au Colorado, et la forme de Case del Eco Mesa en Utah, les Carrizos en Arizona et le mont Taylor, et j'ai ce sentiment effrayant que le Vaisseau de Pierre est de plus en plus haut et après je sais que je ne pourrai plus jamais redescendre. (Elle rit.) La peur de tomber, je suppose. Ou la peur de m'envoler et de me perdre à jamais.

– Je suppose que vous avez entendu le nom que nous lui donnons. Tse' Bit' a'i : le Rocher-qui-a-des-Ailes. D'après la légende, il est venu ici du Nord en volant, avec les premiers Navajos sur son dos. Peut-être volait-il à nouveau dans votre rêve.

Une voix, quelque part dans les profondeurs de la maison, lança :

– Hé, sœurette ! Tu es où ? Qu'est-ce qu'elle fait garée là, cette voiture de la police navajo ?

– Nous avons de la visite, dit-elle en élevant à peine le ton. Ici.

Chee se leva. Un homme vêtu d'une veste de jean à la manche déchirée, d'un Levi's poussiéreux et chaussé de bottes usagées entra dans la pièce. Il tenait un chapeau de feutre gris abîmé dans sa main droite.

– Monsieur Chee, dit madame Breedlove, je vous présente mon frère Eldon. Eldon Demott.

– Oh, fit Demott. Bonjour.

Il fit passer le chapeau dans sa main gauche, tendit la droite au policier. Sa poigne était semblable à celle de sa sœur, l'expression de son visage un mélange de curiosité, d'inquiétude et de fatigue physique.

– Ils pensent avoir trouvé Hal, annonça-t-elle. Tu te souviens qu'on a parlé du squelette sur le Vaisseau de Pierre. La police navajo pense que ça doit être lui.

Demott détaillait le petit tas de matériel posé sur la table. Il soupira, abattit le chapeau contre sa jambe.

– J'avais tort, alors, si c'est vraiment Hal. Ça en fait un bien meilleur grimpeur que je croyais... escalader cette vacherie tout seul et arriver aussi haut...

Il fit un bruit désobligeant :

– Et drôlement plus cinglé par la même occasion.

– Est-ce qu'il y a un objet que vous reconnaissez là-dedans ? s'enquit Chee en montrant le matériel.

Demott prit la ceinture en nylon et l'étudia. Il était de petite taille. Sec et nerveux. Un homme fait de cuir tanné par le soleil, de tendons et d'os, avec une mâchoire forte et un front dégarni, ce qui le faisait probablement paraître plus âgé qu'il n'était.

– La couleur est sérieusement passée, mais elle était rouge, dit-il en laissant retomber la ceinture sur le dessus de la table.

Il regarda sa sœur, les traits empreints d'inquiétude et de compassion.

– Celle de Hal était rouge, non ?

– Si, confirma-t-elle.

– Ça va ?

– Oui. Et ce jumar ? Tu n'en avais pas fabriqué un pour lui, une fois ?

– Mon Dieu, s'écria Demott en s'emparant de l'objet.

Aux yeux de Chee ça ressemblait à un bretzel géant en acier avec une sorte de dispositif de blocage ajouté. Il s'était interrogé sur son usage et avait conclu que le dispositif de blocage devait laisser une corde coulisser dans un sens mais pas dans l'autre. De la sorte, il devait permettre à un grimpeur de se hisser le long d'une paroi. Demott savait de toute évidence à quoi ça servait. Il étudiait le point où le cliquet avait été soudé sur l'acier.

– Je me souviens que je n'avais pas réussi à le fixer, fit-il en s'adressant à Elisa. Hal et toi vous l'aviez porté à Mancos et vous aviez demandé à Gus de le souder. On dirait vraiment que c'est le même.

– Dans ce cas, je pense que nous pouvons considérer tout cela comme terminé, affirma Chee. Je ne vois pas de raison de vous faire venir à Shiprock pour reconnaître les ossements. À moins que vous y teniez.

Demott inspectait l'un des chaussons d'escalade.

– Ils doivent tous avoir les mêmes semelles, dit-il. En tout cas, toutes celles que j'aie vues étaient dans un caoutchouc souple et lisse comme celui-là. Et les siennes étaient blanches. Et il avait des petits pieds.

Il tourna son regard vers Elisa :

– Et les vêtements ? Ils ressemblent à ceux de Hal ?

– Le coupe-vent, oui. Je crois que c'est celui de Hal.

Quelque chose dans le ton de sa voix incita Chee à reporter son regard sur elle. Elle avait les lèvres serrées, les traits crispés, décidée à se retenir de pleurer comme elle pouvait. Son frère ne s'en apercevait pas. Il étudiait les objets posés sur la table.

– C'est drôlement en lambeaux, dit-il en posant un doigt sur les habits. Les coyotes, à votre avis ? Mais d'après ce que disait le journal, c'était forcément trop haut pour eux.

– Bien trop haut, confirma Chee.

– Les oiseaux, alors. Corbeaux. Vautours et...

Il s'arrêta au milieu de sa phrase avec un regard de repentir destiné à sa sœur.

Chee reprit la petite valise et y rangea en vrac les vêtements déchirés pour les faire disparaître à la vue d'Elisa.

– Je crois qu'il faut que j'aille à Shiprock...

Elle cessa de regarder Chee. Se tourna vers la vitre.

– ... pour faire ce qu'il y a à faire. Je pense que Hal aurait voulu la crémation. Et qu'on disperse ses cendres dans les monts San Juan.

– Ouais, fit Demott. Dans la chaîne La Plata. Sur le mont Hesperus. C'était son préféré entre tous.

– Nous l'appelons Dibe Nitsaa, dit Chee.

Il s'imagina les cendres du mort voletant sur les pentes sereines que l'esprit nommé Premier* Homme avait érigé pour protéger les Navajos du mal. Premier Homme avait décoré la montagne de bijoux d'un noir de jais pour repousser toutes les choses mauvaises. Mais qu'est-ce qui pourrait la protéger de l'ignorance invincible de la culture des Blancs ? Ces gens-là étaient bons, attentionnés, ils ne feraient pas sciemment usage de poussière de cadavre, le symbole navajo correspondant au mal absolu, pour profaner un lieu sacré. Mais escalader Ship Rock pour prouver que l'homme est le maître incontesté de l'univers était également une profanation.

– C'est notre Montagne* Sacrée du Nord. C'était ça que monsieur Breedlove essayait de faire ? Poser ses pieds sur le sommet de tous nos lieux sacrés ?

Ayant prononcé ces paroles, il le regretta aussitôt. Ce n'était ni le moment, ni l'endroit d'exprimer sa colère.

Il jeta un coup d'œil à Demott qui le dévisageait, surpris. Mais Elisa Breedlove avait toujours le regard braqué par la fenêtre.

– Hal n'était pas comme ça, dit-elle. Il essayait seulement de trouver un peu de bonheur. Personne ne lui avait jamais rien appris sur ce qu'il y a de sacré. Le seul dieu que les Breedlove aient jamais adoré était en or massif.

– Je ne crois pas que Hal connaissait quoi que ce soit sur votre mythologie, renchérit Demott. C'est juste que le mont Hesperus culmine à plus de trois mille neuf cents mètres d'altitude et qu'il est facile à escalader. J'aime les montagnes élevées et faciles, et je crois que Hal était du même avis.

Chee réfléchit.

– Pourquoi Ship Rock, alors ? Je sais qu'un certain nombre de personnes y ont trouvé la mort. On m'a dit que c'est l'une des ascensions les plus périlleuses.

– Ouais, confirma Demott. Pourquoi Ship Rock ? Et pourquoi tout seul ? Et s'il n'était pas seul, comment expliquer que ses amis l'aient laissé là-haut comme ça ? Qu'ils n'aient même pas signalé sa chute ?

Chee ne fit aucun commentaire. Elisa regardait toujours par la fenêtre sans rien voir.

– Jusqu'où est-il arrivé ? demanda Demott.

Chee haussa les épaules.

– Tout près du sommet, je crois. Je crois que l'équipe de sauveteurs a dit que le squelette se trouvait juste à soixante mètres au-dessous de la crête.

– Je savais qu'il était bon, mais s'il est parvenu jusque-là par ses propres moyens, il était encore meilleur que je le pensais. Il avait franchi les passages les plus durs.

– Il avait toujours voulu grimper Ship Rock, intervint Elisa. Tu te souviens ?

– Sans doute, fit Demott d'un ton songeur. Je me souviens qu'il parlait d'escalader El Diente et la Tête de Lézard. Je croyais que c'étaient les prochains inscrits à son programme.

Il se tourna vers Chee en fronçant les sourcils :

– Est-ce que vous avez essayé, vous, les policiers, de savoir avec qui il pouvait être, pour cette ascension ? J'ai du mal à croire qu'il l'ait fait seul. Je suppose qu'il en était capable et il était certainement assez risque-tout pour le tenter. Mais ce qu'il y a de sûr, bon Dieu, c'est que ça ne doit pas être facile. De monter aussi haut.

– Ce n'est pas une enquête criminelle, répondit Chee. Nous essayons simplement de résoudre un vieux dossier concernant une disparition de personne.

– Mais bordel, qui ficherait le camp en abandonnant comme ça quelqu'un qui est tombé ? Sans même le signaler afin que les sauveteurs puissent arriver jusqu'à lui ? Vous croyez qu'ils avaient peur que vous autres, les Navajos, vous les arrêtiez pour violation de propriété ? (Il secoua la tête.) Ou alors, vu comme les choses se passent maintenant, ils ont peut-être craint d'être poursuivis pour dommages et intérêts. (Il rit, posa son chapeau sur sa tête.) Mais j'ai des choses à faire. Content d'avoir fait votre connaissance, monsieur Chee.

Sur ces mots, il disparut.

– Il faut que j'y aille, moi aussi, dit Chee.

Il remit le reste du matériel dans la mallette.

Elle le raccompagna à la porte, la lui ouvrit. Il tira sur la fermeture à glissière de la petite valise, suspendit son geste. En fait, il devrait lui laisser ces objets. C'était elle la veuve. Ils lui appartenaient.

– Monsieur Chee, dit-elle. Le squelette. Est-ce que ses os étaient tout brisés ?

– Non. Aucune fracture. Et toutes les articulations étaient jointives.

À voir l'expression d'Elisa, il crut d'abord qu'elle n'avait pas saisi ce jargon anthropologique :

– Je veux dire que le squelette était en bon état, en un seul morceau. Et qu'il n'y avait rien de cassé.

– Rien de cassé ? répéta-t-elle. Rien.

Puis il comprit que ses traits reflétaient l'incrédulité. Et son bouleversement.

Pourquoi cette réaction ? S'attendait-elle à ce que le corps de son mari eût été complètement déchiqueté ? Et pour quelle raison ? S'il lui posait la question, elle lui répondrait que ça avait dû être une chute terrible.

Il acheva de refermer la mallette. Il allait garder ces objets qui avaient appartenu à la victime de la chute. Au moins dans l'immédiat.

6

Il retrouva Janet à la Carriage Inn de Farmington, à mi-chemin entre sa maison mobile de Shiprock et le tribunal du comté de San Juan, à Aztec,
où elle avait défendu un Navajo de la Réserve-aux-
Mille-Parcelles accusé de vol qualifié. Il arriva en
retard (mais pas beaucoup) et lorsqu'elle l'accusa
d'avoir réglé sa montre sur l'heure * navajo, la plaisanterie n'eut pas sa vigueur coutumière. Elle lui
parut totalement épuisée. Belle mais lasse, et peut-
être cette fatigue expliquait-elle l'éclat moindre de
l'étincelle habituelle, de la joie qu'il sentait généralement en elle chaque fois qu'elle le revoyait. Ou
peut-être était-ce dû à son propre éreintement.
Néanmoins, le seul fait d'être avec elle, de la voir
de l'autre côté de la table, lui redonnait le moral. Il
lui prit la main.
– Janet, tu travailles trop, dit-il. Tu devrais
m'épouser et me laisser te libérer de tout ça.
– Il est bien dans mes intentions de t'épouser,
répondit-elle en le récompensant d'un sourire las. Tu
l'oublies tout le temps. Mais tout ce que tu fais, c'est
continuer à me donner plus de travail. En arrêtant
ces pauvres gens qui sont innocents.

– Ce qui me fait penser que tu as gagné, aujourd'hui. Tu as encore fait du charme au jury ?

– Le charme n'était pas nécessaire. Cette fois, il n'aurait pas été raisonnable d'avoir ne serait-ce qu'un doute raisonnable. C'est son beau-frère qui est coupable et la police de l'État a fait n'importe quoi au niveau de l'enquête.

– Tu es vraiment obligée de retourner à Window Rock dès demain ? Pourquoi tu ne prends pas une journée de congé ? Tu leur dis que tu t'occupes des paperasses d'après procès. Que tu prépares une action pour arrestation arbitraire, je ne sais pas, moi.

– Ah, Jim, dit-elle. Il faut que j'y retourne ce soir.

– Ce soir ! C'est de la folie. Ça fait plus de deux heures de conduite sur une route dangereuse. Tu es fatiguée. Dors un peu. Qu'est-ce qu'il y a de si pressé ?

Elle le regarda comme pour s'excuser. Haussa les épaules.

– Pas le choix, Jim. J'adorerais rester. Je ne peux pas. Le devoir m'appelle.

– Ah, allez. Le devoir peut attendre.

Elle lui serra la main.

– Vraiment, dit-elle. Il faut que j'aille à Washington. Pour tout un tas de bricoles juridiques liées au ministère et au bureau des Affaires indiennes. Il faut que j'y sois après-demain avec mon argumentation prête.

Elle haussa les épaules, fit la grimace :

– Alors il faut que je prépare mes affaires ce soir et que je me rende à Albuquerque demain pour prendre l'avion.

Chee s'empara du menu.

– Comme je viens de te le dire, tu travailles beaucoup trop.

Il essaya de n'en rien laisser paraître, mais la déception perçait à nouveau dans sa voix.

– Et comme je te l'ai dit, c'est de votre faute à vous, les policiers, répondit-elle en lui adressant son sourire fatigué. À arrêter trop d'innocents.

– Je n'ai pas beaucoup de réussite en ce moment côté arrestations. Je n'arrive même pas à mettre la main sur ceux qui sont coupables.

L'auberge avait fait imprimer un beau menu sur lequel seuls les prix ne changeaient jamais. La variété était assurée par les cuisiniers qui se succédaient. Chee prit le parti de décréter que l'actuel titulaire était doué pour la préparation des plats mexicains.

– Pourquoi ne pas essayer les *chile relleños*?

Janet fit la moue.

– C'est ce que tu as dit la dernière fois. Ce coup-ci, j'essaye le poisson.

– Trop loin de l'océan pour le poisson.

Mais il se souvenait maintenant que la dernière fois qu'il était venu, le cuisinier avait fait des *relleños* quelque chose qui ressemblait à du cuir. Peut-être allait-il commander une escalope de poulet frite.

– C'est de la truite, argumenta-t-elle. Un poisson local. Le serveur m'a dit qu'ils les volent dans les bassins de l'élevage piscicole.

– Dans ce cas, d'accord. Truite pour moi aussi.

– Tu as l'air complètement crevé, dit-elle. C'est le capitaine Largo qui commence à te peser?

– J'ai passé la journée avec un inspecteur du bétail du Nouveau-Mexique borné. On est allés jusqu'à Mancos en voiture, et il n'a pas arrêté de parler pendant tout le trajet. Et après, retour avec le même qui a continué à parler.

– De quoi? De vaches?

– De gens. Monsieur Finch se base sur le principe

qu'on attrape les voleurs de bêtes en sachant tout sur tous ceux qui possèdent des bêtes. Je suppose que c'est un excellent système, mais il s'est cru obligé de me transmettre la totalité de ces renseignements. Tu veux des informations sur quelqu'un qui élève des vaches dans la région des Four Corners ? Qui en assure le transport ou qui s'occupe des parcs d'engraissement ? Tu n'as qu'à me le demander.

– Finch ? Je me suis trouvée deux fois en face de lui devant le tribunal.

Elle secoua la tête en souriant.

– Qui a gagné ? demanda Chee.

– Lui. Les deux fois.

– Oh, tu sais. C'est malheureux, mais il arrive que la justice l'emporte sur vous, les avocats commis d'office. Est-ce que tes clients étaient coupables ?

– Sans doute. Ils disaient qu'ils ne l'étaient pas. Mais il est finaud, ce Finch.

Chee n'avait pas envie de discuter de lui.

– Tu sais, Janet, commença-t-il. À un moment ou à un autre il va falloir qu'on parle de...

Elle abaissa le menu et le regarda par-dessus ses lunettes :

– À un moment ou à un autre mais pas ce soir. Qu'est-ce qui vous attirait à Mancos, monsieur Finch et toi ?

Non. Pas ce soir, pensa Chee. Ils ne feraient que ressasser les mêmes choses. Elle lui dirait que si la police faisait son travail correctement, il n'y avait vraiment aucun conflit d'intérêt à ce qu'une avocate chargée de la défense des indigents soit la femme d'un policier. Et il répondrait, ouais, mais si c'était ce policier qui avait précisément arrêté le type qu'elle était chargée de représenter et s'il devait témoigner ? Si elle devait mener le contre-interrogatoire de son propre mari appelé comme témoin à charge ? Et elle s'abriterait derrière ses notes de lecture de la faculté de droit de Stanford pour lui dire que tout ce qu'elle souhaitait obtenir de quiconque c'était la stricte vérité. Alors il dirait, mais parfois, ce que l'avocat cherche, ce n'est pas la vérité à cent pour cent, alors elle rétorquerait qu'il y a des témoignages qui ne sont pas recevables, et il ajouterait que comme avocate elle n'aurait aucune difficulté à trouver un emploi dans un cabinet privé, sur quoi elle lui rappellerait qu'il avait lui-même repoussé une offre du département de la Sécurité publique d'Arizona et qu'il était certain d'obtenir un poste dans la section du maintien de l'ordre au sein du bureau des Affaires indiennes s'il voulait bien l'accepter. Et il objecterait que cela signifiait quitter la réserve, ce à quoi elle répliquerait, pourquoi pas ? Est-ce qu'il voulait passer toute sa vie ici ? Ce qui ferait surgir de nouveaux sujets de discorde. Non. Ce soir il allait la laisser détourner la conversation.

– Je suis allé à Mancos annoncer à une veuve que nous avions retrouvé le squelette de son mari. Monsieur Finch m'a accompagné parce que ça lui fournissait l'occasion d'observer de près les vaches que la dame en question élève en stabulation libre.

– Tout ce que vous avez trouvé, c'étaient des os complètement dépouillés ? Son mari devait être parti depuis un bon moment. Je parie que c'était un policier.

Elle rit à cette remarque.

Chee ne releva pas.

– C'est le squelette qui a été aperçu sur Ship Rock aux alentours de Halloween ? demanda-t-elle d'un ton légèrement repentant.

Il hocha la tête.

– On a fini par déterminer que c'était un type nommé Harold Breedlove. Il était propriétaire d'un grand ranch près de Mancos.

– Breedlove, reprit-elle. C'est un nom qui me dit quelque chose.

Le garçon arriva : un Navajo dégingandé et décharné qui prêta une oreille attentive aux questions de Janet sur le vin et ne sembla pas les comprendre mieux que Chee. Il allait demander au cuisinier. Pour la truite, il était en terrain connu.

– Très fraîche, assura-t-il avant de s'éloigner rapidement.

Janet avait l'air songeur.

– Breedlove, dit-elle en secouant la tête. Je me souviens que le journal disait qu'il n'avait pas de papiers d'identité sur lui. Alors comment vous avez fait pour l'identifier ? Par sa dentition ?

– Joe Leaphorn a eu une intuition.

– La légende vivante de la police navajo ? Je croyais qu'il était à la retraite ?

– Il l'est. Mais il s'est souvenu d'une affaire de disparition sur laquelle il a travaillé il y a très longtemps. Le type qui avait disparu aimait escalader les montagnes, il y avait un héritage en jeu et...

– Hé, fit Janet. Breedlove. Je me souviens maintenant.

Elle se souvient de quoi ? se demanda Chee. Et pourquoi ? Ça s'était passé bien avant qu'elle travaille au DNA, qu'elle devienne une Navajo résidente de la réserve au lieu de n'être Navajo que de nom, qu'elle entre dans sa vie et le rende heureux. Une interrogation était visible sur ses traits.

– Ça remonte à l'époque où je travaillais pour Granger-trait d'union-Smith à Albuquerque. Je sortais juste de la fac. Le cabinet représentait la famille

Breedlove. Ils avaient des droits de pâturage sur des terres publiques, des droits d'exploitation du sous-sol avec les Apaches Jicarilla, des accords avec les Utes pour les droits d'accès à l'eau. (Elle leva les bras pour exprimer une infinie variété d'intérêts.) Il y avait aussi des ententes avec la Nation navajo. Enfin bon, je me souviens que la veuve désirait que son mari soit officiellement déclaré décédé pour pouvoir hériter de lui. La famille voulait qu'on y regarde de plus près.

Elle s'arrêta, l'air un peu honteux. S'empara à nouveau du menu.

– C'est sûr, je vais prendre la truite.

– Ils avaient des soupçons ?

– Je suppose, dit-elle en continuant à regarder la carte. Je me souviens que ça paraissait effectivement bizarre. Voilà un type qui hérite d'une propriété en fidéicommis, et deux ou trois jours plus tard, il disparaît. Et il disparaît dans ce qu'il faut bien considérer comme des circonstances très particulières.

Le garçon revint. Chee observa Janet qui commandait les truites, vit que le serveur posait sur elle un regard admiratif. Une femme qui avait beaucoup de classe, Janet. D'après ce qu'il avait appris en tant que policier, sur les cabinets juridiques, les avocats ne discutaient pas des affaires de leurs clients en présence de stagiaires dépouvus d'expérience. C'était contraire à l'éthique. Ou, pour le moins, professionnellement discutable.

Il connaissait la réponse mais posa néanmoins la question.

– Tu as travaillé sur ça ? Sur l'enquête ?

– Pas directement.

Elle but son verre d'eau.

Chee la regarda.

Elle rougit légèrement.

– La société Breedlove était cliente de John McDermott. C'était son boulot, je suppose, parce qu'il s'occupait de tout ce qui avait trait aux Indiens au sein du cabinet. Et la famille Breedlove avait tous ces accords avec les tribus.

– Vous avez trouvé quelque chose ?

– Je ne crois pas. Je ne me souviens pas que la famille nous ait demandé d'intervenir juridiquement.

– La famille ? Tu te souviens de qui il s'agissait, exactement ?

– Non. John était en contact avec un juriste de New York. Je suppose qu'il représentait le reste de la famille Breedlove. Ou peut-être l'entreprise familiale. Ou je ne sais quoi d'autre. (Elle haussa les épaules.) Qu'est-ce que tu as pensé de Finch, hormis le fait qu'il soit aussi bavard ?

John, pensa Chee. John. Le professeur John McDermott. Son vieux mentor de Stanford. L'homme qui l'avait engagée à Albuquerque quand il était entré dans le privé, qui l'avait emmenée à Washington quand il y était parti, qui en avait fait sa maîtresse, s'était servi d'elle et lui avait brisé le cœur.

– Je me demande ce qui a éveillé leurs soupçons ? demanda-t-il. Circonstances mises à part.

– Je ne sais pas.

Leurs truites arrivèrent. Des arc-en-ciel, impeccablement préparées, impeccablement présentées sur un lit de riz sauvage. Flanquées de petites carottes et de pommes de terre nouvelles cuites à l'eau. Janet détacha un tout petit morceau de poisson et le mangea.

Superbe, pensait Chee. Une peau parfaite, l'ovale du visage, les yeux sombres qui exprimaient tant de choses. Il regretta de n'être pas poète, baladin. Il

73

connaissait quantité de chants, mais c'étaient ceux que psalmodie le shaman* lors des rites guérisseurs, qui relatent les hauts faits des esprits. Personne ne lui avait enseigné comment adresser une chanson à quelqu'un d'une telle beauté.

Il mangea une bouchée de truite.

– Si j'avais été au volant d'une voiture de patrouille, hier, au lieu d'être dans mon pick-up, j'aurais pu dresser un procès verbal pour excès de vitesse à un gars qui conduisait une Porsche blanche décapotable. Il fonçait littéralement. Mais j'étais dans mon camion.

– Ah dis donc, s'exclama-t-elle avec ravissement. Ma voiture préférée. Je rêve de me balader dans Paris au volant d'une de ces voitures. Avec le toit ouvert.

C'était peut-être parce qu'il changeait de sujet qu'elle avait cette expression joyeuse. Parce qu'il abandonnait un domaine douloureux. Mais pour lui, la truite semblait maintenant ne plus avoir aucun goût.

7

Joe Leaphorn, conscient et gêné à la fois de n'être plus qu'un simple citoyen, s'était trouvé trois excuses pour appeler Hosteen Nez et, ce faisant, se mêler des affaires de la police.

D'abord, quand il se creusait la cervelle pour l'affaire de la disparition de Breedlove, il y avait très longtemps de cela, il s'était pris à bien aimer ce vieillard. Ainsi, le fait d'aller voir Nez pendant qu'il récupérait de ses blessures était un geste amical. En second lieu, Canyon de Chelly n'était pas très éloigné de son chemin puisqu'il se rendait à Flagstaff de toute façon. Troisièmement, une promenade dans le canyon ne manquait jamais de lui remonter le moral.

Ces derniers temps, il en avait besoin. La plupart des choses qu'il avait rêvé de faire quand la retraite le lui permettrait avaient maintenant été réalisées... au moins une fois. Il s'ennuyait. Il se sentait seul. La petite maison qu'Emma et lui avaient partagée pendant tant d'années ne s'était jamais remise du vide que son décès avait laissé dans chacune des pièces. C'était pire maintenant qu'il n'avait plus son travail pour lui occuper l'esprit. Peut-être était-ce l'effet de sa susceptibilité, mais il se sentait comme un intrus au quartier général de la police. Quand il passait discuter avec de vieux amis, il les trouvait souvent occupés. Exactement comme il l'avait toujours été lui-même. Et il était un simple citoyen désormais, non plus l'un des membres de cette petite bande de collègues.

Bonnes excuses ou pas, Leaphorn avait été policier pendant trop d'années pour faire le voyage sans s'y préparer. Il avait pris son Jimmy GMC avec les quatre roues motrices exigées dans le canyon, à la fois par le règlement du service des Parcs nationaux et par le lit incertain de Chinle Wash. Il s'était arrêté à l'épicerie de Ganado pour acheter une boîte contenant un assortiment de boissons gazeuses aux parfums variés, deux livres de bacon, une livre de café, une grande boîte de pêches en conserve et une miche de pain. Alors seulement il avait pris la direction de Chinle.

Une fois sur place, il avait effectué un nouvel arrêt au bureau de la police tribale du district pour s'assurer que sa visite ne serait pas ressentie comme un empiètement sur les prérogatives du policier chargé de l'enquête. Il avait trouvé le sergent Addison Deke à son bureau. Ils avaient discuté d'affaires de famille, d'amis communs, et fini par en arriver à la tentative de meurtre perpétrée contre Amos Nez.

Deke avait secoué la tête, grimacé un sourire.

– Les gens du coin ont résolu toute l'affaire pour nous, avait-il dit. Selon eux, le vieux Nez nous renseignait sur ceux qui s'introduisent dans les voitures de touristes aux points de vue, le long du canyon. Le résultat, c'est les voleurs, furieux, lui ont tiré dessus.

– Ça se tient, avait reconnu Leaphorn.

Ce qui était bien le cas, même si, à en juger d'après le visage de Deke, ce n'était pas vrai.

76

– Nez ne nous avait strictement rien dit, bien sûr. Et quand nous lui avons posé la question sur cette rumeur, ça l'a foutu en rogne. Il était insulté que ses voisins aient pu, ne serait-ce qu'imaginer une chose pareille.

Leaphorn avait pouffé. Les effractions commises contre les véhicules sur plusieurs des lieux de la Nation navajo les plus prisés des touristes constituent un casse-tête chronique pour la police tribale. Elles impliquent généralement une ou deux familles fauchées dont les garçons considèrent les objets monnayables laissés dans les voitures de touristes comme une moisson légitime... au même titre que les asperges sauvages, les lapins et les prunes. Leurs voisins réprouvent, mais ce n'est pas le genre de chose pour lequel on irait causer des ennuis à un jeune.

La halte suivante de Leaphorn était à un peu plus d'un kilomètre après le panorama de White House Ruins, sur la route de corniche : l'endroit d'où le tireur avait pris Nez pour cible. Il quitta la chaussée pour ranger son Jimmy sur l'herbe à l'endroit où Deke lui avait dit qu'on avait retrouvé six cartouches de 30.06 fraîchement tirées. Ici, la couche de roches ignées s'était brisée en un désordre de blocs de la taille d'une pièce d'habitation, offrant au tireur un endroit d'où il pouvait guetter et attendre tout en restant invisible depuis la route. Le regard de Leaphorn plongea directement dans le fond du canyon, révélant toute sa largeur. Nez avait dû arriver sur son cheval par la piste qui traversait le lit sableux du wash. Une cible qui ne présentait pas de difficulté, en termes de distance, pour quelqu'un qui savait se servir d'un fusil, mais tirer vers le bas selon cet angle nécessitait un réglage précis de la visée si l'on voulait éviter de tirer trop loin. Celui qui avait fait feu sur Nez savait exactement ce qu'il faisait.

Il s'arrêta ensuite au bureau situé à l'entrée du parc de Canyon de Chelly. Il discuta avec les rangers qui s'y trouvaient, recueillit les bruits qui couraient dans le coin. Relativement à Hosteen Nez, les spéculations étaient exactement les mêmes que celles qu'il tenait de Deke. Le vieil homme avait été blessé parce qu'il renseignait la police sur les vols à l'intérieur des voitures. Des ennemis personnels ? Aucun d'eux ne pouvait s'imaginer pareille chose, et ils le connaissaient bien. Nez était un brave homme, un traditionaliste qui aidait sa famille et était généreux envers ses voisins. Il adorait les blagues. Était toujours de bonne humeur. Tout le monde l'appréciait. Cela faisait des années qu'il était guide dans le canyon et il parvenait même à se faire entendre des touristes qui voulaient se saouler sans les rendre furieux. Il apportait toujours sa contribution aux cérémonies quand un chant guérisseur était organisé pour quelqu'un.

Des excentricités ? Des jeux d'argent ? Des problèmes de droits de pacage ? Un comportement bizarre ? Finalement, oui. Sa belle-mère vivait avec lui, ce qui était une transgression directe du tabou interdisant pareille conduite. Mais Nez rationalisait son attitude. Il disait que cela faisait des années que lui et Grand-mère Benally étaient bons amis, avant qu'il ne fasse la connaissance de sa fille. Ils en avaient parlé et décidé que quand le Peuple* Sacré enseigne que si un gendre voit sa belle-mère, cela entraîne la folie, la cécité et autres maux, cela signifie que c'est ce qui se produit lorsqu'ils ne se supportent pas. D'ailleurs, Grand-mère Benally était en pleine forme bien qu'ayant dépassé les quatre-vingt-dix ans, quant à Nez il n'était pas aveugle et il ne semblait pas plus fou que n'importe qui d'autre.

De fait, il semblait aller très bien quand Leaphorn le trouva.

– Très bien, assura-t-il, si on considère l'état dans lequel je suis.

Et quand Leaphorn rit à ces mots, il ajouta :

– Mais bordel, si j'avais su que j'allais vivre aussi longtemps, j'aurais pris meilleur soin de moi.

Il était étendu sur une chaise longue matelassée, rafistolée avec des bouts de fil de fer, la tête touchant presque la paroi de grès rouge d'un cul-de-sac sur l'arrière de son hogan. Le soleil du début de l'après-midi tapait droit sur lui. La chaleur se réverbérait sur la falaise derrière lui, le ciel au-dessus de sa tête était d'un bleu marine presque pur, l'air frais et vif sentait la dernière moisson de l'automne dans un champ de luzerne plus loin dans le canyon. Rien dans ce décor, à l'exception du plâtre sur la jambe de Nez et des pansements à son cou et à sa poitrine, ne suscitait chez Leaphorn l'image d'une chambre d'hôpital.

L'ancien lieutenant s'était présenté selon la manière traditionnelle des Navajos, identifiant ses parents et leurs clans*.

– Je me demande si vous vous souvenez de moi, avait-il dit. Je suis le policier qui est venu vous parler à trois reprises il y a très longtemps quand l'homme à qui vous serviez de guide a disparu.

– Bien sûr. Vous n'arrêtiez pas de revenir. De faire comme si vous aviez oublié de me demander quelque chose, puis de me reposer les mêmes questions depuis le début.

– C'est que j'avais une très mauvaise mémoire.

– Je suis heureux de l'entendre. Je me suis dit que vous croyiez peut-être que je vous mentais un peu, et que si vous me posiez les questions assez souvent, j'oublierais et je vous dirais la vérité.

Cette idée semblait l'ennuyer. Il fit signe à Leaphorn de s'asseoir sur le rocher à côté de son siège.

– Maintenant, vous voulez savoir qui pourrait avoir une raison de me tuer. Je vais vous dire une chose tout de suite. Ce n'était pas du tout ceux qui volent dans les voitures. Tout ça, c'est rien que des mensonges qu'on raconte sur mon compte.

Leaphorn acquiesça.

– Absolument, dit-il. Les policiers de Chinle m'ont affirmé que vous ne les aidiez pas à attraper ces voleurs.

Nez parut satisfait d'entendre ces paroles. Il hocha la tête.

– Mais vous savez, reprit Leaphorn, ceux qui volent dans les voitures ne le savent peut-être pas, eux. Ils pensent peut-être que vous les dénoncez.

Nez secoua la tête.

– Non. Ils sont pas bêtes à ce point. Ils font partie de ma famille.

– Vous avez choisi un bon endroit, ici, pour profiter du soleil. Beaucoup de chaleur qui vient de la falaise. À l'abri du vent. Et...

Nez rit.

– Et personne peut me tirer dessus, ici. Pas du bord, en tout cas.

– J'avais remarqué.

– J'en étais sûr.

– J'ai lu le rapport de la police, dit Leaphorn avant de le réciter à Nez. C'est à peu près ça ?

– C'est ça. Ce salopard, il arrêtait pas de tirer. Je me suis glissé comme j'ai pu sous le cheval, et après il l'a touché encore deux fois.

Nez abattit sa main sur le plâtre.

– Pan. Pan.

– On dirait bien qu'il voulait vous tuer.

– Je me suis dit que c'était peut-être qu'il aimait pas mon cheval. Assez consternant comme animal. Il adorait mordre les gens.

– La dernière fois que je suis venu vous voir, les nouvelles étaient mauvaises, aussi. Vous pensez qu'il pourrait y avoir un rapport ?

– Un rapport ? reprit Nez qui paraissait sincèrement surpris. Non. Je n'y avais pas pensé.

Mais maintenant il le faisait, le regard fixé sur Leaphorn, les sourcils froncés.

– Un rapport, répéta-t-il. Comment ça se pourrait ? Pour quelle raison ?

Leaphorn haussa les épaules.

– Je l'ignore. C'était juste une réflexion. Quelqu'un vous a-t-il dit que notre disparu d'autrefois a refait surface ?

– Non, répondit-il d'un air ravi. Je le savais pas. Au bout d'un mois à peu près, je me suis dit qu'il devait être mort. Ça avait aucun sens de laisser cette jolie femme comme ça.

– Vous aviez raison. Il était mort. On n'a retrouvé que ses os.

Il regarda Nez, dans l'attente d'une question. Mais aucune ne vint.

– C'est ce que je pensais. Ça fait un bon bout de temps qu'il est mort, en plus, je parie.

– Probablement plus de dix ans.

– Ouais, fit Nez en secouant la tête. Le fou.

Il avait l'air triste.

Leaphorn attendit.

– Je l'aimais bien, ajouta Nez. C'était un type bien. Drôle. Il connaissait plein d'histoires.

– Vous allez encore jouer au plus fin avec moi comme vous l'avez fait il y a onze ans, ou vous allez me dire ce que vous savez sur tout ça ? Par exemple, pourquoi vous pensez qu'il était fou et pourquoi vous croyiez qu'il était mort depuis longtemps.

– Je ne raconte pas des trucs dans le dos des gens. Il y a déjà suffisamment de problèmes sans ça.

– Il ne risque plus d'y en avoir pour Harold Breedlove. Mais à en juger d'après tous ces pansements, il y en a eu pour vous.

Nez considéra cette déclaration. Puis Leaphorn.

– Dites-moi si vous l'avez trouvé sur Ship Rock. Est-ce qu'il escaladait Tse' Bit' a'i' ?

Absolument rien de ce qu'aurait pu dire Nez n'aurait davantage surpris Leaphorn. Il lui fallut quelques instants pour rassembler ses pensées.

– Exactement, dit-il enfin. Quelqu'un a aperçu son squelette sous le sommet. Comment vous le saviez, bon sang ?

Nez haussa les épaules.

– Breedlove vous avait dit qu'il y allait ?

– Il me l'avait dit.

– Quand ?

Nez hésita à nouveau.

– Il est mort ?

– Oui.

– Quand je leur servais de guide. Nous étions au fond de Canyon del Muerto. Sa femme, madame Breedlove, elle s'était éloignée un peu après le virage suivant. Pour uriner, je suppose. Breedlove, lui, il parlait d'escalader la falaise, là-bas. (Il eut un geste vers le haut.) Vous y êtes allé. C'est à pic. Pire que ça. À certains endroits, le haut avance au-dessus du vide. Je lui ai dit que personne pouvait y arriver. Il m'a dit que lui, si. Il m'a parlé d'endroits qu'il avait escaladés, là-bas, au Colorado. Et il s'est mis à me raconter toutes les choses qu'il voulait faire pendant qu'il était encore jeune, même qu'il avait déjà trente ans et qu'il les avait pas faites. Et après il m'a dit...

Nez s'interrompit brusquement, les yeux rivés sur Leaphorn.

– Je ne fais plus partie de la police, le rassura celui-ci. Je suis à la retraite, comme vous. Je veux simplement savoir ce qui a bien pu arriver à cet homme.

– J'aurais peut-être dû vous le dire à l'époque.

– Oui. Vous auriez peut-être dû. Pourquoi vous ne l'avez pas fait ?

– Y avait pas de raison pour ça. Il m'avait dit qu'il allait pas s'y attaquer avant la venue du printemps. Que maintenant, c'était trop près de l'hiver. Il m'a demandé de pas en parler parce que sa femme voulait qu'il arrête de grimper les montagnes.

– Est-ce qu'elle l'a entendu ?

– Elle était partie pisser. Il m'a dit qu'il envisageait de faire ça en solitaire. Que personne l'avait jamais fait.

– Il le pensait vraiment, à votre avis ? Il avait l'air sérieux ?

– Il avait l'air sérieux, oui. Mais j'ai pensé que c'était juste pour se vanter. Les Blancs font souvent ça.

– Il n'a pas dit où il partait ?

– Sa femme est revenue à ce moment-là. Il a cessé de parler de ça.

– Non, je veux dire, est-ce qu'il a parlé de l'endroit où il devait aller ce fameux soir ? Une fois que vous seriez sortis du canyon ?

– Je me souviens qu'ils avaient des amis qui venaient les voir. Ils devaient manger ensemble.

– Il ne buvait pas, si ?

– Non, confirma Nez. Je laisse pas mes touristes boire. C'est contraire à la loi.

– Donc il a dit qu'il allait gravir Tse' Bit' a'i' au

printemps suivant. C'est le souvenir que vous en avez gardé ?

– C'est ce qu'il m'a dit.

Ils restèrent assis un moment, environnés par le soleil, l'air frais et le silence. Un corbeau s'élança du sommet en planant, décrivit un cercle autour d'un tremble, se posa dans le fond du canyon, de l'autre côté, sur un olivier de Bohême où il resta perché, attendant qu'ils meurent.

Nez sortit un paquet de cigarettes de sa chemise, en tendit une à Leaphorn, alluma la sienne.

– J'aime bien fumer quand je réfléchis.

– Je faisais la même chose, avant. Mais ma femme a réussi à me convaincre d'arrêter.

– C'est ce qu'elles font si on est pas sur ses gardes.

– Vous réfléchissez à quoi ?

– Je réfléchis à pourquoi il m'a dit ça. Vous savez, il s'est peut-être dit que j'allais en parler, que sa femme l'apprendrait et l'empêcherait de le faire. (Il rejeta un nuage de fumée bleue.) Et il voulait que quelqu'un l'en empêche. Ou alors, quand le printemps arriverait et qu'il partirait en douce pour l'escalader seul, il se disait qu'il tomberait peut-être et qu'il se tuerait et que si personne savait où il était, on retrouverait pas son corps. Et il voulait pas être là-haut tout seul dans sa mort.

– Et il s'est dit que vous entendriez parler de sa disparition et que vous iriez dire aux gens où le trouver ?

– Peut-être, fit Nez avant de hausser les épaules.

– Ça n'a pas marché.

– Parce qu'il avait déjà disparu. Où il était pendant tous ces mois entre le moment où il a abandonné sa femme ici et celui où il a escaladé notre Rocher-qui-a-des-Ailes ?

Leaphorn eut un sourire forcé.

– J'espérais bien un peu que vous le sauriez. Vous a-t-il dit quelque chose qui vous ait donné une idée sur l'endroit où il est allé en partant d'ici ? Qui il est allé retrouver ?

Nez secoua la tête.

– Ça fait drôlement long, loin d'une belle femme comme ça. Bien trop long, à mon avis. Je suppose que vous autres, les policiers, vous avez pas trouvé où il était ?

– Non, dit Leaphorn. Nous n'en avons pas la moindre idée.

8

Un doux prélude à l'hiver était arrivé silencieusement durant la nuit, franchissant la frontière de l'Arizona, recouvrant la maison mobile de Chee de douze centimètres de neige blanche humide. Ce qui l'obligea à enclencher les quatre roues motrices de son pick-up pour grimper la côte de son lieu d'habitation, sous les trembles de la San Juan, et gagner la route. Mais la première neige de l'hiver est un spectacle revigorant pour les gens qui sont nés dans le haut pays aride des Four Corners. Ça l'était particulièrement pour ceux qui travaillaient dans la section d'investigations criminelles de Chee. La neige signifiait du travail supplémentaire pour le simple policier sur les routes, mais pour les enquêteurs, cela calmait les ardeurs criminelles.

La bonne humeur du lieutenant Jim Chee résista même au spectacle de la pile de dossiers que Jenifer avait entassés sur son bureau. La note placée au sommet disait : « Le cap. Largo veut vous parler tout de suite de celui du dessus, mais je ne pense pas qu'il sera là avant midi parce qu'avec cette neige, il va falloir qu'il porte du fourrage à ses vaches. »

Sur l'organigramme, Jenifer était sous les ordres de Chee, elle remplissait les fonctions de secrétaire de son groupe d'enquêtes criminelles. Mais elle avait été engagée il y avait très longtemps, par le capitaine Largo, et avait vu se succéder quantité de lieutenants. Chee comprenait que, dans sa façon à elle de voir les choses, il était encore à l'épreuve. Mais le ton amical de la note laissait entendre qu'elle envisageait qu'il puisse se montrer à la hauteur de ses exigences.

– Ah! fit-il avec un grand sourire.

Mais ce sourire s'était effacé bien avant qu'il n'ait fini d'étudier les dossiers. Celui du dessus concernait encore le vol de deux veaux Angus à une femme nommée Roanhorse qui possédait un droit de pâturage à l'ouest de Red Rock. Ceux du milieu, une rixe due à l'alcool lors d'une Danse* des Filles au centre administratif de Lukachukai, au cours de laquelle des coups de feu avaient retenti, puis le tireur avait pris la fuite dans un pick-up qui ne lui appartenait pas; une requête pour le transfert de l'agent Bernadette (Bernie) Manuelito, la nouvelle recrue stagiaire dont il avait hérité avec le poste, vers une nouvelle affectation; un rapport sur l'usage de drogue et une activité de gangs présumée du côté du Dos-du-Cochon, et ainsi de suite. Plus, bien sûr, des formulaires à remplir concernant le nombre de kilomètres parcourus, l'entretien et la consommation d'essence des véhicules de patrouille, et un rappel lui signalant qu'il n'avait pas soumis l'organisation des congés pour son équipe.

Le dernier dossier contenait la plainte d'un citoyen qui accusait l'agent Manuelito de harcèlement policier. Ce qui lui restait de bonne humeur s'évapora à cette lecture.

La plainte était signée Roderick Diamonte. Monsieur Diamonte prétendait que l'agent Manuelito garait sa voiture de la police tribale sur la route d'accès à son commerce, au Dos-du-Cochon, qu'elle arrêtait ses clients sur de fausses accusations d'infractions au code de la route, et qu'elle utilisait ce qu'il appelait « diverses manœuvres sournoises » pour tenter de violer les droits constitutionnels qui les protégeaient contre des fouilles illégales. Il demandait que l'agent Manuelito reçoive l'ordre de cesser ce harcèlement et qu'elle soit réprimandée.

Diamonte ? Oui, bien sûr. Chee se souvenait de ce nom. Ça remontait à l'époque où il était simple policier nommé dans la région. Diamonte tenait un bar, à la limite extrême des terres de la réserve, et il était l'une des premières personnes qui vous venait à l'esprit lorsqu'on signalait une activité lucrative et illégale. Ce qui ne l'empêchait pas d'être protégé par la loi.

Chee appela Jenifer et lui demanda si Manuelito était là. Elle était en patrouille.

– Vous voulez bien l'appeler ? Dites-lui que je veux lui parler quand elle rentrera. S'il vous plaît.

Chee avait appris très tôt que le temps de réaction de Jenifer était réduit lorsqu'un ordre se transformait en requête.

– Entendu, fit-elle. Je me disais bien que vous voudriez lui parler. Je suppose que vous savez qui est ce Diamonte, non ?

– Je me souviens de lui.

– Et vous avez eu un appel. De Janet Pete à Washington. Elle a laissé un numéro.

Un jour, lorsqu'il serait mieux établi dans ses fonctions, il avait l'intention de toucher un mot à sa secrétaire sur sa façon de décider du moment où elle devait lui annoncer tel ou tel appel. Ceux de Janet avaient tendance à n'avoir qu'une priorité secondaire. Peut-être parce que Jenifer adoptait l'attitude typique des policiers vis-à-vis des avocats de la défense. Mais peut-être pas.

Il composa le numéro.

– Jim, fit-elle. Ah, Jim. C'est bon d'entendre ta voix.

– Et la tienne, répondit-il. Tu m'as appelé pour me dire que tu es en route pour l'aéroport national. Que tu rentres. Tu veux que je vienne te chercher à l'aéroport de Farmington ?

– Comme si je n'en avais pas envie. Mais je suis coincée ici un peu plus longtemps. Et toi ? Le travail s'arrange un peu ? Et est-ce que tu as eu une tempête de neige ? La fille de la météo se tient toujours devant les Four Corners quand elle donne les informations, mais on aurait dit qu'il y avait un front orageux qui venait de l'ouest.

Ils parlèrent du temps un moment, parlèrent d'amour, parlèrent de projets de mariage. Chee ne lui posa pas de questions sur cette histoire de ministère de la Justice et de bureau des Affaires indiennes qui l'avait appelée loin de lui. C'était l'une de ces petites zones de silence qui se développent lorsqu'un policier et un avocat de la partie civile sortent ensemble.

Puis elle dit :

– Des nouveaux développements dans l'affaire de l'Homme-qui-est-Tombé ?

– L'Homme-qui-est-Tombé ?

Chee n'y avait pas accordé une seule pensée. Affaire classée. Une personne qui avait disparu avait été retrouvée. Un corps identifié. Officiellement, un décès accidentel. Officiellement, cela ne le concernait pas. Une affaire curieuse, certes, mais l'univers d'un lieutenant de la police était rempli de pareils épisodes étranges et il avait trop de choses urgentes sur son bureau pour y consacrer du temps.

– Non. Rien de neuf.

Il avait envie de dire « Il est dans les dossiers enterrés » mais il était un peu trop traditionaliste pour ça. La mort n'est pas un sujet de plaisanterie pour l'humour navajo.

– Est-ce que tu sais si quelqu'un est monté là-haut à un moment ou à un autre... je veux dire, après que l'équipe de sauvetage ait redescendu son squelette... pour voir s'il y aurait des indices laissant à penser qu'il s'est passé quelque chose de suspect ?

Chee réfléchit à la question. Et à l'intérêt qu'elle témoignait à l'affaire.

– Tu sais, poursuivit-elle en meublant le silence. Est-ce qu'il y a eu des indices pour suggérer qu'il pourrait ne pas s'agir d'un accident ? Ou que quelqu'un était avec lui et a juste omis de signaler ce qui s'était passé ?

– Non, répondit-il. De toute façon, nous n'avons envoyé personne là-haut.

Il se sentait sur la défensive.

– Le seul mobile apparent, poursuivit-il, ce serait que la veuve en ait voulu à son argent, et elle a attendu cinq ans avant de le faire déclarer officiellement décédé. En plus, elle avait un alibi inattaquable. Et...

Mais il se tut. Agacé. Pourquoi lui expliquer tout cela ? Elle le savait déjà. Ils en avaient parlé la dernière fois qu'ils s'étaient vus. Quand ils avaient dîné à Farmington.

– Pourquoi... commença-t-il mais elle parlait déjà. Un nouveau sujet. Elle était allée à un dîner-concert la veille à la bibliothèque du Congrès, avec de la musique du quinzième siècle jouée sur des instruments du quinzième siècle. Très intéressant. L'ambassadeur de France était présent... et sa femme. Tu aurais dû voir sa robe. Super. Et ainsi de suite.

Quand la conversation s'acheva, Chee reprit le dossier Manuelito. Mais il le garda dans sa main sans l'ouvrir pendant qu'il réfléchissait à l'intérêt que Janet portait au squelette trouvé sur Ship Rock. Et au fait qu'un dîner-concert à la bibliothèque du Congrès ne pouvait être que sur invitation. Ou réservé à des donateurs importants au profit d'une œuvre quelconque. Hyper select. En fait, il n'avait même aucune idée que la bibliothèque du Congrès puisse organiser pareilles soirées, aucune idée de la façon dont il pourrait se débrouiller pour obtenir une invitation si l'envie lui en prenait, aucune idée de la façon dont Janet avait bien pu y aller.

Enfin, si, pour ça, il en avait une. Bien sûr. Janet avait des amis à Washington. De l'époque où elle avait tenu là-bas le rôle d' « Indienne de la Maison » chez Dalman, MacArthur, White et Hertzog, conseillers juridiques. L'un de ces amis avait été John McDermott. Son ex-amant et exploiteur. Celui qu'elle avait fui.

Chee chassa cette triste pensée en se plongeant dans le problème que posait l'agent Bernadette Manuelito.

La culture navajo qui avait donné naissance à Jim Chee, policier remplissant les fonctions de lieutenant, lui avait enseigné le pouvoir des mots et des pensées. Les métaphysiciens occidentaux prétendent peut-être que le langage et l'imagination sont les produits de la réalité. Mais au cours des migrations qui les avaient conduits ici depuis la Mongolie en franchissant le détroit de Béring, les Navajos avaient amené avec eux une philosophie asiatique beaucoup plus ancienne. Les pensées, et les mots dont elles sont issues, influent sur la réalité de l'individu. Parler de la mort revient à l'attirer. Penser au chagrin revient à le susciter. Il allait penser aux tâches qui lui incombaient plutôt qu'à son amour.

Il ouvrit le dossier de Manuelito, le lut en se demandant comment il avait jamais pu s'imaginer qu'il souhaitait occuper un poste administratif. Ce qui le ramena à Janet. Il avait voulu cette promotion pour l'impressionner, pour pouvoir prétendre à sa main, pour rétrécir le fossé qui séparait l'enfant de la classe urbaine privilégiée de celui du campement à moutons isolé. Il avait ainsi pris une décision intrinsèquement contraire à la Voie* navajo, fondée sur une façon d'envisager les choses totalement étrangère aux Navajos. Il reposa le dossier de Manuelito et appela Jenifer.

L'agent Manuelito avait apparemment pris son service tôt, et avait appelé aux alentours de neuf heures pour dire qu'elle travaillait sur les vols de bétail. Chee se permit un juron, chose rare chez lui. Qu'est-ce qu'elle foutait à s'occuper de ces disparitions de vaches ? Elle était censée trouver les témoins d'un homicide survenu lors d'une soirée qui avait dégénéré.

– S'il vous plaît, vous voulez bien demander à la standardiste de la contacter et de lui dire de rentrer ?

– Vous voulez qu'on lui explique pourquoi ?

– Dites-lui juste que je veux lui parler, répondit-il en oubliant d'ajouter s'il vous plaît.

Mais qu'allait-il dire à l'agent Manuelito ? Il avait le temps d'en décider avant qu'elle n'arrive au bureau. Ça lui éviterait de réfléchir à ce qui avait pu provoquer la curiosité de Janet concernant Harold Breedlove, le défunt membre de la famille Breedlove, cliente de John McDermott.

9

En définitive, l'agent Manuelito ne parvint pas à rentrer au bureau.

– Elle dit qu'elle est bloquée, transmit Jenifer. Elle est passée par la Route 5010 au sud de Rattle-snake et elle a pris cette piste de terre qui longe Ship Rock par l'ouest. Puis elle a dérapé dans un fossé.

Cela amusait Jenifer qui gloussa :

– Je vais voir si je peux trouver quelqu'un pour aller la sortir de là.

– Je crois que je vais m'en occuper moi-même, dit Chee. Mais merci, en tout cas.

Il enfila sa veste. Qu'est-ce que Manuelito pouvait bien fabriquer dans ce paysage désert à côté du Rocher-qui-a-des-Ailes. Il lui avait demandé d'aller voir successivement une liste de gens qui accepte-raient peut-être de parler de la composition des gangs à l'école secondaire de Shiprock, et non de s'entraîner à la conduite sur terrain boueux.

Le simple fait de quitter le parking montra à Chee comment Manuelito avait pu s'y prendre pour se retrouver bloquée. La tempête de la nuit s'était déplacée vers l'est, laissant la ville de Shiprock sous un ciel sans nuages. La température était déjà bien au-dessus du gel et le soleil avait rapidement raison de la neige. Mais même avec les quatre roues motrices, son véhicule patina allègrement. Les fossés en bordure de chaussée évacuaient déjà les eaux de fonte et un nuage de vapeur blanche tournoyait au-dessus de l'asphalte là où l'humidité s'évaporait.

La Route navajo 5010, à en croire la carte routière, avait été « refaite ». Ce qui voulait dire qu'elle était nivelée par endroits et qu'en théorie elle était au moins gravillonnée en surface. Les jours de grande circulation, six à huit véhicules devaient l'emprunter. Ce matin, la voiture de patrouille de l'agent Manuelito avait été la première à laisser ses traces dans la neige, et le pick-up de Chee était le second. Il remarqua avec approbation qu'elle avait effectué un virage lent et prudent sur sa gauche pour quitter la 5010 et s'engager sur une voie d'accès non répertoriée qui menait à Ship Rock... ne laissant par conséquent aucune trace de dérapage. Il effectua le même virage, sentit ses roues arrière partir, rétablit la direction et poursuivit sa route avec maintes précautions.

Tous ses muscles étaient tendus, tous ses sens en alerte. Il trouvait très stimulant de confronter son savoir-faire à la surface glissante de la piste. Stimulant aussi, l'air froid et limpide dans ses poumons, les motifs gris et blanc de la neige tendre sur les buissons de sauge, d'arroche et d'herbe-aux-lapins, stimulante la beauté, la vaste étendue déserte et un silence qui n'était rompu que par le bruit du moteur de son camion et celui de ses pneus dans la boue. À côté de lui se dressait l'immense monolithe de basalte de Ship Rock dont la face ouest n'avait pas encore été touchée par la chaleur du soleil et, par conséquent, restait recouverte de sa toute récente couche neigeuse. L'Homme-qui-est-Tombé avait dû appeler de ses prières pareille humidité avant que la soif ne le tue sur cette saillie rocheuse isolée.

Puis le camion franchit une élévation de terrain et l'agent Bernadette Manuelito apparut, minuscule silhouette debout à côté de sa voiture de police immobilisée. Elle personnifiait un problème administratif à résoudre, la fin de la joie, et rappelait combien la vie avait été agréable quand il était simple policier au volant de sa voiture de patrouille. Enfin, chaque chose a son bon côté. Même de loin, il voyait qu'elle avait quitté la route avec une telle ardeur qu'il n'y avait aucun espoir de la sortir de là en la remorquant derrière son pick-up. Il allait se contenter de reconduire la jeune femme au poste de police et d'envoyer un camion de remorquage sur place.

L'agent Manuelito lui avait semblé à la fois exceptionnellement jolie et exceptionnellement jeune pour porter un uniforme de la Police tribale navajo. Ce matin, elle ne lui aurait pas fait la même impression. Elle paraissait fatiguée, les cheveux en désordre, et faisait au moins son âge, qui, avait-il appris dans son dossier personnel, était de vingt-six ans. Elle avait également l'air renfrogné. Il se pencha au-dessus du siège pour lui ouvrir la portière.

– Pas de chance, dit-il. Prenez vos affaires et les armes, et fermez-la à clef. On enverra un camion de remorquage la chercher quand la boue aura séché.

L'agent Manuelito avait préparé une explication sur la façon dont ça s'était passé et il était hors de question de la dissuader d'en parler.

– La neige recouvrait un petit wash, là. Elle s'y est accumulée jusqu'à ce qu'on ne le voie plus. Et...

– Ça peut arriver à tout le monde. Allons-y.

– Vous n'avez pas apporté de chaîne pour me tirer ?

– Si, j'en ai une. Mais regardez. Il n'y a pas de traction possible. C'est de l'argile et elle est trop meuble.

– Vous avez les quatre roues motrices, argumenta-t-elle.

– Je sais, répondit Chee qui n'était pas d'humeur à débattre de ce genre de chose. Mais ça veut juste dire qu'on s'enfonce en faisant patiner quatre roues au lieu de deux. Je ne pourrais pas la bouger d'un centimètre. Prenez vos affaires et montez.

L'agent Manuelito repoussa une mèche de cheveux qui était tombée sur son front, y déposant une trace de boue grise. Ses lèvres s'ouvrirent pour répondre, puis se refermèrent.

– Oui, lieutenant, dit-elle.

Elle ne dit rien d'autre. Chee effectua une marche arrière pour gagner un point où le sol était pierreux, fit son demi-tour puis, de glissades en dérapages, regagna la Route 5010 dans un silence pesant. Quand ils eurent retrouvé la chaussée gravillonnée, il demanda :

– Vous saviez que Diamonte a porté plainte contre vous ? Qu'il vous accuse de harcèlement policier ?

Elle avait le regard fixé sur le pare-brise.

– Non. Mais je savais qu'il en avait exprimé l'intention.

– Oui, fit Chee. Il l'a fait. Il dit que vous êtes toujours à traîner dans le coin. Que vous embêtez ses clients.

– Les gens qui lui achètent de la drogue.

– Certains d'entre eux, probablement, concéda Chee.

Manuelito s'acharnait à regarder par le pare-brise.

– Qu'est-ce que vous faisiez là-bas ? interrogea Chee.

– Vous voulez dire, à part harceler ses clients ?

– En plus de ça.

En prononçant ces paroles, Chee se dit que la toute première chose qu'il allait faire dès son retour au bureau serait de donner un avis favorable au transfert de cette femme pour n'importe quel endroit. De préférence Tuba City, qui était pratiquement le point le plus éloigné de Shiprock où il lui était possible de l'expédier. Il lui jeta un coup d'œil, attendant sa réponse. Elle se concentrait toujours sur le pare-brise.

– Vous savez ce qu'il trafique ? demanda-t-elle.

– Je sais ce qu'il faisait quand j'étais en poste ici avant. À l'époque, il vendait de l'alcool en gros aux trafiquants de la réserve, il fourguait des objets volés à des particuliers, il touchait un peu à la marijuana. Ce genre de choses. À ce que je crois comprendre, il a maintenant étendu ses activités à des drogues plus dures.

– Absolument. Il continue à approvisionner le minable qui fume son joint et maintenant il vend aussi ce qui se fait de pire.

– C'est ce que j'ai toujours entendu dire. Et tout récemment par Teddy Begayaye. Le jeune que Begayaye a arrêté à l'institut universitaire la semaine dernière a dénoncé Diamonte comme étant son fournisseur de coke. Mais après il a changé d'avis et il a décidé qu'il ne se souvenait plus de l'endroit où il se l'était procurée.

– Je sais que c'est Diamonte qui la vend.

– Alors vous présentez vos preuves. Nous allons les soumettre au capitaine, qui les porte devant les procureurs fédéraux ou les policiers du comté de San Juan, et on colle ce salaud en prison.

– Naturellement.

– Mais on ne va pas là-bas comme ça, sans preuves, harceler ses clients. Il y a une loi qui l'interdit.

Chee sentit qu'elle n'avait plus les yeux fixés sur le pare-brise. C'était lui qu'elle regardait.

– On m'a dit que c'est ce que vous faisiez. Quand vous étiez simple policier, ici, avant.

Il se sentit rougir.

– Qui vous a dit ça ?

– Le capitaine Largo, quand nous étions en stage de formation.

Le salaud, pensa Chee.

– Il m'a pris comme mauvais exemple ?

– Il n'a pas dit qui c'était. Mais j'ai demandé. Les gens m'ont répondu que c'était vous.

– Ça a bien failli me faire virer de la police, reconnut-il. Il pourrait vous arriver la même chose.

– On m'a dit aussi que ça avait permis de fermer sa boîte, insista-t-elle.

– Ouais, et le temps qu'on me réintègre dans mes fonctions, il avait repris toutes ses activités.

– N'empêche...

Manuelito laissa sa phrase en suspens.

– Pas de « n'empêche ». N'y allez pas. C'est le travail de Begayaye, d'enquêter sur la situation en ce qui concerne la drogue. Si vous apprenez quelque chose qui peut nous faire avancer, dites-le à Teddy. Ou dites-le-moi. N'allez pas jouer les francs-tireurs.

– Oui, lieutenant, dit-elle à nouveau sur un ton très réglementaire.

– Je ne dis pas ça en l'air, assura-t-il. Je vais insérer une lettre dans votre dossier spécifiant ces instructions.

– Oui, lieutenant.

– Bon. D'où vient cette demande de transfert ?

Qu'est-ce qui ne vous convient pas, à Shiprock ? Et où voulez-vous aller ?

– Je m'en moque. N'importe où.

La réponse le surprit. Il s'était dit que Manuelito voulait se rapprocher d'un petit ami qu'elle avait quelque part. Ou que sa mère était malade. Quelque chose comme ça. Mais maintenant, il se rappelait qu'elle était de Red Rock. À l'échelle de la Grande Réserve, Shiprock semblait pratique car proche de sa famille.

– Y a-t-il quelque chose, à Shiprock, que vous n'aimez pas ?

La question entraîna un long silence, puis, finalement :

– Je veux simplement partir d'ici.

– Pourquoi ?

– Pour une raison personnelle. Je ne suis pas obligée de m'en expliquer, si ? Ça ne figure pas dans le règlement.

– Sans doute pas. De toute façon, je vais vous mettre un avis favorable.

– Merci.

– Ce n'est pas une garantie que vous allez l'obtenir, notez bien. Vous savez comment ça fonctionne. Largo peut enterrer la demande. Et il faut qu'il y ait un poste vacant correspondant quelque part. Il va falloir que vous soyez patiente.

L'agent Manuelito tendait le doigt par la fenêtre.

– Vous avez vu, ça ? demanda-t-elle.

Tout ce que Chee voyait, c'était la prairie qui ondulait vers l'immense silhouette sombre de Ship Rock.

– La clôture. Là où le wash donne dans le remblai. Regardez les poteaux.

Chee remarqua que deux d'entre eux étaient fortement inclinés. Il arrêta son pick-up.

– Quelqu'un a creusé à la base des poteaux, affirma-t-elle. On les a descellés de telle sorte qu'on puisse les arracher.

– Et coucher la clôture ?

– Plus vraisemblablement la soulever. Après, on peut faire descendre les vaches dans le wash et les faire passer tranquillement dessous.

– Vous savez à qui ces terres sont allouées ?

– Oui, lieutenant. À un homme qui s'appelle Maryboy.

– Est-ce qu'il a perdu des bêtes ?

– Je ne sais pas. Pas ces derniers temps, en tout cas. Enfin, moi, je n'ai pas vu de rapport là-dessus.

Chee mit pied à terre, pataugea dans la neige et testa les poteaux. Ils étaient faciles à soulever, mais en raison de la neige, il était impossible de déterminer exactement pourquoi. Il pensa à Zorro, le voleur de bétail favori de monsieur Finch.

Manuelito se tenait à côté de lui.

– Vous voyez ? dit-elle.

– Quand avez-vous remarqué ça ?

– Je ne sais pas. Il y a à peine quelques jours.

– Si je me souviens bien, il y a à peine quelques jours, et aujourd'hui par la même occasion, vous étiez censée avancer sur la liste de gens qui étaient présents à la danse. Afin de trouver quelqu'un qui accepte de nous dire des choses sur les membres des gangs. Sur ce qu'ils ont vu. Qui nous dise à qui était le pistolet. Qui s'en est servi. Ce genre de choses. Je me trompe ? Ça figurait en numéro un sur la liste qui vous a été remise après la réunion de travail.

– Oui, lieutenant, répondit l'agent Manuelito en prouvant qu'elle était capable d'adopter un ton docile quand elle le voulait.

Elle avait les yeux baissés sur ses mains.

– Est-ce que l'un de ces témoins potentiels habite par ici ?

– Euh, pas exactement. Le couple Roanhorse est sur la liste. Ils vivent près de Burnham.

– Près de Burnham ?

Le comptoir d'échanges de Burnham était largement plus au sud. Sur la 666.

– J'ai décidé de faire un petit crochet par ici, expliqua-t-elle de manière embarrassée. Nous avions reçu un rapport nous signalant que Lucy Sam avait perdu des bêtes, et je savais que le capitaine Largo était sur votre dos pour que vous arrêtiez quelqu'un et que vous mettiez un terme à tout ça et...

– Comment vous avez su ça ?

Le visage de Manuelito avait légèrement rougi.

– Eh bien, dit-elle. Vous savez comment les gens parlent des choses.

Oui, ça, il était au courant.

– Est-ce que vous êtes en train de me dire que vous êtes venue ici comme ça, au hasard ? Qu'est-ce que vous cherchiez ?

– Euh. Je voulais juste voir.

Chee attendit.

– Vous vouliez juste voir ?

– Euh. Je me suis souvenue de mon grand-père me parlant de Hosteen Sam. Le père de Lucy. Il détestait quand des Blancs venaient ici pour escalader Ship Rock. Ils se garaient après ce petit tertre, là, au pied de la paroi. Il notait leur numéro d'immatriculation ou la description de leur voiture, et quand il allait en ville, il se rendait au poste et il essayait de convaincre la police de les arrêter pour violation de propriété. Alors quand j'ai été nommée ici, et que l'un des problèmes qui tracassaient le capitaine a été les voleurs de bétail, je suis venue demander à Hosteen Sam s'il voulait bien noter pour nous la présence de camions ou de pick-up trucks suspects.

– Excellente idée, approuva Chee. Qu'a-t-il dit ?

– Il était mort. Il est mort l'an dernier. Mais sa fille m'a dit qu'elle le ferait et je lui ai donné un petit carnet pour ça, mais elle m'a répondu qu'elle avait celui dont son père se servait. Alors, bon, je me suis dit que j'allais juste faire un petit crochet par là pour voir si elle avait noté quelque chose.

– Pour un petit crochet, c'est un petit crochet. Dans les cent kilomètres, je dirais. Alors, elle l'avait fait ?

– Je ne sais pas. J'ai remarqué d'autres poteaux inclinés et j'ai décidé de me garer pour voir s'ils avaient été coupés, arrachés ou autre chose d'anormal. Et je me suis retrouvée dans le décor.

Une idée très intelligente, songea-t-il. Il aurait dû y penser lui-même. Il allait essayer de trouver des gens qui puissent observer de manière similaire ce qui se passait près de la Réserve Ute, et du côté de la Réserve-aux-Mille-Parcelles. Partout où des bêtes disparaissaient. Qui pourrait-il charger de cette mission ? Mais il fut détourné de cette pensée. Ses pieds, enfoncés jusqu'aux chevilles dans la neige fondante, se plaignaient du froid. Et le soleil s'était maintenant levé, assez pour illuminer un ensemble différent de champs de neige sur Ship Rock, haut au-dessus de leurs têtes. Ils renvoyaient une lumière blanche éblouissante.

L'agent Manuelito l'observait.

– Il est superbe, non ? demanda-t-elle. Tse' Bit' a'i'. Il ne donne jamais l'impression d'être pareil.

– Je me souviens que j'avais remarqué ça quand j'étais tout gamin et que je séjournais momentanément chez une tante, vers Toadlena. Je pensais qu'il était vivant.

Elle avait le regard braqué sur le monolithe.

– Superbe, répéta-t-elle avant de frissonner. Je me demande ce qu'il faisait là-haut. Tout seul.

– L'Homme-qui-est-Tombé ?

– Deejay ne croit pas qu'il soit tombé. Il dit qu'il n'avait pas un seul os de cassé et que quelqu'un qui ferait une chute sur cette falaise se casserait forcément quelque chose. Deejay pense qu'il faisait l'ascension avec quelqu'un et qu'il a simplement été abandonné, comme ça, là-haut.

– Qui sait ? En tout cas, ça ne figure nulle part dans nos archives comme autre chose qu'une mort accidentelle. Aucun indice ne laisse envisager un acte de malfaisance. Nous n'avons pas à nous préoccuper de ça.

Ses pieds lui signalaient que ses bottes étaient transpercées. Par de l'eau glacée.

– En route, dit-il en repartant vers son véhicule.

L'agent Manuelito était toujours au même endroit, scrutant du regard les parois qui se dressaient au-dessus d'elle.

– On raconte que Tueur* de Monstres n'a pas pu redescendre, lui non plus. Quand il est monté jusqu'au sommet et qu'il a tué le Monstre Ailé, il n'a pas pu redescendre.

– Venez, dit Chee.

Il s'installa derrière le volant et démarra, se disant qu'on avait davantage de chances de s'en tirer en étant un esprit comme Tueur de Monstres. Quand les esprits crient à l'aide, d'autres esprits les entendent. Femme* Araignée l'avait entendu, et elle était venue à son secours. Mais Harold Breedlove aurait pu appeler jusqu'à la fin des temps et il n'y aurait eu que les corbeaux pour l'entendre. Les mauvais rêves sont ainsi faits.

Ils roulèrent en silence.

Tout à coup l'agent Manuelito dit :

– Se retrouver pris au piège là-haut. Je ne veux même pas y penser. Ça me donnerait des cauchemars.

– Quoi ? fit Chee qui n'avait pas écouté car, parvenu à ce point, il tentait de repousser un cauchemar qui lui appartenait en propre.

Il essayait de trouver une autre raison qui fût susceptible d'inciter Janet Pete à lui poser des questions sur l'affaire du squelette de Ship Rock. Il voulait en trouver une qui ne fasse pas intervenir John McDermott et son cabinet d'avocats représentant la famille Breedlove. Peut-être était-ce l'étrangeté de la présence du squelette sur la montagne qui avait suscité ses questions. Il en revenait toujours à ça. Mais il commençait alors à s'interroger sur la personne qui avait pu emmener Janet à ce concert, et c'était à John McDermott qu'il pensait à nouveau.

10

La première chose que remarqua Joe Leaphorn en franchissant le seuil fut que sa vaisselle du petit déjeuner attendait dans l'évier qu'il s'en occupe. C'était une mauvaise habitude qui demandait à être corrigée. Plus question de se laisser aller comme ça à ces travers de veuf négligé. Puis il remarqua le voyant rouge qui clignotait sur son répondeur téléphonique. Le compteur indiquait qu'il avait reçu deux appels dans la journée... pas loin d'un record post-retraite. Il fit un pas vers l'appareil.

Mais non. Chaque chose en son temps. Il passa par la cuisine, lava son bol à céréales, sa petite cuiller et sa soucoupe, les essuya puis les rangea à leur place sur le panier à vaisselle. Puis il s'installa dans son fauteuil inclinable, posa ses bottes sur le tabouret, prit le téléphone et appuya sur le bouton.

Le premier appel émanait de son assurance auto et l'informait que s'il suivait une formation de conduite préventive, il pouvait bénéficier d'une remise sur ses primes responsabilité. Il enfonça à nouveau le bouton.

« Monsieur Leaphorn, » dit la voix. « John McDermott à l'appareil. Je suis conseiller juridique et notre

106

firme représente les intérêts de la famille Edgar Breedlove depuis très longtemps. Je me rappelle que c'est vous qui avez enquêté sur la disparition de Harold Breedlove il y a plusieurs années quand vous faisiez partie de la Police tribale navajo. Est-ce que vous pourriez être assez aimable pour me contacter, en PCV, afin de voir si vous accepteriez d'aider la famille à mener à bien sa propre enquête sur ce décès ? »

McDermott avait laissé un numéro à Albuquerque. Leaphorn le composa.

– Oh, oui, dit la secrétaire. Il était dans l'attente de votre appel.

Après son « merci d'avoir rappelé », McDermott ne s'attarda pas longtemps sur les formalités.

– Nous aimerions que vous vous mettiez tout de suite à la tâche en notre nom. Si vous êtes disponible, notre tarif habituel est de vingt-cinq dollars l'heure, plus les frais.

– Vous avez parlé de mener à bien l'enquête, dit Leaphorn. Est-ce que cela signifie que vous avez un doute sur l'identification du squelette ?

– Nous avons un doute sur pratiquement tout et n'importe quoi, répondit McDermott. C'est une affaire extrêmement bizarre.

– Est-ce que vous pourriez être plus précis ? J'ai besoin d'avoir une meilleure idée de ce que vous espéreriez découvrir.

– Ce n'est pas le genre de chose dont nous pouvons discuter au téléphone. Pas plus que le genre de chose dont je peux discuter tant que je ne sais pas si vous êtes prêt à accepter une avance. (Il eut un petit rire.) Les affaires de famille, vous savez.

Leaphorn se rendit compte qu'il se laissait gagner par l'irritation à cause du ton de la réponse... une faiblesse qu'il ne tolérait pas. Et il était curieux. Il émit à son tour un petit rire.

– D'après ce dont je me souviens sur la disparition de Breedlove, je ne vois pas comment je pourrais vous aider. Est-ce que vous voulez que je vous recommande quelqu'un ?

– Non. Non. C'est vous dont nous aimerions nous assurer les services.

– Mais quel genre d'informations devrais-je chercher ? J'ai tenté de découvrir ce qui lui était arrivé. Pourquoi il n'était pas revenu à Canyon de Chelly ce soir-là. Où il était allé. Ce qui lui était arrivé. Et, bien sûr, l'élément important, c'était ce qui lui était arrivé. Nous le savons maintenant, si l'identification du squelette est correcte. Le reste ne semble pas avoir d'importance.

McDermott sembla prendre quelques instants pour décider de la réponse à donner.

– La famille aimerait établir qui se trouvait là-haut avec lui.

Voilà qui devenait un peu plus intéressant.

– Ils ont appris qu'il y avait quelqu'un quand il est tombé ? Comment l'ont-ils su ?

– C'est un fait purement physique. Nous avons interrogé des grimpeurs qui connaissent cette montagne. Ils disent qu'il est impossible de l'escalader seul, pas jusqu'au point où le squelette a été retrouvé. Ils disent que Harold Breedlove n'avait pas la technique, l'expérience, pour y parvenir.

Leaphorn attendit mais McDermott n'avait rien à ajouter.

– Dans ce cas, cela veut dire que quelqu'un est monté avec lui. Quand il est tombé, ce quelqu'un l'a abandonné et n'a pas signalé sa chute. C'est ce que vous suggérez ?

– Et quel intérêt ce quelqu'un aurait-il eu à le faire ? demanda McDermott.

Leaphorn se surprit à sourire. Ces hommes de loi ! McDermott ne voulait pas prononcer ces mots lui-même. Au témoin de s'en charger.

– Bon, voyons un peu. Ça aurait pu se produire, si, par exemple, on l'avait précipité dans le vide. Si on lui avait appliqué une poussée fatale. Si on l'avait regardé tomber. Dans ce cas on aurait pu oublier de le signaler.

– Eh bien, oui.

– Et vous sous-entendez que la famille a une piste sur l'identité possible de l'auteur de cette négligence.

– Non, je ne sous-entends rien du tout.

– La seule piste, en ce cas, c'est la liste des gens qui auraient pu avoir un mobile. Si je peux m'en remettre à ma mémoire, la seule personne dont j'ai eu connaissance était la veuve. La femme qui allait hériter. Je présume qu'elle a effectivement hérité, n'est-ce pas ? Mais peut-être y a-t-il eu beaucoup de choses que je n'ai pas sues. Nous n'avions pas ouvert d'enquête criminelle, vous savez. Nous n'avions pas, et nous n'avons toujours pas, de crime pour susciter l'intérêt de la Police navajo ou du FBI. Ce n'était qu'une disparition de personne à l'époque. Maintenant nous avons ce que l'on peut considérer comme un décès accidentel. Il n'y a jamais eu la moindre preuve qu'il n'avait pas simplement...

Leaphorn s'interrompit, chercha une meilleure façon de formuler ce qu'il avait à dire, n'en trouva pas et conclut :

– ... simplement quitté sa femme et déserté son foyer.

– L'appât du gain est souvent le mobile qui pousse au meurtre, dit McDermott.

Au meurtre, pensa Leaphorn. C'était la première fois que le terme était utilisé.

– C'est vrai. Mais si je me remémore ce qu'on m'a dit à l'époque, il n'y avait pas grand-chose à hériter, à l'exception du ranch, et il perdait de l'argent. À moins qu'il y ait eu un contrat de mariage particulier, elle serait de toute façon devenue propriétaire de la moitié. C'est la loi au Colorado. Communauté de biens. Et si je me souviens de ce que j'ai appris alors, Breedlove l'avait déjà hypothéqué. Est-ce qu'il y avait un mobile par-delà l'appât du gain ?

McDermott laissa la question sans réponse.

– Si vous acceptez de travailler là-dessus, je m'en entretiendrai de vive voix avec vous.

– Je me suis toujours demandé s'il y avait un contrat de mariage. Mais maintenant, j'apprends qu'elle est propriétaire du ranch.

– Pas de contrat de mariage, lâcha McDermott à contrecœur. Qu'en pensez-vous ? Si cet arrangement sur une base horaire ne vous convient pas, nous pouvons décider d'un tarif hebdomadaire. Multipliez les vingt-cinq dollars par quarante heures et disons mille dollars la semaine.

Mille dollars la semaine, pensa Leaphorn. Une grosse somme pour un policier à la retraite. Et combien McDermott allait-il demander à son client ?

– Je vais vous dire ce que je vais faire. Je vais y réfléchir. Mais il faudra que j'aie des informations plus précises.

– La nuit porte conseil, concéda McDermott. Je viens à Window Rock demain, de toute façon. Pourquoi ne pas déjeuner ensemble ?

Joe Leaphorn ne voyait aucune raison de ne pas le faire. Il n'avait rien d'autre de prévu le lendemain. Ni le reste de la semaine, d'ailleurs.

Ils fixèrent le rendez-vous à treize heures à l'Auberge Navajo. Ça laissait le temps à la foule de l'heure du déjeuner de s'éclaircir, et à McDermott de parcourir les trois cent vingt kilomètres depuis Albuquerque. Ça laissa aussi à Leaphorn les heures de la matinée pour réunir des informations par téléphone, parler à des amis qui travaillaient dans l'élevage, à un banquier de Denver, un vendeur de bétail, afin d'apprendre tout ce qu'il pouvait sur le Lazy B et l'histoire passée des Breedlove.

Puis il se rendit à l'Auberge et attendit à la réception. Une Lexus blanche se rangea sur le parking. Deux hommes en descendirent : l'un grand et mince avec des cheveux blonds grisonnants, l'autre plus petit de quinze centimètres, cheveux foncés, peau brunie par le soleil, avec la silhouette aux épaules massives et à la taille fine de ceux qui font de la musculation et jouent au squash. Dix minutes en avance, mais c'était vraisemblablement McDermott et... qui donc ? Un assistant, peut-être.

Leaphorn les reçut à l'entrée, se présenta et les conduisit vers la table d'angle tranquille qu'il avait fait en sorte d'obtenir.

– Shaw, répéta-t-il. George Shaw ? C'est bien ça ?

– Tout à fait, répondit l'homme à la peau bronzée. Hal Breedlove était mon cousin. Mon meilleur ami, aussi, soit dit en passant. J'ai été l'exécuteur testamentaire des biens quand Elisa l'a fait déclarer officiellement mort.

– Une bien triste situation, commenta Leaphorn.

– Oui, dit Shaw. Et bizarre.

– Pourquoi dites-vous cela ?

Leaphorn pouvait recenser une douzaine de façons de considérer la mort de Breedlove comme bizarre. Mais laquelle allait choisir monsieur Shaw ?

– Eh bien, pour commencer, pourquoi sa chute n'a-t-elle pas été signalée?

– Vous ne croyez pas qu'il ait fait l'ascension en solitaire?

– Bien sûr que non. Il en était incapable. Je ne pourrais pas y parvenir moi-même, et j'étais d'un cran ou deux supérieur à lui dans le domaine de l'escalade. Personne n'y arriverait.

Leaphorn conseilla les *enchiladas* de poulet qu'ils commandèrent tous. McDermott voulut savoir s'il avait réfléchi à leur offre. Il répondit par l'affirmative. Alors, acceptait-il? Ils aimeraient aller de l'avant le plus vite possible. Il répondit qu'il avait besoin d'informations supplémentaires. Leur commande arriva. Délicieux, pensa Leaphorn qui se nourrissait essentiellement de sa propre cuisine. McDermott mangea en méditant. Shaw avala une grande bouchée, riche en piment vert, et considéra sa fourchette en fronçant les sourcils.

– Quel genre d'informations? demanda McDermott.

– Qu'est-ce que je dois chercher?

– Comme je vous l'ai dit, nous ne pouvons pas nous montrer trop précis. Nous voulons juste être sûrs que nous détenons tous les éléments d'information qui sont accessibles. Nous aimerions savoir pourquoi Harold Breedlove est parti de Canyon de Chelly, à quel moment exact, qui il a rencontré et où ils sont allés. Tout ce qui peut concerner sa veuve et ses liaisons à l'époque. Nous voulons savoir tout ce qui pourrait jeter de la lumière sur cette affaire.

McDermott lui adressa un petit sourire d'excuses:

– Tout, répéta-t-il.

– Ma première question concernait ce que je devrais chercher, reprit Leaphorn. La seconde, c'est pourquoi ? Cela doit coûter très cher. Si monsieur Shaw qui est venu avec vous est disposé à me payer mille dollars par semaine par l'intermédiaire de votre cabinet juridique, vous allez lui facturer vos services combien ? Les honoraires d'un homme de loi dont on m'a parlé s'élevaient à cent dix dollars l'heure. Mais c'était il y a longtemps, et c'était à Albuquerque. Il faut multiplier ça par deux pour un cabinet de Washington ? Ça ferait à peu près le compte ?

– Ce n'est pas donné, concéda McDermott.

– Et peut-être que je ne trouverai rien du tout. Vraisemblablement, vous n'apprendrez rien. Les traces sont effacées au bout de onze ans. Mais admettons que vous appreniez que la veuve a prémédité d'éliminer son mari. Je n'en suis pas absolument certain mais il me semble qu'alors, elle ne pourrait pas hériter. La famille récupère donc le ranch. Que vaut-il ? Magnifique maison, à ce qu'on m'a dit, pour quelqu'un de riche qui souhaite y vivre à l'écart de tout. Peut-être une centaine de têtes de bétail. Il paraît qu'il reste une vieille hypothèque que la veuve de Harold a prise, il y a six ans, pour rembourser les dettes de son mari. Combien pourrait-on tirer du ranch ?

– C'est une question de justice, dit McDermott. Je ne suis pas instruit des raisons qui motivent la famille, mais je présume qu'il désirent que justice soit faite pour la mort de Harold.

Leaphorn sourit.

Shaw buvait son café. Il vida la tasse et la posa bruyamment sur la soucoupe.

– Nous voulons voir le meurtrier de Harold au bout d'une corde. Ce n'est pas ça qu'on pratique ici ? La pendaison ?

– Plus depuis un bon moment, répondit Leaphorn.

La montagne se trouve sur la partie de la Réserve située sur le territoire du Nouveau-Mexique, et au Nouveau-Mexique ils utilisent la chambre à gaz. Mais ça relèverait probablement d'une juridiction fédérale. Nous, les Navajos, nous n'appliquons pas la peine capitale et le gouvernement fédéral ne pend pas les gens.

Il adressa un signe au garçon, fit remplir leur tasse de café, but le sien et reposa sa tasse.

– Si j'accepte ce travail, je ne veux pas perdre mon temps, déclara-t-il. Je vais me mettre en quête d'un mobile. Il y en a un qui est évident, l'héritage du ranch. Ce qui vous donne deux suspects évidents : la veuve et son frère. Mais ni l'un ni l'autre n'a eu la possibilité matérielle de le faire, en tout cas, pas dans la période qui a suivi immédiatement la disparition de Harold. L'hypothèse suivante serait le petit ami de la veuve, si elle en avait un. Je me pencherai donc sur tout cela. Le meurtre avec préméditation implique beaucoup de difficultés et de risques. Je n'en ai jamais rencontré un qui n'ait trouvé son origine dans une forte motivation.

Ni Shaw ni McDermott ne réagirent à ces propos.

– D'ordinaire, la cupidité, conclut-il.

– L'amour, dit Shaw. Ou la luxure.

– Qui ne semble pas avoir été consommée, d'après les renseignements actuellement en ma possession. La veuve est demeurée célibataire. Quand j'ai enquêté sur la disparition, il y a des années, j'ai fouiné un peu à droite et à gauche à la recherche d'un petit ami. Je n'ai pas recueilli le moindre ragot pouvant suggérer une quelconque relation à trois.

– C'est assez facile à garder secret, objecta Shaw.

– Ici, certainement pas, dit Leaphorn. Je serais plus tenté par un mobile d'ordre économique. (Il regarda Shaw.) S'il s'agit d'un crime, c'est un crime d'homme blanc. Aucun Navajo n'irait tuer quelqu'un sur cette montagne sacrée. Je doute qu'un Navajo puisse déjà manquer de respect au point de l'escalader. Chez les gens de mon peuple, le meurtre est généralement lié au whisky ou à une jalousie d'ordre sexuel. Chez les Blancs, j'ai remarqué qu'il a plus de chances d'être lié à l'argent. Donc, si j'accepte ce travail, je vais brancher mon ordinateur et interroger les statistiques sur le marché des minerais et les fluctuations des cours.

Shaw jeta un regard de côté à McDermott que celui-ci ne remarqua pas. Il observait attentivement Leaphorn.

– Pourquoi ?

– Les gens qui colportent les ragots du côté de Mancos disent qu'Edgar Breedlove a acheté le ranch parce que ses prospecteurs y avaient découvert des gisements de molybdène plutôt qu'en raison de ses herbages. Ils disent que le prix du minerai avait suffisamment monté, il y a dix ou quinze ans, pour que son exploitation rapporte. Ils disent que Harold, ou la famille Breedlove, ou quelqu'un d'autre, négociait une concession d'exploitation et que la chambre de commerce de Mancos misait sur une importante embauche au niveau de la mine. Mais Harold a disparu et en un rien de temps les prix sont retombés. Je vais essayer d'apprendre s'il y a quoi que ce soit de vrai dans tout ça.

– Je vois, dit McDermott. Oui, ça aurait augmenté la valeur du ranch et renforcé le mobile.

– Oh, et puis merde, fit Shaw. On préférait garder le silence là-dessus. Quand il y a une fuite concernant ce genre de nouvelles, ça cause des problèmes. Avec les politiciens du coin, les écolos, tous les autres.

– Bon, dit Leaphorn. Je suppose que si j'accepte ce travail, je ne me trompe pas en supposant que le ranch vaut beaucoup plus que l'herbe qui pousse dessus.

– Alors, qu'est-ce que vous nous dites ? demanda Shaw d'un ton impatient. Est-ce que nous pouvons compter sur vous pour fouiller un peu dans tout ça ?

– Je vais y réfléchir. J'appellerai votre bureau.

– Nous allons être ici un jour ou deux, dit Shaw. Et nous sommes pressés. Pourquoi ne pas prendre votre décision tout de suite ?

Pressés, pensa Leaphorn. Après toutes ces années.

– Je vous le ferai savoir demain. Mais vous n'avez pas répondu à ma question quant à la valeur du ranch.

McDermott présentait une expression lugubre.

– Vous ne vous tromperiez pas en supposant qu'elle était suffisante pour inciter à tuer.

11

« En tordant la queue de la vache, on encourage l'animal à se déplacer vers l'avant », affirmait le texte. « Si on la ramène sur son dos, elle fait office de légère contrainte. Dans les deux cas, le manipulateur doit l'empoigner près de sa base pour éviter de la casser, et se tenir sur le côté pour éviter de recevoir un coup de pied. »

Le paragraphe se trouvait dans le haut, quatre pages avant la fin d'un manuel de formation fourni par la Nation navajo aux inspecteurs du bétail travaillant pour son Agence d'Encadrement des Ressources. Le lieutenant honoraire Jim Chee le lut, reposa le manuel et se frotta les yeux. Il ne figurait pas au nombre des employés de l'AER. Mais puisque le capitaine Largo l'obligeait à faire le travail de l'agence, il avait emprunté un livret destiné aux inspecteurs et l'épluchait lentement. Il avait couvert les sections propres à la législation sur les droits de pâturage, le passage sur les terres, le marquage des bêtes, les actes de vente, le moment et les conditions qui régissent le franchissement par le bétail des limites de la réserve, les règles de mise en quarantaine en cas de maladie, et il en était aux conseils donnés sur la façon de s'y prendre avec les bêtes pour éviter les blessures. Aux yeux de Chee, qui avait reçu plusieurs coups de sabot de cheval mais jamais de vache, ces conseils paraissaient sensés. De plus, cette lecture l'affranchissait des tâches administratives (organisation des départs en vacances, justificatifs pour le règlement des heures supplémentaires, rapports de kilométrage des voitures de patrouille, etc.) qui attendaient qu'il s'en occupe sur son bureau encombré. Il reprit le manuel.

« On peut se servir d'une boucle pour tirer sur l'oreille de l'animal, ce qui permet de détourner son attention des autres parties de son corps, » débutait le paragraphe suivant. « Ce moyen ne doit être utilisé qu'avec précautions pour éviter d'endommager le cartilage de l'oreille. Pour réaliser la boucle, enrouler et lier un bout de corde de section plus ou moins grosse à la base des cornes. Contourner ensuite l'oreille afin de former une sorte de demi-nœud. Tirer sur l'extrémité de la corde pour imprimer la contrainte. »

Il étudia l'illustration voisine qui montrait une vache à l'allure somnolente, portant une boucle. Les expériences d'enfant de Chee avaient trait aux moutons pour lesquels pareil nœud n'était pas nécessaire. Néanmoins, il se dit qu'il n'éprouverait pas de difficultés à en faire un.

Le paragraphe suivant concernait un « harnais en corde qui se lance » grâce auquel une personne travaillant seule peut attacher une vache ou un taureau adultes en évitant le risque de strangulation encouru avec les techniques de coercition ordinaires. Cela aussi semblait facile mais requérait une grande longueur de corde. Encore deux pages et il en aurait terminé.

Le téléphone sonna à ce moment-là.

La voix qu'il entendit appartenait à l'agent Manuelito.

– Lieutenant, dit-elle, j'ai découvert quelque chose et je pense que vous devriez être au courant.

– Je vous écoute.

– Du côté de Ship Rock, à l'endroit où les poteaux de clôture avaient été déterrés. Vous vous souvenez ?

– Je me souviens.

– Eh bien, la neige a disparu maintenant et on voit l'endroit où, avant qu'il neige, quelqu'un avait jeté une botte de foin.

– Ah.

– Comme si on voulait attirer les bêtes. Faire en sorte qu'il soit facile de les prendre avec une corde. De les attirer sur un plan incliné. Puis dans une remorque.

– Manuelito. Avez-vous fini d'interroger la liste de témoins possibles dans cette affaire de coups de feu ?

Silence. Enfin :

– La plupart. Il y en a que je cherche encore.

– Est-ce qu'ils habitent du côté de Ship Rock ?

– Euh, non. Mais...

– Il n'y a pas de mais.

Chee changea de position sur son siège, sachant que si son dos lui faisait mal c'était parce qu'il passait trop de temps assis, sachant que dans le monde naturel le soleil était éclatant, le ciel d'un bleu foncé, que les chamisas prenaient couleur d'or et les herbes-aux-serpents tournaient au jaune vif. Il soupira.

– Manuelito. Est-ce que vous êtes allée parler à la fille de Hosteen Sam pour savoir si elle a vu quelque chose de suspect ?

– Non, lieutenant, répondit l'agent Manuelito d'un ton qui paraissait surpris. Vous m'avez ordonné de...

119

– D'où appelez-vous ?

– Du comptoir d'échanges de Burnham. Les gens m'ont dit qu'ils n'avaient rien vu à la Danse des Filles. Mais je crois que si.

– Probablement, acquiesça Chee. Ils n'ont tout simplement pas voulu que le tireur ait des ennuis. Bon, rentrez tout de suite, appelez-moi quand vous arriverez et nous irons voir si Lucy Sam a remarqué quelque chose qui nous intéresse.

– Oui, lieutenant, répondit l'agent Manuelito comme si elle trouvait qu'il s'agissait d'une bonne idée.

Chee trouvait aussi que c'en était une. L'histoire du foin jeté par-dessus la clôture portait la signature de Zorro tel que l'avait décrit Finch, et ça semblait être l'occasion d'en remontrer à cet arrogant personnage sur son propre terrain.

L'agent Manuelito avait meilleure allure aujourd'hui. Son uniforme était impeccable, ses cheveux noirs comme l'aile du corbeau et peignés avec soin, et il n'y avait pas de boue sur son visage. Mais elle présentait toujours une légère tendance à l'autoritarisme.

– Tournez-là, ordonna-t-elle en désignant la route qui conduisait à Ship Rock, je vais vous montrer le foin.

Chee se souvenait parfaitement de l'emplacement des poteaux de clôture délogés, mais la beauté de la matinée l'avait rendu d'humeur conciliante. Avec Manuelito, il s'efforcerait de corriger un défaut à la fois, remettant celui-ci à un jour de pluie. Il tourna comme il en avait reçu l'ordre, se gara quand elle lui stipula de se garer et la suivit vers la clôture. Maintenant que la couche de neige s'était évaporée, il était facile de voir que la terre avait été creusée et enlevée

120

autour des pieux. Il était également facile de voir, disséminé parmi la sauge, les genévriers et les herbes-aux-lapins, ce qui restait de plusieurs bottes de luzerne une fois que les bêtes s'étaient repues.

– Vous l'avez signalé à Delmar Yazzie ? demanda Chee.

L'agent Manuelito semblait perdue.

– Yazzie ?

– Yazzie, explicita Chee. Le ranger chargé de l'encadrement des ressources, dont la base est à Shiprock. C'est monsieur Yazzie qui a la responsabilité d'empêcher les gens de voler des bêtes.

L'agent Manuelito parut troublée.

– Non, lieutenant. Je me disais que nous pourrions plus ou moins garder cet endroit sous observation. Le mettre sous surveillance, vous comprenez. L'individu qui met ce foin comme appât reviendra, et quand il aura habitué les vaches à venir ici, il...

– Il installera une sorte de plan incliné, compléta Chee, il fera reculer sa remorque jusqu'ici, il guidera quelques bêtes à l'intérieur et...

Il s'interrompit. L'expression troublée de Manuelito avait d'abord cédé la place au sourire de l'enthousiasme juvénile, mais le ton impatient de Chee avait chassé ce sourire.

Il avait eu pour intention de lui exposer une partie de ce qu'il avait appris en digérant le manuel des inspecteurs du bétail marqué. S'ils réussissaient effectivement à arrêter le voleur et à obtenir sa condamnation, le maximum absolu correspondant à son crime serait une amende « qui ne doit pas excéder cent dollars », et une peine de prison « qui ne doit pas excéder six mois ». Tel était ce qui figurait dans la section 1356 du sous-chapitre six du chapitre sept du manuel du contrôle et de l'inspection des bêtes à cornes. La lecture de cette section, juste après l'appel de Manuelito, avait alimenté le désir que ressentait Chee de quitter son bureau et de sortir au soleil. Mais pourquoi reportait-il sa mauvaise humeur sur cette subordonnée sans expérience ? Le simple fait de lui couper la parole était une grossièreté inexcusable pour n'importe quel Navajo. Ce n'était pas de sa faute à elle, mais de celle du capitaine Largo. Et par ailleurs, Finch l'avait blessé dans son amour-propre. Il voulait dégonfler cette baudruche prétentieuse en attrapant son Zorro avant lui. Manuelito donnait l'impression de pouvoir lui être d'une aide précieuse dans ce projet.

Il avala sa salive, s'éclaircit la gorge.

– ... et alors, il nous serait facile d'obtenir sa condamnation, conclut-il.

Les traits de l'agent Manuelito étaient devenus indéchiffrables. Une femme qu'il n'était pas facile de duper.

– Et de mettre un terme aux activités d'un voleur de bétail, ajouta-t-il en sentant combien cette conclusion était minable. Bon, allons-y. On va voir s'il y a quelqu'un chez les Sam.

L'administration de l'Électrification rurale avait installé une ligne qui traversait le paysage désert dans la direction des monts Chuska, ce qui la faisait passer à quelques kilomètres de la maison Sam, et la compagnie navajo des Télécommunications l'avait imitée en reliant au monde, avec ses propres lignes de téléphone, des points aussi inhabités que Rattlesnake ou Red Rock. Mais soit le domaine des Sam était trop éloigné de la route pour rendre une connexion réalisable, soit ils avaient opté pour la préservation de leur intimité. Par conséquent, les poteaux de clôture qui couraient le long de la route de terre menant à leur hogan n'étaient pas tendus de fils téléphoniques, et Chee n'avait donc aucune possibilité d'avertir Lucy Sam de sa visite imminente.

Mais quand il rétrograda en première pour franchir au ralenti la grille à bétail et s'engager sur la piste conduisant aux pâtures allouées aux Sam, il remarqua que la vieille botte accrochée au pieu de l'entrée était dans le bon sens. Il devait y avoir quelqu'un.

– J'espère qu'il y a quelqu'un, dit l'agent Manuelito.

– Il y a quelqu'un, affirma Chee en montrant la botte d'un signe de tête.

Elle fronça les sourcils sans comprendre.

– La botte a la semelle vers le bas. Quand on part de chez soi, et qu'il n'y a plus personne, on la retourne de façon à ce que le haut soit en bas. Vide. Personne. Ça évite au visiteur de faire tout le trajet jusqu'au hogan.

– Oh ! Je ne savais pas, ça. Nous habitions du côté de Keams Canyon avant que Maman ne parte à Red Rock.

Elle semblait impressionnée. Chee prit conscience qu'il était en train de se faire valoir. Et qu'il y prenait plaisir. Il hocha la tête, ajouta :

– Oui. Vous aviez probablement un signal différent, là-bas.

Et il se dit qu'il n'aurait vraiment pas l'air malin, maintenant, s'il n'y avait personne chez les Sam. Le problème avec cette signalisation placée aux grilles à bétail, c'est que les gens oublient de s'arrêter pour changer le sens de la botte.

Mais le pick-up de Lucy Sam était au repos devant son mobile-home extra-large et elle les observait à travers la moustiquaire de la porte d'entrée. Chee laissa la voiture de patrouille s'immobiliser progressivement au milieu d'une volée de poules effrayées. Ils attendirent, donnant à Ms [1] Sam le temps nécessaire pour se préparer à recevoir des visiteurs. Ce qui donna également à Chee celui d'inspecter les lieux.

Le mobile-home était d'un modèle léger mais il avait été installé solidement sur une base de blocs de béton afin d'empêcher le vent de s'engouffrer en dessous. Une petite antenne satellite était posée sur le toit, s'associant à une rangée de vieux pneus pour maintenir en place les panneaux d'aluminium en même temps qu'elle captait les signaux de télévision. À côté de cette résidence volatile se trouvait le hogan des Sam, solidement bâti en plaques de grès, l'entrée dirigée à l'est comme il se doit. Les yeux bien exercés de Chee lui disaient qu'il avait été construit selon les spécifications prescrites au Peuple* par Femme-qui-Change*. C'était elle qui avait établi leurs lois. Derrière le hogan, il y avait une remise à foin et un enclos à bétail en planches, une éolienne avec son réservoir d'eau attenant, et, sur la remise, un petit générateur à vent dont les pales tournaient dans la brise matinale. Un peu plus bas sur la pente, un pick-up Ford F100, rouillé et depuis longtemps défunt, reposait sur des blocs de ciment, roues enlevées. Plus bas encore, des toilettes extérieures. Derrière cet assemblage désordonné représentatif d'un habitat rural, la vue s'étendait à l'infini.

Chee se souvint d'un professeur qu'il avait eu autrefois à l'université du Nouveau-Mexique et qui avait choisi, comme sujet de recherche, la façon dont

---

1. Ms (« miz ») : abréviation « neutre » remplaçant Mrs (« missiz ») et Miss afin d'abolir la discrimination entre femme mariée et célibataire. (*N.d.T.*)

les Navajos déterminent l'emplacement de leur hogan. À lui, la réponse avait semblé d'une évidence flagrante. Un Navajo, comme n'importe quel éleveur, a besoin d'eau, d'herbe, d'une route et, par-dessus tout, d'une vue reposante pour l'âme sur (selon les paroles de l'un des chants guérisseurs) « la beauté tout autour de soi ».

La famille Sam avait donné la priorité à la beauté. Ils avaient choisi la ligne de faîte d'un haut pli de terrain herbeux entre Red Wash et Little Ship Rock Wash. À l'ouest, le soleil du matin teintait de rose et d'orange l'étendue sauvage érodée qui donnait son nom à la communauté de Red Rock. Au-delà se dressait la masse bleu-vert des monts Carrizo. Loin au nord, au Colorado, la silhouette de la Montagne du Ute qui Dort, avec son nez romain, dominait, et plus à l'ouest se dessinaient les agencements d'ombres et de lumière perpétuellement changeants qui marquaient la frontière du pays des canyons de l'Utah. Mais quand on tournait ses regards vers l'est, tout cela était surpassé par le sombre monolithe du Rocher-qui-a-des-Ailes, culminant au-dessus de son étendue de prairie plane. Vieux seulement de cinq ou six millions d'années, à en croire les géologues, mais, dans la mythologie de Chee, il était là depuis que Dieu avait créé le temps, ou bien, suivant la version que l'on préférait, il était venu du Nord assez récemment par la voie des airs, portant sur son dos les premiers clans des Navajos.

Lucy Sam réapparut dans l'encadrement de sa porte, indiquant ainsi qu'elle était prête à recevoir ses visiteurs. Elle avait mis une cafetière à chauffer sur son réchaud à butane, avait enfilé un corsage de velours bleu foncé et, en leur honneur, s'était parée de ses bijoux de turquoise et d'argent. Ils se livrèrent à l'échange de formalités polies auxquelles obéissent les salutations navajo traditionnelles, s'assirent à la table des Sam et attendirent qu'elle sorte ce qu'elle appelait son « livre des voleurs » d'un meuble de rangement rempli de magazines et de journaux.

Chee s'estimait assez doué pour deviner l'âge des hommes et assez nul pour celui des femmes. Ms Sam, pensa-t-il, devait approcher des soixante-dix ans... plus ou moins cinq ou dix ans. Elle relevait et attachait ses cheveux à la manière traditionnelle, portait la volumineuse jupe longue exigée par la pudeur traditionnelle, et elle avait un poste de télévision, sur une table d'angle, réglé sur une émission matinale. C'était l'un des talk-shows les plus sordides : une jolie jeune femme nommée Ricki quelque chose allait mettre son nez dans la conduite sexuelle répréhensible, le malheur, les haines et la détresse d'une rangée d'invités qui avaient tout l'air d'arriérés mentaux, au grand amusement du public du studio. Mais Chee fut détourné de ce spectacle par l'objet qui partageait l'espace, sur la table, avec le poste de télévision.

C'était un télescope monté sur un trépied bas et braqué par la fenêtre sur le monde extérieur. Il reconnut une lunette semblable à celle dont s'était servi leur instructeur, au stand de tir de la police, pour lui indiquer de combien il avait raté le centre de la cible. Cette lunette-ci semblait d'un modèle plus ancien, plus volumineux, probablement un télémètre permettant aux observateurs de l'artillerie de déterminer la bonne portée, et probablement achetée dans un magasin des surplus de l'armée.

Ms Sam avait posé son cahier, un fascicule noir qui paraissait encore plus vieux que la longue-vue, sur la table. Elle installa sur son nez une paire de lunettes à double foyer, puis ouvrit le cahier.

– Je n'ai pas vu grand-chose depuis que vous m'avez demandé de surveiller, annonça-t-elle à l'agent Manuelito. Je veux dire que je n'ai pas vu grand-chose qui puisse vous donner envie d'arrêter des gens.

Elle regarda Chee par-dessus ses doubles foyers, lui adressa un large sourire :

– À moins que vous souhaitiez arrêter cette femme qui travaillait au comptoir d'échanges de Red Rock parce qu'elle batifole avec le mari d'une autre.

L'agent Manuelito souriait également. Chee avait apparemment l'air de ne pas comprendre car la vieille femme pointa le doigt dans la direction qu'indiquait le télescope, de l'autre côté de la fenêtre.

– Là-bas, vers le Rocher-qui-a-des-Ailes, expliqua-t-elle. Il y a un gentil petit endroit, là-bas. Avec une source naturelle et des trembles. Je regardais comme ça dans le télescope pour voir s'il y avait des camions qui étaient garés, ici ou là, et je vois la petite voiture rouge de cette femme qui arrive et se dirige vers les arbres. Et une minute après, voilà le pick-up de Bennie Smiley qui arrive. Et puis, un bon moment plus tard, le camion réapparaît au sommet de la colline, et il se passe encore quatre ou cinq minutes et revoilà la petite voiture rouge.

Elle hocha la tête en regardant Chee, conclut que c'était peine perdue et se tourna vers Manuelito.

– Ça a duré à peu près une heure, ajouta-t-elle avec pour résultat d'élargir encore le sourire de la jeune femme.

– Bennie, fit-elle. J'aurais jamais cru.

– Si, confirma Lucy Sam.

– Je le connais, Bennie, dit Manuelito. C'était le petit copain de ma sœur aînée. Elle l'aimait bien mais elle a découvert qu'il était né au Clan des Rivières qui Courent Ensemble. C'est trop proche, pour nous, du clan « auquel » nous sommes nées.

Lucy Sam secoua la tête, émit un bruit de désapprobation. Mais elle souriait encore.

– Cette femme à la voiture rouge, reprit Manuelito. Je me demande si je la connais aussi. Est-ce que c'est madame...

Chee se racla la gorge.

– Je me demande si vous avez remarqué des pick-up trucks, ou n'importe quel véhicule dans lequel on pourrait transporter un chargement de foin, qui se seraient arrêtés là-bas, sur la route qui passe devant la station de pompage de Rattlesnake. Sans doute un jour ou deux avant la neige.

Il posa un regard sur l'agent Manuelito, essayant de déchiffrer son expression, conclut que soit elle était légèrement honteuse de s'être livrée à des commérages au lieu de s'occuper de son métier de policier, soit elle était irritée parce qu'il l'avait interrompue. Probablement la deuxième solution.

Ms Sam tournait les pages du cahier avec son pouce en disant :

– Voyons voir. Ce n'est pas lundi soir qu'il a commencé à neiger ?

Elle tourna une autre page, pointa son doigt à plusieurs reprises sur le papier :

– Un gros camion avec attelage s'est garé là, sur le bord de la Route 33. Bleu foncé, et la remorque qu'il tirait était en partie rouge et en partie blanche comme si quelqu'un était en train de la peindre et n'avait pas fini. Il avait des plaques de l'Arizona. Mais c'était huit jours avant qu'il neige.

– Ça ressemble au camion de mon oncle, dit Manuelito. Il habite du côté de Sanostee.

Lucy Sam dit qu'il lui avait paru familier. Et non, elle n'avait pas remarqué de camions bizarres dans les jours qui avaient immédiatement précédé la tempête, mais elle s'était rendue à Farmington pour s'acheter des provisions et elle avait été absente une journée. Elle lut à haute voix les quatre autres inscriptions qu'elle avait faites depuis qu'elle avait reçu la demande de l'agent Manuelito. L'une d'elles semblait correspondre au camion de Finch avec sa volumineuse caravane. Aucune des autres inscriptions n'aurait de signification à moins que et jusqu'à ce qu'un schéma directeur se dégage. Un schéma ! Cela rappela à Chee l'époque où il travaillait avec Leaphorn. L'ancien lieutenant était toujours à la recherche de schémas directeurs.

– Comment avez-vous su que c'était une plaque de l'Arizona ? demanda-t-il. Grâce au télescope ?

– Jetez un coup d'œil, dit-elle en accompagnant ses paroles d'un geste de la main.

Il s'y employa, ajustant la bague de réglage. La montagne lui sauta au visage. Gigantesque. Il effectua la mise au point sur une plaque de basalte frangée de chênes d'altitude.

– Eh bien dites donc, s'exclama-t-il. Un sacré télescope.

Il le fit pivoter, obtenant l'image de l'endroit où la Route 33 coupe à travers une muraille de Chine en pierre qui part du volcan et s'éloigne vers le sud. Un car de ramassage scolaire roulait sur l'asphalte en direction de Red Rock après avoir transporté les enfants sur les quatre-vingts kilomètres qui les séparaient de l'école secondaire de Shiprock.

– Nous l'avons acheté pour lui, il y a longtemps, quand il a commencé à être malade, expliqua Ms Sam en utilisant la tournure navajo qui évite toute allusion directe au nom du mort. Je l'ai trouvé dans cette grosse boutique de prêteur sur gages qu'il y a sur Railroad Avenue, à Gallup. Comme ça il pouvait rester assis là, à regarder le monde et à surveiller sa montagne.

Elle fit un petit bruit moqueur comme si Chee allait trouver cela bizarre.

– Tous les jours, il écrivait ce qu'il voyait. Vous savez. Comme par exemple, quels étaient les couples de faucons crécerelles qui revenaient aux mêmes nids. Et où les buses à queue rousse chassaient. Quels étaient les gosses qui peignaient des trucs à la bombe sur le vieux réservoir d'eau, là-bas, ou qui grimpaient à l'éolienne. Ce genre de choses.

Elle soupira, eut un geste vers l'émission, sur l'écran.

– C'était mieux que ça. Il adorait sa montagne. Ça le rendait heureux de la regarder.

– On m'a dit qu'il venait à Shiprock, au poste de police, signaler les gens qui traversaient les terres sans autorisation et qui escaladaient Tse' Bit' a'i'. Est-ce exact ?

– Il voulait les faire arrêter. Il disait que c'était mal, ces Blancs qui escaladaient une montagne sacrée. Il disait que s'il était plus jeune et s'il avait de l'argent, il retournerait dans l'Est et il grimperait la façade de cette grosse cathédrale qu'il y a à New York. (Elle rit.) Pour voir si ça leur plairait.

– Il notait ce genre de choses dans son cahier ? demanda Chee en pensant au lieutenant Leaphorn et en ressentant une pointe d'excitation. Je pourrais le voir ?

– Toutes sortes de choses, dit-elle en le lui tendant. Il avait été dans les Marines. Il était au nombre des soldats qui codaient les messages, et il aimait faire les choses comme ils les faisaient autrefois chez les Marines.

Chaque inscription était datée à l'aide des chiffres du jour, du mois et de l'année, et la première correspondait au 25/7/89. Après la date, Hosteen Sam avait stipulé, de cette écriture nette et concise qu'inculquaient les écoles de missionnaires, qu'il s'était rendu ce jour-là à Farmington où il avait acheté ce fascicule pour remplacer le vieux qui était plein. L'entrée suivante était datée du 26/7/89. Après les chiffres, il avait noté : « Les buses à queue rousse font leur nid. Vendu deux béliers à D. Nez. »

Chee referma le cahier. Quelle était la date de la disparition de Breedlove ? Oh, oui.

Il rendit le carnet à Lucy Sam.

– Est-ce que vous en avez un plus ancien ?

– Deux. Il s'est mis à écrire davantage après le moment où il est devenu vraiment malade. Il a eu plus de temps alors.

Elle descendit deux cahiers du sommet du meuble où elle rangeait ses conserves, les tendit à Chee en disant :

– C'était un machin qui détruit les nerfs. Des fois il se sentait très bien mais la paralysie le gagnait.

– J'en ai entendu parler, intervint Manuelito. Il paraît qu'il n'y a pas de traitement.

– Nous avons organisé un chant pour lui. Un Yei-bichai*. Un petit moment, il est allé mieux.

Chee trouva la page qui correspondait au jour de la disparition de Breedlove et parcourut les dates qui suivaient. Il trouva des migrations de corneilles, des nouvelles d'une famille de coyotes, mention était faite d'un véhicule d'entretien des champs de pétrole, mais il n'y avait absolument rien pour indiquer que Breedlove ou quiconque soit venu grimper la montagne sacrée de Hosteen Sam.

131

Décevant. Bon, en tout cas, il allait réfléchir à tout ça. Et il parlerait du cahier au lieutenant Leaphorn. Cette pensée le surprit. Pourquoi le lui dire? Il était simple citoyen désormais. Cela ne le regardait en rien. Et Chee n'appréciait pas particulièrement l'ancien lieutenant. Mais peut-être était-ce seulement ce qu'il croyait. Du respect? Leaphorn était plus intelligent qu'aucune des personnes que Chee avait jamais rencontrées. Bien plus intelligent que lui-même, ça ne faisait aucun doute. Et peut-être était-ce précisément pour cette raison qu'il ne l'appréciait pas particulièrement.

12

Pour la première fois de sa vie, cette métaphore qu'utilisent les Blancs sur l'argent qui brûle les doigts avait acquis une signification pour Joe Leaphorn. La chaleur avait été causée par un chèque de vingt mille dollars établi à son nom, à tirer sur un compte de la société Breedlove. Il l'avait endossé et échangé contre un reçu de dépôt sur un compte qu'il avait ouvert à la Security Bank de Mancos. Maintenant ce reçu résidait de manière gênante dans son porte-feuille tandis qu'il attendait que madame Cecilia Rivera ait achevé de s'occuper d'un client pour le recevoir. Ce qu'elle fit sans plus tarder.

Il se leva, recula un fauteuil afin qu'elle s'assoie à la table du salon d'accueil où elle l'avait laissé auparavant.

— Désolée. Je n'aime pas faire attendre un nouveau client.

Elle s'installa, l'observa rapidement et alla droit au but.

— Que vouliez-vous me demander ?

— D'abord, je veux vous expliquer ce que je suis venu faire ici. En ouvrant ce compte et tout.

— Je me suis posé la question. J'ai remarqué que

votre adresse est à Window Rock, en Arizona. J'ai pensé que vous vous mettiez peut-être en affaires par ici.

Ces paroles sonnaient comme une question.

– Avez-vous remarqué qui a établi le chèque ? demanda-t-il.

Ça ne pouvait lui avoir échappé, bien évidemment. C'était une très petite banque dans une très petite ville. Le nom de Breedlove devait être extrêmement connu ici, et Leaphorn avait vu le caissier s'entretenir de ce dépôt avec madame Rivera. Mais il voulait s'en assurer.

– Les Breedlove, dit-elle en le dévisageant. Cela fait quelques années que nous n'avons pas vu un chèque de chez eux mais je n'ai jamais entendu dire qu'il y en ait eu sans provision. La veuve de Hal a effectué ses opérations bancaires ici, pendant un petit moment, après sa... sa disparition. Mais ensuite elle nous a quittés.

Madame Rivera devait avoir dans les soixante-quinze ans, estima-t-il, elle était maigre et ridée par le soleil. Ses yeux noirs et brillants l'examinaient avec une curiosité non dissimulée à travers la partie supérieure de ses lunettes à double foyer.

– Je suis employé par eux maintenant, dit-il. Par les Breedlove.

Il attendit.

Madame Rivera prit une profonde inspiration.

– Pour faire quoi ? demanda-t-elle. Est-ce que cela aurait un rapport avec ce projet de mine de molybdène ?

– C'est une possibilité. À dire vrai, je l'ignore. Je suis policier à la retraite.

Il sortit son étui d'identification, le lui présenta.

– Il y a des années, quand Hal Breedlove a disparu, c'est moi qui ai mené l'enquête.

Il eut une expression peu flatteuse à son propre égard :

– Visiblement, je n'ai pas eu beaucoup de réussite puisqu'il a fallu environ onze ans pour le retrouver, et en plus, ça a été par hasard. Mais enfin bon, la famille semble s'en être souvenue.

– Oui, dit madame Rivera. Le jeune Hal aimait effectivement grimper au sommet des montagnes.

Un mince sourire apparut sur ses traits :

– D'après ce que j'ai lu dans le *Farmington Times*, il avait sans doute encore besoin d'étudier comment en redescendre.

Leaphorn récompensa cette remarque d'un petit rire.

– D'après mon expérience, reprit-il, les banquiers sont comme les médecins, les hommes de loi et les hommes d'église. La réussite dans leur métier dépend largement de leurs aptitudes à garder pour eux les confidences qu'on leur fait.

Il l'observa dans l'attente d'une confirmation à l'appui de cette fausse information. Il avait toujours trouvé, chez les banquiers, de merveilleuses sources de renseignements.

– Euh, oui, fit-elle. Beaucoup de secrets d'affaires viennent affleurer quand on négocie un prêt.

– Êtes-vous disposée à en gérer un de plus ?

– Un secret de plus ?

L'expression de madame Rivera devint avide. Elle acquiesça de la tête.

Et donc, le lieutenant à la retraite Joe Leaphorn joua cartes sur table. Plus ou moins. C'était une tactique qu'il utilisait depuis des années, fondée sur une théorie personnelle selon laquelle la majorité des êtres humains préfèrent troquer des renseignements plutôt que les donner gratuitement. Il avait tenté d'enseigner cette règle à Chee. Elle s'énonçait de la sorte : apprenez quelque chose d'intéressant à quelqu'un et il essaiera de renchérir. Il s'apprêtait donc à raconter à madame Rivera tout ce qu'il savait de l'affaire Hal Breedlove, qui, à l'échelle des Four Corners, avait été son ancien voisin et son ex-client. En retour, il s'attendait à ce qu'elle lui confie quelque chose dont elle avait connaissance sur le défunt, son ranch et ses affaires. C'était la raison pour laquelle il avait ouvert son compte ici. Il l'avait décidé la veille quand, après de longues secondes d'hésitation, il avait accepté le chèque qu'il ne s'était jamais attendu à recevoir.

Ils s'étaient retrouvés une nouvelle fois à l'Auberge Navajo : Leaphorn, McDermott et George Shaw.

– Si j'accepte ce travail, avait-il dit, il me faudra une avance substantielle.

Il avait gardé les yeux fixés sur le visage de Shaw.

– Substantielle ? avait répété McDermott. Qu'est-ce que vous entendez...

– Combien ? avait demandé Shaw.

Combien, effectivement, s'était interrogé Leaphorn. Il avait décidé de mentionner une somme trop élevée pour qu'ils la lui versent, sans toutefois la rendre ridiculement exagérée. Vingt mille dollars, avait-il décidé. Ils lui feraient une contre-proposition. Peut-être deux mille. Deux semaines de salaire d'avance. Il finirait par descendre à... disons, dix mille dollars. Ils feraient une nouvelle offre. Et en fin de compte il établirait quelle importance cette affaire avait pour Shaw.

– Vingt mille dollars, avait-il annoncé.

McDermott avait émis un grognement d'incrédulité et déclaré :

– Soyez sérieux. Nous ne pouvons pas...

Mais George Shaw avait plongé la main dans la poche intérieure de sa veste d'où il avait sorti un carnet de chèques et un stylo.

– D'après ce qu'on m'a dit de vous, il n'est pas nécessaire d'entériner cela par un acte juridique. Les vingt mille dollars couvriront tout votre salaire, les dépenses auxquelles vous seriez exposé incluses, pendant vingt semaines de votre temps, ou jusqu'à ce que vous nous apportiez l'information dont nous avons besoin pour clore cette affaire. Cela vous convient-il ?

Leaphorn n'avait pas eu pour intention d'accepter quoi que ce soit, et certainement pas de s'associer avec ces deux hommes. Il n'avait pas besoin d'argent. Pas plus qu'il ne désirait en avoir. Mais Shaw remplissait le chèque, visage sévère et tendu. Ce qui indiquait à Leaphorn que l'enjeu dépassait largement ce qu'il avait envisagé.

Shaw avait détaché le chèque, le lui avait tendu. Un petit fragment du puzzle qui était resté présent à l'esprit du lieutenant depuis onze ans (et qui avait été ravivé par les coups de feu tirés sur Hosteen Nez), s'était mis en place. Indéchiffrable encore, mais il jetait une lumière diffuse sur la tentative de meurtre à l'encontre de Nez. Si vingt mille dollars pouvaient être jetés par les fenêtres comme ça, il devait y avoir des millions en jeu d'une manière ou d'une autre. Ce qui ne lui apprenait pas vraiment quelque chose. C'était juste un indice suggérant, pour utiliser l'expression des Blancs, que cela pourrait « être suffisant pour inciter à tuer Nez ». Ou bien, pour Shaw, pour inciter à préserver la vie de l'ancien guide.

Il avait gardé le chèque dans sa main un moment, un peu gêné, essayant de réfléchir à ce qu'il convenait de dire en le rendant. Il savait désormais qu'il allait essayer à nouveau de trouver un moyen de résoudre cette vieille énigme, mais pour lui, pas pour eux. Il avait tendu le chèque à Shaw en disant :

– Je suis désolé. Je ne pense pas...

Puis il avait compris à quel point ce chèque pourrait s'avérer utile. Il établirait un lien entre lui et les Breedlove. Il ne faisait plus partie de la police. Le chèque allait lui fournir la clef dont il avait besoin pour ouvrir des portes.

Et ce matin, dans ce petit hall d'accueil démodé, il en faisait usage.

– C'est un peu difficile à expliquer, dit-il à madame Rivera. Ce que j'essaye de faire pour le compte de la famille Breedlove est vague. Ils veulent que je trouve tout ce que je peux sur la disparition de Hal Breedlove et sa mort sur Ship Rock.

Madame Rivera se pencha en avant.

– Ils ne croient pas que c'était un accident ?

– Ils ne disent pas vraiment ça. Mais c'est très bizarre ce qui s'est passé. Vous vous en souvenez ?

– Je m'en souviens très bien, dit-elle avec un rire ironique. Le jeune Breedlove avait ses intérêts financiers chez nous... comme le ranch l'avait toujours fait. Il était mon client et il avait quatre paiements de retard sur une facture. On lui avait envoyé des rappels. Deux, me semble-t-il. Et sans prévenir, le voilà qui disparaît.

Madame Rivera rit :

– C'est le genre de choses dont un banquier se souvient longtemps, très longtemps.

– Quelle était la garantie ? J'ai cru comprendre qu'il n'était pas légalement propriétaire du ranch avant son anniversaire... juste avant sa disparition.

Madame Rivera s'adossa à son fauteuil et croisa les bras.

– Bon, enfin, je ne pense pas que je tienne à entrer dans ces détails. Il s'agit d'intérêts privés.

– Il n'y a quand même pas de mal à demander. C'est une déformation professionnelle chez les policiers. Laissez-moi vous dire ce que je sais, et ensuite vous pourrez décider si vous savez quoi que ce soit que vous seriez libre d'ajouter et qui pourrait m'être utile.

– Voilà qui me paraît honnête. Vous parlez. Je vous écoute.

Ce qu'elle fit, hochant la tête de temps en temps, exprimant parfois la surprise, prenant plaisir à suivre une enquête de l'intérieur. Occasionnellement, elle marqua son accord lorsque Leaphorn exposa une théorie, secoua la tête dans un geste de désapprobation quand il lui dit le peu de renseignements que Shaw et McDermott lui avaient donnés pour travailler. Comme Leaphorn l'avait espéré, elle était devenue son alliée.

– Mais vous savez comment sont les avocats, poursuivit-il. Et Shaw en est vraiment un. J'ai vérifié. Il est spécialiste des affaires d'impôts sur les sociétés. Ce qui est sûr, c'est qu'ils ne m'ont pas fourni beaucoup de matière pour avancer.

– Je ne sais pas ce que je peux ajouter, dit-elle. Hal jetait l'argent par les fenêtres, ça, je le sais. Il n'arrêtait pas de s'acheter des jouets qui coûtent cher. Autoneiges, voitures à la mode. Par exemple, il s'était acheté, je n'arrive pas à retrouver le nom, une de ces voitures italiennes fabriquées à la main. Une Ferrari, je ne sais pas comment on prononce ça. Elle lui avait coûté une fortune et il est venu la conduire sur ces vieilles routes de l'arrière-pays où il l'a bousillée. Il avait passé je ne sais quel accord avec l'administrateur de biens et obtenu une hypothèque sur le ranch. Mais quand ils vendaient le bétail, à l'automne, et que l'argent rentrait sur le compte du ranch, il le prélevait directement pour le dépenser au lieu de payer ses dettes.

Elle s'interrompit, cherchant ce qu'elle pourrait ajouter.

– Hal demandait toujours à Sally de lui réserver des billets en classe affaires quand il prenait l'avion. Sally, c'est la propriétaire de l'agence de voyages de Mancos, et ça coûte les yeux de la tête.

– D'autant qu'en classe normale on arrive presque aussi vite, commenta Leaphorn.

Elle hocha la tête.

– Même quand ils allaient quelque part ensemble, Sally avait pour instruction de placer Hal en classe affaires et Demott en classe normale. Qu'est-ce que vous dites de ça ?

Leaphorn secoua la tête.

– Eh bien moi, je trouve ça injurieux, ajouta madame Rivera.

– C'était peut-être Demott qui le voulait.

– Je ne crois pas. Sally m'a dit...

Elle s'interrompit.

– J'ai parlé avec Demott lorsque j'enquêtais sur la disparition de Breedlove, reprit Leaphorn. Il m'avait donné l'impression d'être quelqu'un de solide.

– Euh, oui. Sans doute. Mais il est spécial, lui aussi. (Elle eut un petit rire.) Je suppose que nous devenons tous un peu bizarres. À vivre ici avec les montagnes tout autour de nous, vous savez.

– Spécial, reprit Leaphorn. Comment ça ?

Elle parut légèrement embarrassée. Haussa les épaules.

– Eh bien, déjà, il est célibataire. Mais je suppose qu'il y a plein de célibataires par ici. Et il est plus ou moins à moitié écolo. À ce que disent les gens. Nous en avons ici aussi, des gens comme ça, mais ce sont surtout des transfuges de Californie ou de l'Est du pays. Pas le genre à avoir jamais eu à s'inquiéter de nourrir des enfants ou de travailler pour gagner leur vie.

– Écolo ? Comment a-t-il acquis cette réputation ?

Leaphorn pensait à son neveu qu'il aimait beaucoup, un défenseur de l'environnement qui s'était fait arrêter pour avoir organisé une manifestation bruyante lors d'une réunion du Conseil* Tribal afin de tenter de s'opposer à une exploitation forestière dans les monts Chuska. À son avis, dans cette controverse, c'était son neveu qui avait raison.

– Eh bien, je ne sais pas, répondit madame Rivera. Mais il paraît que c'est à cause d'Eldon qu'ils n'ont pas ouvert cette exploitation de molybdène. Là-haut, à la lisière de la forêt nationale de San Juan.

– Oh ! Que s'est-il passé ?

– C'était il y a des années. Le printemps qui a suivi la disparition de Hal, je crois. Nous n'étions pas partie prenante, bien sûr. Cette banque est bien trop modeste pour des affaires de plusieurs millions de dollars comme ça. C'était une banque de Denver qui était sur l'affaire, je pense. Et je crois que la compagnie minière était la MCA, la Moly Corp. En tout cas, de la façon dont les choses ont été rapportées ici, il y a eu un contrat quelconque d'établi, un droit d'exploitation du minerai concernant des terres des Breedlove, dans le canyon, et puis, au début, c'était la veuve qui devait s'en occuper, mais juridiquement parlant Hal était toujours en vie et elle ne voulait pas remplir les papiers nécessaires pour que les tribunaux le déclarent officiellement mort. Ce qui bloquait tout. Les gens disaient qu'elle refusait de le

141

faire parce que Demott était contre le projet. Demott est son frère, vous savez. Mais pour dire la vérité, je pense que l'idée venait d'elle. Elle a toujours adoré cette propriété, déjà toute gamine. Elle y a grandi, vous savez.

– Je ne connais pas bien l'histoire de leur famille.

– Eh bien, avant c'était le ranch Double D. C'était le papa de Demott qui en était propriétaire. Le prix de la viande de bœuf était très bas dans les années trente. Beaucoup d'élevages de la région sont partis dans des ventes aux enchères organisées par le shérif, y compris celui-là. Le vieux Edgar Breedlove l'a acheté, et il a gardé l'ancien propriétaire comme contremaître. Le père Breedlove se fichait royalement de l'élevage. L'un de ses prospecteurs avait découvert le dépôt de molybdène aux sources de Cache Creek et c'était ça qu'il voulait. Mais en tout état de cause, Eldon et Elisa ont grandi sur le ranch.

– Et pourquoi n'a-t-il pas extrait le molybdène ?

– La guerre a éclaté et je suppose qu'il n'a pas pu bénéficier des appuis suffisants pour obtenir la main-d'œuvre ou l'équipement. (Elle rit.) Puis quand la guerre a pris fin, le prix du minerai est tombé. Il est resté bas pendant des années avant de remonter en flèche. C'est à ce moment-là que Hal s'est évanoui dans la nature et tout s'est retrouvé bloqué une fois de plus.

– Et le temps qu'elle le fasse déclarer mort, le prix du minerai avait à nouveau baissé. C'est bien ça ?

– C'est ça, dit-elle d'un air songeur.

– Et maintenant, il a remonté.

– C'est exactement ce que j'étais en train de penser.

– Vous croyez que ça pourrait être la raison pour laquelle la société Breedlove est prête à me verser les vingt mille dollars ?

Elle le regarda par-dessus ses lunettes.

– Ce n'est pas une idée très charitable, dit-elle, mais je reconnais qu'elle m'est venue.

– Même si c'est la veuve de Hal qui est maintenant propriétaire des lieux ?

– Elle en est propriétaire, à moins qu'ils ne parviennent à prouver qu'elle a eu quelque chose à voir dans le meurtre de son mari. Nous avions demandé à notre conseiller juridique d'étudier cet aspect des choses. Elle voulait proroger l'hypothèque sur le ranch.

Elle adopta une légère expression d'excuses :

– On ne peut pas prendre de risques, vous comprenez, avec l'argent de nos investisseurs.

– Est-ce que vous avez prorogé l'hypothèque ?

Elle croisa à nouveau les bras. Mais elle finit par dire :

– Eh bien, oui, nous l'avons fait.

Il eut un large sourire.

– Est-ce que je peux en conclure, alors, que vous ne pensez pas qu'elle ait, de quelque façon que ce soit, participé à l'éventuel meurtre de Breedlove ? Ou bien que, quoi qu'il arrive, personne ne pourra jamais rien prouver ?

– Je suis juste propriétaire d'une partie de cette banque. Il y a des gens devant lesquels je suis responsable. Alors je serais obligée d'abonder dans votre sens. J'ai considéré que le prêt était suffisamment sûr.

– Et vous le pensez toujours ?

Elle hocha la tête, toute à ses souvenirs. Puis elle la secoua.

– Quand c'est arrivé, je veux dire quand il a disparu comme ça, j'ai eu des doutes. J'ai toujours pensé qu'Elisa était une jeune femme bien. Bonne famille. Bonne éducation. Elle s'est beaucoup occupée de sa grand-mère quand elle a eu son cancer. Mais, vous comprenez, il y avait vraiment de quoi avoir des soupçons. Hal hérite du Lazy B et la même semaine, ou pratiquement la même, en tout cas, plus de Hal. Alors on commence à se dire qu'elle avait peut-être quelqu'un d'autre en attente quelque part et... enfin, vous comprenez.

– C'est ce que je me suis dit, moi aussi. Et maintenant, vous pensez quoi ?

– Que je me suis trompée.

– Vous donnez l'impression d'en être sûre.

– Vous habitez à Window Rock, dit-elle. C'est une petite ville, comme Mancos. Vous croyez qu'une veuve, là-bas, avec un mari riche perdu dans la nature, pourrait avoir une liaison avec un petit ami sans que tout le monde soit au courant ?

Leaphorn rit.

– Je suis veuf, dit-il. Et j'ai rencontré quelqu'un de très bien, une femme de Flagstaff, sur une enquête dont je m'occupais. La toute première fois que j'ai déjeuné avec elle, quand je suis rentré au bureau, ils en étaient déjà à planifier mon mariage.

– C'est la même chose ici. À peu près au moment où tout le monde dans le coin a conclu que Hal avait disparu pour de bon, ils ont commencé à marier Elisa avec le fils Castro.

Leaphorn sourit :

– Vous savez, nous autres, policiers, nous avons tendance à nous faire une trop haute opinion de nous-mêmes. Quand je suis venu poser mes questions, après sa disparition, je suis reparti en étant persuadé qu'il n'y avait pas de petit ami derrière tout ça.

– Vous êtes arrivé trop vite. Ici, à Mancos, on laisse le corps refroidir avant que les langues s'agitent.

– Je suppose que rien n'est sorti de cette romance, avança Leaphorn. En tout cas, elle est toujours veuve.

– D'après ce que j'ai entendu dire, ce n'était pas faute que Tommy Castro ait essayé. À peu près à l'époque où elle a fini ses études secondaires, tout le monde considérait comme acquis qu'ils formaient un couple. Et puis Hal est arrivé.

Madame Rivera haussa les épaules, l'air chagrin.

– Pendant un moment, ils étaient toujours tous les quatre ensemble.

– Tous les quatre ?

– Enfin, des fois, ils étaient cinq. Ce George Shaw dont vous parliez, il venait avec Hal, des fois, et Eldon allait avec eux. Lui et Castro étaient les éléments moteurs, ceux qui leur apprenaient. Ils allaient chasser le wapiti ensemble. Ils campaient. Escaladaient les montagnes. Comme c'était son père qui l'avait élevée, puis son grand frère, Elisa était un sacré garçon manqué.

– Qu'est-ce qui a fait éclater le groupe ? C'est parce que le gosse de la campagne ne pouvait pas rivaliser avec le prestige de la grande ville ?

– Oh, je suppose que ça a joué un rôle. Mais Eldon a eu une dispute avec Tommy. Ils se ressemblent trop. Des sacrées têtes de mules tous les deux.

Leaphorn assimila cette information. Le grand frère d'Emma ne l'avait pas apprécié non plus, mais elle ne s'en était guère préoccupée.

– Est-ce que vous savez ce qui s'est passé ?

– On m'a dit qu'Eldon trouvait que Tommy était complètement à côté de la plaque à faire des avances à sa petite sœur. Elle venait de quitter l'école. Huit ou dix ans d'écart, je crois.

145

– Par conséquent Elisa était d'accord pour laisser son grand frère organiser sa vie amoureuse. Je n'ai pas entendu dire que ça se pratique tellement de nos jours.

– Moi non plus.

Madame Rivera rit, puis, soudain, devint extrêmement grave.

– Mais, vous savez, Elisa est quelqu'un de peu ordinaire. Sa mère est morte quand elle devait être en cours moyen, mais Elisa tient d'elle. Elle a un cœur gros comme ça et une colonne vertébrale en béton, exactement comme sa mère. Quand le père Demott était en train de perdre le ranch, c'est la maman d'Elisa qui recollait tous les morceaux. C'est elle qui allait chercher son mari dans les bars, et en prison une ou deux fois. Elle faisait partie de ces gens qui sont toujours là, à l'arrière-plan, à veiller sur les autres. Vous savez ?

Elle se tut un instant pour voir ce que Leaphorn en pensait. Pas très sûr de savoir où elle voulait en venir, il se contenta de hocher la tête.

– Alors voilà Elisa qui se retrouvait là maintenant que Hal avait disparu du paysage. Tommy recommençait à lui faire la cour, et Eldon voulait le faire décamper. Ils en sont même arrivés à un échange de cris à l'Auberge du Haut-Pays. Alors voilà Elisa avec deux hommes dont il faut qu'elle s'occupe... et la connaissant, j'ai ma théorie là-dessus.

Elle marqua une nouvelle pause :

– Ce n'est qu'une théorie.

– J'aimerais beaucoup l'entendre, l'encouragea Leaphorn.

– Je crois qu'elle les aimait tous les deux. Mais si elle épousait le jeune Castro, qu'est-ce qu'Eldon allait bien pouvoir faire de son existence ? Le ranch était à elle, désormais. Eldon adorait le ranch mais il aurait refusé d'y rester et de travailler pour Tommy, et Tommy n'aurait pas voulu de lui. (Elle soupira.) Si on avait eu un Shakespeare dans le coin, il aurait pu en tirer une tragédie.

– Ce Castro aimait donc faire de la montagne, lui aussi. Est-ce qu'il habite toujours dans le coin?

– Si vous avez pris de l'essence à la station Texaco, vous l'avez peut-être vu. C'est son garage.

– Qu'est-ce que vous en pensez? Est-ce que cette affection qu'elle portait à Castro a continué après son mariage avec Hal?

– Si c'était le cas, elle n'en a rien laissé voir.

Elle réfléchit un moment, prit l'air peiné, secoua la tête.

– Pour autant que puisse le dire quelqu'un de l'extérieur, c'était une épouse fidèle. Personnellement, je n'ai jamais vu grand-chose qui fût digne d'être aimé chez Hal, mais chaque femme est différente pour ça et Elisa était du genre qui... plus il y avait de choses qui n'allaient pas chez un homme, plus elle le soutenait. Elle l'a pleuré. En fait, je crois qu'elle le pleure encore. On ne lui voit pratiquement jamais l'air heureux.

– Et son frère, alors? Vous m'avez dit qu'il était un peu bizarre.

Elle haussa les épaules.

– Eh bien, il aimait escalader les falaises. Pour moi, c'est bizarre.

– Quelqu'un m'a dit que c'était lui qui avait initié Hal à la pratique de ce sport.

– Ce n'est pas tout à fait comme ça que ça s'est passé. Le vieil Edgar ayant pris le ranch au père de Demott, Hal et Shaw ont commencé à venir l'été. Shaw avait déjà pratiqué l'escalade. Il n'avait donc pas vraiment besoin de leçons. Et Demott et Castro en faisaient déjà un peu quand ils avaient le temps. Eldon avait six ou huit ans de plus que Hal, et il était plus athlétique. D'après ce qu'on m'a dit, c'était le meilleur du lot.

Un client entra et, avec lui, l'odeur fraîche de l'automne et des rires venus de la rue franchirent le seuil. Leaphorn n'avait plus qu'une seule question à poser qui lui parût pertinente.

– Vous m'avez signalé que Breedlove avait des retards de paiement quand il a disparu. Comment les traites ont-elles été réglées ?

C'était le genre de question professionnelle à laquelle il n'était pas sûr qu'elle réponde. Elle non plus. Mais elle finit par secouer la tête et rire.

– Eh bien, vous avez un peu deviné juste, en pensant qu'on n'a pas pris toutes les assurances qu'on aurait dû. Étant donné que c'était une vieille famille et tout. Le résultat c'est qu'on n'a pas été assez insistants. Mais on avait soldé un autre prêt auprès d'une banque de Denver. Consenti à quelqu'un qui s'occupait de la stabulation des bovins, mais qui aimait se rendre à Las Vegas pour essayer de faire sauter la banque au blackjack. Avec des gens comme ça, on s'entoure de toutes les garanties. On s'était prémunis sur soixante-deux têtes de jeunes vaches pleines qu'il faisait paître sur des terres cédées en bail par le service des Forêts. Les gens de Denver ont forclos l'hypothèque et nous ont appelé à la rescousse pour récupérer la garantie. (Elle rit.) Ces gens de Denver possédaient soixante-deux têtes de bétail qui broutaient quelque part dans les montagnes sur des terres du service des Forêts et pas la plus petite idée de ce qu'il fallait en faire. Alors je leur ai dit qu'Eldon Demott pouvait les leur rassembler et les transporter en camion à Durango pour la vente aux enchères. Et c'est ce qu'il a fait.

– Il a été payé suffisamment pour rembourser la facture laissée par Breedlove ?

Elle rit à nouveau.

– Pas directement. Mais je vous ai signalé que nous avions consenti le prêt sur des génisses pleines. Nous avons donc vendu à la banque de Denver une hypothèque sur soixante-deux têtes, mais quand Demott est allé les chercher, elles n'étaient plus pleines. C'étaient des mamans vaches.

Elle se tut, voulant voir si Leaphorn comprenait les implications.

– Ah, oui, dit-il. L'emprunteur n'est pas revenu de Las Vegas pour les marquer.

– Ah oui, c'est tout à fait ça qu'il faut dire. En fait il n'est pas revenu du tout. Le shérif a un mandat contre lui. Eldon se retrouvait donc avec un chargement de soixante-deux vaches prêt à partir et tous ces veaux qui restaient. Ils étaient encore tout neufs, non identifiés. Pas un seul n'était encore marqué. Personne au monde n'avait aucun droit sur eux. Personne n'en était propriétaire à l'exception de notre Père qui êtes aux cieux.

– Assez pour rembourser la dette ?

– Il est possible qu'il y ait eu un peu de surplus, ajouta-t-elle en le regardant par-dessus ses lunettes. Une petite minute, dites donc. N'allez pas vous faire de fausses idées. J'ignore ce qui a bien pu arriver à ces veaux, en fait. Et je parle beaucoup trop, il est temps que je me mette au travail.

De retour à sa voiture, il sortit le téléphone cellulaire de la boîte à gants, composa son numéro de Window Rock et fit le code adéquat pour récupérer les messages qui pouvaient s'être accumulés sur son répondeur. Le premier émanait de George Shaw qui lui demandait s'il avait des résultats à lui communiquer et indiquait qu'il pouvait être joint à la chambre 23 de l'Auberge Navajo. Le deuxième venait du sergent Addison Deke, du poste de police de Chinle.

– Ce serait bien que tu me rappelles, Joe, disait-il. Ça ne veut probablement rien dire, mais tu m'as demandé de garder plus ou moins l'œil sur Amos Nez et il est possible que tu aies envie d'entendre ce que j'ai à te dire.

Il ne vérifia pas s'il y avait un troisième message. Il composa le code de l'Arizona suivi du numéro de l'agence de Chinle. Oui, le sergent Deke était là.

– Ce n'est probablement rien, Joe, dit-il d'un ton d'excuse. Je te fais sans doute perdre ton temps. Mais après notre discussion, j'ai dit aux gars de garder présent à l'esprit que la personne qui a tiré sur Nez pourrait essayer à nouveau. Tu sais, je leur ai dit d'ouvrir l'œil. De surveiller.

Deke hésita.

Leaphorn, qui ne laissait pratiquement jamais transparaître son impatience, demanda :

– Qu'est-ce qu'ils ont vu ?

– En fait, rien. Mais Tazbah Lovejoy est venu ce matin... je ne crois pas que tu le connaisses. C'est un jeune gars qui est sorti du centre de formation il y a deux ans. Enfin bon, Tazbah m'a dit qu'il est tombé par hasard sur un de ces rangers de l'agence d'Encadrement des ressources qui buvait son café, et ce gars lui a raconté qu'il a aperçu hier un braconnier sur le bord de Canyon del Muerto.

Le sergent Deke hésita à nouveau. Cette fois, Leaphorn lui laissa un moment pour mettre de l'ordre dans ses idées.

– Le ranger lui a dit qu'il enquêtait sur une histoire de bois de chauffage coupé illégalement, et qu'il s'était arrêté à l'aire de stationnement du point de vue qui domine del Muerto. Il voulait pisser un coup. Il était là, debout, le regard posé sur l'autre côté du canyon, et il n'arrêtait pas de voir des reflets renvoyés par un objet, en face. Il n'y a pas de route à cet endroit, tu sais, et ça l'a étonné. Alors il est retourné à son camion, il a pris ses jumelles pour voir ce qu'il pourrait distinguer. Il y avait un type, là-bas, avec des jumelles. En fait les reflets provenaient des lentilles, vraisemblablement. Enfin bon, ce type avait aussi un fusil.

– Un chasseur de cerf, peut-être, dit Leaphorn. Deke rit :

– Joe. Combien de temps ça fait que tu n'es pas allé chasser le cerf ? Ça s'est passé à l'endroit où le plateau avance, entre del Muerto et Black Rock Canyon. Personne n'a vu de cerf là-bas depuis une éternité.

– C'était peut-être un chasseur de cerf anglo-américain alors. Est-ce qu'il l'a bien distingué ?

– Je ne crois pas. Le ranger a trouvé ça drôle. Un chasseur de l'autre côté et rien à chasser. Mais pour lui, ça devait rentrer dans la catégorie de la tentative de braconnage ou du braconnage avec préméditation. Alors il a repris la route jusqu'au camping de Wheatfields et il a essayé de pousser le plus loin possible sur la vieille piste défoncée. Mais il a abandonné.

– Est-ce qu'il a assez bien vu pour affirmer s'il s'agissait d'un homme ou d'une femme ?

– J'ai posé la question à Tazbah et il m'a dit que le ranger ne pouvait jurer de rien. Il m'a dit que pour eux c'était plutôt un homme en se basant sur le fait qu'une femme ne serait pas assez stupide pour aller chasser à un endroit où il n'y a rien à tirer. J'ai pensé que tu voudrais être tenu au courant parce que c'était juste un peu plus haut dans le canyon, à huit cents mètres peut-être de l'endroit où le tireur embusqué a blessé Grand-père Amos.

– Ce qui mettrait ça pratiquement juste au-dessus de chez Nez, conclut Leaphorn.

– Exactement, dit Deke. On pourrait sauter tout droit sur son toit.

13

Au lever du soleil, Jim Chee s'était garé sur la route d'accès à l'école de Beclabito parce qu'en raison de ses fonctions de lieutenant, il lui fallait s'entretenir avec l'agent Teddy Begayaye dans un endroit discret. L'agent Begayaye, qui habitait Tec Nos Pos, allait passer par là pour se rendre au bureau. Chee voulait lui dire que la répartition des congés serait affichée dans la journée, qu'il avait obtenu la semaine de vacances de Thanksgiving [1] comme il l'avait demandé. Il voulait que Begayaye lui fournisse une quelconque justification (en plus de ses douze ans d'ancienneté) avant d'entériner les choses. Un autre membre du service d'enquêtes criminelles souhaitait obtenir les mêmes jours de congé, à savoir l'agent Manuelito. Elle avait fait sa demande la première et Chee voulait lui donner une raison (par-delà sa totale absence d'ancienneté) pour justifier son refus... évitant de la sorte des frictions au sein du service. Voilà pourquoi il s'était garé à un endroit où Begayaye le verrait, plutôt que de cacher sa voiture de patrouille derrière le panneau de

1. Thanksgiving : fête commémorant la première moisson des colons pères fondateurs, le quatrième jeudi de novembre. *(N.d.T.)*

l'école dans l'espoir de pincer un conducteur en excès de vitesse.

Mais dans l'immédiat, ce n'était pas à l'organisation des vacances qu'il pensait. C'était au rendez-vous qu'il avait le soir même avec Janet Pete, de retour de Washington où l'avait conduite il ne savait quel dossier juridique. Janet partageait un appartement à Gallup avec Louise Guard, une autre avocate du DNA. Chee nourrissait l'espoir que Louise, même s'il l'aimait beaucoup, irait passer la soirée quelque part (ou, mieux, s'était trouvé un nouvel appartement). Il voulait montrer à Janet une bande vidéo qu'il avait empruntée et qui concernait un mariage navajo traditionnel. Elle avait plus ou moins accepté, avec certaines réserves, de faire la cérémonie à la manière navajo et de le laisser choisir le *haatalii** qui s'en chargerait. Mais il était clair qu'elle avait ses réticences là-dessus. Sa mère envisageait quelque chose de plus acceptable socialement parlant. Néanmoins, s'il avait la chance que Louise Guard ait réellement fichu le camp ailleurs, il garderait l'enregistrement pour un autre soir. Lui et Janet ne s'étaient pas vus depuis une semaine, et il y avait de meilleures façons d'occuper la soirée.

Le véhicule qui venait dans sa direction sur l'U.S. 64 était un camion tirant une caravane, sale et couverte d'autocollants pour touristes. Le véhicule de Dick Finch. Il ralentit au point de presque s'arrêter tandis que Finch faisait toute une série de signaux avec ses mains. La plupart n'avaient aucune signification pour Chee, mais l'un d'entre eux signifiait « suivez-moi ».

Chee démarra et prit la 64 vers l'est à la suite de l'inspecteur qui roulait à très vive allure. Quand il atteignit le sommet de la côte, le camion avait déjà disparu, mais un nuage de poussière flottant au-dessus de la route de terre qui passait devant la station de pompage de Rattlesnake le trahissait. Chee effectua son virage à gauche dans la poussière, songeant avec quelle rapidité ce climat aride était capable de remplacer la neige mouillée par une terre susceptible d'être soulevée par le vent. Juste hors de vue de la route goudronnée, le camion était garé et Finch se tenait à côté.

Il s'avança au-devant de Chee avec son sourire bien particulier. Tout en dents blanches.

– Bonjour, dit Chee.

– Le capitaine Largo veut que nous travaillions ensemble. Mes supérieurs aussi. Soyez copain avec les Navajos, qu'ils me disent. Et avec les Utes, les Zuñis *, la police de l'État d'Arizona, la police montée du comté et tout le monde. Une saine politique, non ?

– Pourquoi pas ?

– Il pourrait bien y avoir une raison.

Toujours souriant, il attendait que Chee demande « Laquelle, par exemple ? » Mais le policier se contenta de le regarder jusqu'à ce qu'il se lasse de ce petit jeu.

– Par exemple, il y a un moment que quelqu'un vole un petit nombre de génisses sur les terres allouées qui se trouvent à l'ouest de votre montagne appelée Ship Rock. Elles appartiennent à un vieux râleur qui habite du côté de Toadlena. Il partage le droit de pâturage avec un type du nom de Maryboy, ses bêtes sont toutes mélangées avec celles de Maryboy et personne s'occupe de l'endroit où elles se trouvent.

Finch attendit à nouveau. Chee aussi. Ce que l'inspecteur lui disait jusque-là était assez commun. Les

155

gens qui disposent de droits pour faire brouter les bêtes laissent d'autres éleveurs en profiter moyennant un dédommagement. L'une des difficultés rencontrées pour attraper les voleurs de bétail vient du fait que les animaux peuvent avoir disparu depuis un mois avant que quiconque s'en aperçoive.

– Où voulez-vous en venir ? finit par demander Chee.

– Là où je veux en venir, comme on dit, c'est que j'ai des raisons de croire que le type qui vole les bêtes est celui-là même que j'essaie de coincer. Il revient à Ship Rock tous les six mois environ, et il embarque un chargement. Il fait la même chose du côté de Bloomfield, de Whitehorse Lake, de Burnham et de plusieurs autres endroits. Quand je l'attraperai, beaucoup de ces vols s'arrêteront. Mon travail deviendra plus facile. Alors, il y a deux mois, j'ai trouvé l'endroit où il avait volé ses dernières bêtes sur le pâturage de Ship Rock. Ce salopard jetait du foin par-dessus une clôture à un endroit où il pouvait faire reculer son camion en marche arrière. Il faisait copain-copain avec les vaches en les appâtant comme un pêcheur. J'imagine qu'il jouait du klaxon en lançant son foin par-dessus la clôture. Les vaches sont curieuses. Pire que les chats. Elles viennent voir ce qui se passe. Et elles ont une bonne mémoire. Vous le faites deux fois et, quand elles entendent un klaxon, elles pensent à de la délicieuse luzerne. Elles arrivent en courant.

Il rit. Chee savait pertinemment où menait ce discours.

– Manuelito a repéré le foin, elle aussi, dit-il. Elle a remarqué que les poteaux de clôture avaient été déterrés, qu'on leur avait donné du jeu pour pouvoir les arracher. Elle m'y a conduit pour me montrer.

– Je vous ai vus. Je vous regardais dans mes jumelles, à environ trois kilomètres de là. Le problème, c'est que notre voleur de vaches regardait probablement lui aussi. Il a déposé son appât là-bas trois fois, maintenant. Ça sert à rien de gâcher davantage de foin. Il est temps pour lui d'embarquer ses bêtes.

Finch dévisageait Chee. Son sourire était resté cordial. Le policier se sentit rougir, la réaction que semblait attendre Finch.

– Mais il va pas le faire, maintenant, pas vrai ? Vous pouvez mettre vos couilles à couper qu'il a des jumelles tout aussi puissantes que les miennes, et il est prudent. Il voit une voiture de police garée là-bas. Il voit deux policiers qui se baladent dans le coin avec leurs grosses godasses. Ça y est, le voilà parti et il risque pas de revenir. Et une grande partie de mon rude labeur fout le camp dans le trou des chiottes.

– Ce qui me fait comprendre une chose, dit Chee.

– J'en espérais pas moins. J'espérais bien que ça vous donnerait envie d'en apprendre davantage sur mon travail avant de décider de le pratiquer.

– En réalité, ce que ça me fait comprendre, c'est que vous avez merdé. Vous avez eu environ quatre heures pour me parler, sur le trajet de Mancos, et moi je vous ai écouté tout du long. Vous m'avez parlé de ce Zorro que vous essayez d'attraper, et il semble bien que ce soit lui. Mais vous avez complètement oublié de me signaler ce piège, que vous vous apprêtiez à faire fonctionner, de sorte qu'on puisse coordonner nos actions. Comment vous avez pu oublier une chose pareille ?

Le visage de Finch, lui aussi, était devenu un peu plus rouge sous son hâle. Le sourire avait disparu. Il fixa Chee. Baissa les yeux sur ses pieds. Quand il les releva, il arborait un sourire forcé.

157

– Touché ! dit-il. J'ai la mauvaise habitude de sous-estimer les gens. Cette femme-policier qui était avec vous a, vous dites, remarqué que les poteaux de la clôture avaient été descellés. Ça, ça m'avait échappé. Une jolie femme, en plus. Félicitez-la de ma part, vous voulez bien ? Dites-lui qu'à n'importe quel moment, si ça lui chante de travailler à côté de moi, ou en dessous de moi d'ailleurs, elle sera accueillie à bras ouverts.

Chee hocha la tête, lança son moteur.

– Attendez encore une petite minute, dit Finch dont le sourire paraissait un peu plus naturel. Je vous ai pas interrompu dans vos occupations pour le plaisir de me disputer avec vous. Je me demandais si je pourrais vous persuader d'être témoin de quelque chose.

Chee laissa tourner le moteur.

– De quoi ?

– Il y a cinq veaux Angus en stabulation libre avec mangeoire à coté de Kirtland. On dirait qu'ils ont été marqués à travers un sac de jute mouillé, c'est comme ça qu'ils s'y prennent, les petits malins, mais ça a été fait tellement récemment que les croûtes elles ont pas encore fini de se former. Et le type qu'a signé l'acte de vente, il a pas de vaches mères. Il prétend qu'il les a vendues... ce qu'on peut vérifier. En revanche, un type du nom de Bramlett a perdu cinq veaux Angus dans une pâture qu'il loue. J'y vais pour voir s'il y a cinq vaches en lactation. Si oui, j'appelle le parc d'engraissement, ils amènent les veaux, j'actionne ma caméra vidéo et je fais un enregistrement des mamans vaches qui accueillent leurs veaux disparus. Qui les laissent téter, tout ça.

– Alors pourquoi vous avez besoin de moi ?

– Ça sera un jury à dominante navajo, et le

voleur... est un Navajo. Ça serait bien d'avoir un flic navajo à la barre des témoins.

Chee consulta sa montre. À l'heure qu'il était, Teddy Begayaye devait être au poste, à fêter l'obtention de la période de vacances qu'il avait demandée, et Manuelito devait faire la tête. Trop tard pour appliquer une médecine préventive. Mais après tout, il avait fichu par terre le piège tendu par Finch. De plus, ça lui donnerait une heure supplémentaire loin du bureau et quelque chose de positif, pour changer, à transmettre au capitaine Largo sur le front des vols de bétail.

– Je vais vous suivre, dit-il, et si vous dépassez la limite de vitesse, je vous colle une contravention.

Finch la dépassa, mais demeura dans les limites tolérées par la Police tribale navajo. À neuf heures du matin presque précises, il se rangea le long d'une clôture délimitant un pâturage. C'étaient des terres basses, un pré irrigué par un fossé venant de la San Juan. Il contenait environ deux cents animaux (jeunes vaches Angus et leurs veaux) : les naissances du printemps précédent, mais pas encore sevrées. Chee se gara au moment où Finch escaladait la clôture, accrochant son jean aux fils de fer barbelés.

– Je crois que j'en ai déjà repéré une en lactation, cria-t-il en pointant le doigt sur le troupeau qui s'écartait maintenant avec méfiance. Restez à côté de votre voiture.

Une vache en lactation? s'interrogea Chee. Il avait été élevé au milieu des moutons, et non des vaches. Mais ce terme devait s'appliquer à une bête qui avait le pis douloureusement gonflé. Une vache dont le veau en âge de téter avait disparu. Finch avait raison quand il parlait de la mémoire des vaches. Cette mémoire associait les hommes à pied avec l'expérience qui consiste à être attrapée à l'aide d'une corde, plaquée au sol de force et marquée. Elles s'égayaient devant l'inspecteur. La question était donc de savoir comment il allait repérer cinq vaches au pis gonflé dans ce troupeau agité, et être certain qu'il n'avait pas compté cinq fois la même ?

Finch choisit un endroit où il n'y avait pas de bouse puis il se laissa tomber sur les genoux et roula sur le dos. Il replia les bras sous sa tête et demeura immobile. Les vaches, qui s'étaient peureusement éloignées de lui, cessèrent leur agitation inquiète. Elles tournèrent leur regard vers lui. Il bâilla, adopta une position plus confortable. Une génisse, tête et oreilles tendues, fit un pas prudent dans sa direction. D'autres la suivirent, naseaux en avant, oreilles pointées. Les veaux, que le souvenir du marquage n'inhibait pas, étaient les premiers. À neuf heures onze, Finch était entouré d'un cercle de bovins qui le humaient et l'observaient.

Quant à lui, seule sa tête bougeait, et il se livrait à une inspection des mamelles. Il se redressa, engendrant la panique, et traversa le troupeau qui s'éparpillait en tous sens, composant déjà un numéro sur son portable et parlant dans l'appareil au moment où il franchissait la clôture. Il referma le portable, vint jusqu'à la vitre de Chee.

– Cinq en lactation, annonça-t-il. Ils amènent les veaux tout de suite. Je vais magnétoscoper ça, mais ça m'aiderait si vous restiez pour pouvoir témoigner. Vous comprenez, dire au jury que les veaux ont foncé droit sur leurs mères et se sont mis à téter, et qu'elles les ont laissé faire.

– C'était drôlement malin la façon dont vous vous y êtes pris.

– Je vous ai dit que les vaches sont curieuses. Elles

ont peur d'un homme qui se tient debout. Allongez-vous et elles se disent : « Mais qu'est-ce qui se passe, là ? » et elles viennent voir.

Il épousseta son jean :

– L'inconvénient c'est qu'on risque de se mettre de la bouse de vache partout.

– En tout cas, c'est beaucoup plus rapide que de leur courir après dans tout le champ pour essayer de voir quelque chose.

Finch prenait plaisir à cette marque d'approbation.

– Vous savez où j'ai appris ce truc ? J'étais dans la salle d'attente du dentiste de Farmington pour me faire obturer une racine. J'ai pris un numéro du *New Yorker* et y avait un article à l'intérieur sur un inspecteur du bétail du Nevada nommé Chris Collis. C'est un truc qu'il utilisait. Je l'ai appelé et je lui ai demandé si ça marchait vraiment. Il m'a dit à tous les coups.

Il sortit sa caméra vidéo de la cabine du camion, la tripota. Chee appela son bureau par radio, signala l'endroit où il se trouvait, se fit communiquer ses messages. L'un venait de Joe Leaphorn. Il était bref.

Un camion du parc d'engraissement arriva, transportant deux hommes et cinq veaux Angus terrifiés. Chacun d'eux fut marqué à l'oreille avec son propre numéro et lâché dans le pré. Chacun d'eux partit à la course en beuglant, à la recherche de sa mère, la trouva, subit une inspection maternelle, passa l'examen et fut autorisé à téter pendant que Finch filmait ces heureuses retrouvailles.

Mais Chee ne prêtait pas à ces événements toute l'attention qu'il aurait pu. Leaphorn voulait lui reparler du squelette découvert sur Ship Rock. Il disait qu'il travaillait maintenant pour la famille Breedlove.

14

La question qui tourmentait Jim Chee n'était pas de celles qu'il souhaitait aborder en détail sur les ondes radio de la police tribale. Il fit halte au comptoir d'échanges du Dos-du-Cochon, mit une pièce de vingt-cinq *cents* dans le téléphone public et appela le numéro que Leaphorn avait laissé. Il se révéla être celui de l'Auberge Anasazi* de Farmington, mais à la réception on lui apprit que Leaphorn était reparti. Chee mit une nouvelle pièce et appela son propre bureau. Jenifer répondit. Oui, Leaphorn avait appelé à nouveau. Il avait dit qu'il se trouvait entre Farmington et Window Rock et qu'il passerait pour essayer de trouver Chee à son lieu de travail.

Ce dernier y arriva environ cinq minutes plus vite que la limitation de vitesse ne l'y autorisait. La voiture de Leaphorn était sur le parking. Lui-même, raide comme un piquet, était perché sur une chaise de la salle d'attente et lisait l'édition de la veille du *Navajo Times*.

– Si vous avez deux minutes, je veux vous transmettre des informations, dit-il. Sinon, je peux vous retrouver quand vous aurez un peu de temps.

– J'en ai, assura Chee en le faisant entrer dans son bureau.

Leaphorn s'assit.

– Je serai bref. J'ai accepté une avance de la société Breedlove. En réalité, je crois, il s'agit de la famille. Ils veulent que je fasse plus ou moins une nouvelle enquête sur la disparition de Hal Breed-love.

Il s'arrêta dans l'attente d'une réaction. S'il déchiffrait bien l'expression que Chee s'efforçait de rendre neutre, le jeune policier n'appréciait pas cet accord :

– Pour vous, commenta-t-il, ça officialise votre action. Ça l'officialise officieusement.

– Exactement, dit Leaphorn. Je tenais à ce que vous soyez au courant parce qu'il est possible que je vous embête de temps en temps. Avec des questions.

Il se tut à nouveau.

– C'est tout ? demanda Chee.

Si oui, il avait pour sa part plusieurs questions à poser.

– Il y a autre chose que je voulais vous dire. Il me semble très clair que la famille pense que Hal a été assassiné. S'ils ont des indices allant dans ce sens, ils ne me le disent pas. Peut-être souhaitent-ils simplement qu'il s'agisse d'un meurtre. Et ils veulent être en mesure de le prouver. Ils veulent récupérer le titre de propriété du ranch.

– Oh, fit Chee. Ils vous l'ont dit ?

Leaphorn hésita, une interrogation sur les traits. Qu'est-ce qui pouvait bien embêter Chee là-dedans ?

– Je me disais que ça devait être le mobile le plus probable. Qu'en pensez-vous ?

Chee hocha la tête de manière évasive.

– Est-ce que vous pouvez me confier avec qui vous avez conclu cet accord ? demanda-t-il.

– Vous voulez dire, la personne physique ? Je crois que les détectives privés sont supposés bénéficier d'une clause de confidentialité sur le nom de leur client, mais je n'ai pas appris à réfléchir comme un privé. Je ne le ferai jamais. C'est ma seule et unique intrusion dans ce domaine. C'est George Shaw qui m'a remis mon chèque.

Il rit et raconta à Chee comment il s'était pris à son propre piège en jouant au plus malin pour essayer d'apprendre quelle importance revêtait l'affaire pour la société Breedlove.

– C'est donc le cousin de Hal qui a signé le chèque, mais l'homme de loi qui était avec lui, vous vous souvenez de son nom ?

– McDermott, dit Leaphorn. John McDermott. C'est l'avocat qui s'occupe de ça. C'est lui qui m'a appelé et qui a organisé la rencontre. Il travaille pour un cabinet de Washington, mais je crois qu'il avait un bureau à Albuquerque dans le temps. Et...

Il s'interrompit, prenant conscience de l'expression de Chee :

– Vous le connaissez ?

– Indirectement. Il était plus ou moins le spécialiste des questions indiennes pour le compte d'un cabinet d'Albuquerque. Je crois que c'est lui qui représentait les Charbonnages Peabody quand ils ont négocié un de leurs contrats d'extraction avec nous, et deux compagnies de pipe-lines qui ont traité avec les Jicarillas. Puis il est parti à Washington et il fait la même chose à ce niveau-là. Je crois que c'est pour le même cabinet juridique.

Leaphorn parut surpris.

– Vous en savez beaucoup plus sur lui que moi. Quelle réputation il a ? Correcte ?

– En tant que juriste ? Je suppose. Avant, il était professeur.

– Je l'ai trouvé arrogant. C'est aussi votre sentiment ?

Chee haussa les épaules.

– Je ne le connais pas. Je sais seulement quelques trucs sur lui.

– Eh bien, il ne m'a pas fait d'entrée une bonne impression.

– Est-ce que vous pourriez me dire quand il vous a appelé ? Je veux dire, quand a eu lieu le premier contact ?

La question étonna visiblement l'ancien lieutenant.

– Voyons... il y a deux ou trois jours.

– Était-ce mardi dernier ?

– Mardi ? Voyons voir. Oui. C'était un message sur mon répondeur. J'ai rappelé.

– Matin ou après-midi ?

– Je ne sais pas. Ça pouvait être aussi bien l'un que l'autre. Mais c'est toujours sur l'enregistrement. Je crois que je pourrais le retrouver.

– Ça me rendrait service.

– Entendu.

Leaphorn marqua une pause et reprit.

– J'essaye de situer la date. Ça devait être à peu près le jour qui a suivi l'identification du squelette. C'est bien ça ?

Chee lâcha un soupir.

– Lieutenant Leaphorn, dit-il, vous savez déjà exactement ce que je pense, n'est-ce pas ?

– Eh bien, je dirais que vous vous demandez comment cet homme de loi s'y est pris pour savoir aussi rapidement que le squelette était, de fait, quelqu'un d'aussi important pour son client. Il n'y avait eu aucun communiqué officiel. Rien dans les journaux, avant environ vingt-quatre heures plus tard, et je ne crois pas que ça ait jamais fait les nouvelles nationales. Juste un petit fait divers local, environ trois paragraphes dans l'*Albuquerque Journal* et un peu plus dans le *Rocky Mountain News*.

– C'est exactement ce que je pense.

– Mais vous avez de l'avance sur moi à un autre niveau. J'ignore pourquoi c'est important.

– Vous n'auriez aucune chance de deviner. C'est quelque chose de personnel.

– Oh ! fit Leaphorn.

Il baissa la tête, la secoua, fit « oh » à nouveau. Triste, maintenant. Puis il leva les yeux.

– Vous savez, ils pouvaient quand même très bien être à l'affût de cette information. Un client important. Peut-être s'étaient-ils assuré les services d'un cabinet juridique local pour qu'il les avertisse s'il se passait quoi que ce soit qui puisse avoir un quelconque rapport avec cette histoire de fils héritier porté disparu. Ils savaient qu'il pratiquait l'escalade. Par conséquent, quand on découvre un corps non identifié...

Il haussa les épaules :

– Qui sait comment fonctionnent les cabinets juridiques ? ajouta-t-il sans y croire lui-même.

– Bien sûr, fit Chee. Tout est possible.

Leaphorn partait, le chapeau à la main, mais il s'arrêta sur le seuil et se retourna.

– Encore une chose qui pourrait avoir un rapport avec ça.

Il fit à Chee le récit qu'il tenait du sergent Deke concernant la présence de l'homme aux jumelles et au fusil sur la corniche du canyon.

– Deke m'a dit qu'il va remonter le canyon afin d'avertir Nez que quelqu'un essaye peut-être encore de le tuer. J'espère que nous allons réussir à comprendre ce qui se passe avant que ça n'arrive.

Chee resta assis un moment, le regard fixé sur la porte maintenant refermée, pensant à Leaphorn, à Janet Pete, à John McDermott de retour au Nouveau-Mexique. Est-ce qu'il était de retour dans la vie de Janet ? Apparemment oui. Pour la première fois, l'Homme-qui-est-Tombé devint plus qu'une tragédie abstraite dans l'esprit du policier. Il appela Jenifer.

– Je pars pour Gallup, là, dit-il. Si le capitaine Largo a besoin de moi, ou si qui que ce soit appelle, vous dites que je serai de retour demain.

– Hé ! se récria-t-elle, vous avez deux réunions de prévues pour cet après-midi. Le responsable de la sécurité de l'institut universitaire et le Capitaine Largo qui...

– Appelez-les et dites-leur que j'ai été obligé d'annuler, ordonna-t-il en omettant de dire s'il vous plaît et merci avant de raccrocher.

Le Capitaine Largo n'allait pas apprécier. Mais de toute façon, Chee n'aimait pas particulièrement le capitaine, et ce qu'il y avait de sûr, c'est qu'il n'aimait pas du tout remplir les fonctions de lieutenant.

15

La Ford Escort de Louise Guard n'était pas dans l'allée de la petite maison qu'elle partageait avec Janet Pete à Gallup. Une bonne nouvelle, mais pas aussi bonne qu'elle lui aurait semblé quand la vie lui apparaissait sous un jour meilleur. Ce soir, son humeur avait oscillé en permanence entre une sorte de colère sombre à l'égard du monde qu'occupait Janet et de mépris à son propre égard pour cette attitude immature. Il ne lui avait pas fallu longtemps, doué comme il l'était pour analyser ses propres motivations, pour déterminer que son problème était essentiellement dû à la jalousie. Peut-être à quatre-vingt-dix pour cent à la jalousie. Mais même si c'était le cas, il restait encore environ dix pour cent qui semblaient légitimes.

Il appliqua sur la portière de son pick-up la violente poussée qu'exigeait sa fermeture et remonta l'allée avec, fortement serrée dans une main, la bande vidéo du mariage traditionnel et, dans l'autre, un pot de fleurs automnales dont il ignorait le nom et qu'il avait acheté dans une boutique de Gallup, Aux plus beaux pétales. Ce n'était pas une présentation florale qui faisait beaucoup

d'effet, mais que pouvait-on espérer en novembre ?

– Ah, Jim ! fit-elle.

Elle l'accueillit en le serrant dans ses bras avec tant
de ferveur et d'enthousiasme qu'il en fut désarmé...
la bande vidéo dans une main, le pot de fleurs dans
l'autre. Il en ressentit également un sentiment de
culpabilité. Mais enfin quoi, qu'est-ce qui ne tournait
pas rond chez lui ? Janet était belle. Elle était douce.
Elle l'aimait. Elle portait un ensemble de couturier
en jean qui lui allait à la perfection et un corsage en
tissu chatoyant. Ses cheveux noirs étaient coiffés
selon une nouvelle mode qu'il avait observée dans
les soap operas [1] des soirées télévisées. Ça lui donnait
l'air jeune et pétillant, la rendait digne de rire aux
côtés de l'acteur musclé en débardeur dans la fête
costumée d'une publicité Coca-Cola.

– J'avais presque oublié à quel point tu es belle,
dit-il. Tu arrives à peine de Washington, tu devrais
avoir l'air fatigué.

Elle était déjà dans la cuisine où elle arrosait ces
fleurs inconnues qu'il lui avait apportées, ouvrait le
réfrigérateur et leur préparait quelque chose.

– Ça n'a pas été fatigant, lui lança-t-elle. Je me
suis bien amusée. Les gens du BIA [2] ont été vraiment
exemplaires dans leur attitude, et au ministère de la
Justice, ils ont été corrects pour une fois. Et j'ai eu le
temps d'aller voir l'exposition consacrée à un artiste
allemand à la National Gallery. C'était vraiment très
intéressant. En partie sculpture et en partie dessin.
Et il y a aussi eu le concert dont je t'ai parlé.

1. Soap opera : feuilleton mélodramatique financé à l'origine
par des marques de savon. (N.d.T.)
2. Bureau of Indian Affairs : Bureau des Affaires indiennes.
(N.d.T.)

Celui qui était dans la grande salle de la bibliothèque du Congrès. En partie du Mozart. Vraiment super.

Oui. Le dîner-concert. Il y avait déjà beaucoup pensé. Peut-être trop. À Washington, qui plus est à la bibliothèque du Congrès, ça ne pouvait être une manifestation ouverte au public. Ça devait être très exclusif. Le genre de soirée organisée dans le but de collecter des fonds au sein de la bonne société. De mettre à contribution le cercle mondain pour quelque cause littéraire louable, probablement. Presque à coup sûr, on n'y entrait que sur invitation. Ou alors, c'était réservé aux membres et aux invités des mécènes fortunés qui soutenaient les projets de la bibliothèque. Elle avait mentionné la présence d'un ambassadeur. À un moment, il s'était dit que c'était John McDermott qui avait dû l'y emmener. Mais c'était délirant. Elle le détestait. Il avait profité de l'influence qu'exerce sur ses étudiants un professeur distingué. Il l'avait séduite. Il l'avait emmenée à Albuquerque comme stagiaire à demeure, l'avait emmenée à Washington comme Indienne symbolique. Elle était revenue au Nouveau-Mexique, honteuse, le cœur brisé, quand elle avait compris ce qu'il faisait. Il avait pu apprendre d'une douzaine de façons que le squelette avait été identifié. Comme d'habitude, Leaphorn avait raison. Le cabinet de McDermott était vraisemblablement en relation avec des hommes de loi qui exerçaient sur place. C'était évident. Ils travaillaient en liaison avec des cabinets d'avocats d'Arizona et du Nouveau-Mexique pour les affaires indiennes. En tout cas, ce qui était sûr et certain, c'est qu'il n'allait pas aborder le sujet. Ce serait insultant.

De la cuisine lui parvint le bruit d'objets qui s'entrechoquent, l'odeur du café. Il inspecta la pièce autour de lui. Rien de notable n'avait changé à l'exception d'un truc, là-bas, sur le manteau de la cheminée, au-dessus du décor style bûches dans l'âtre. C'était un ensemble de fins tubes d'acier inoxydable, associés à des formes en Plexiglas de trois ou quatre couleurs, le tout rattaché par ce qui semblait être un mélange de fils d'aluminium et de ficelle. Très surprenant. Bizarre, en fait. Chee regarda le résultat en faisant la grimace. Un bidule que Louise avait trouvé quelque part. Une curiosité. Elle hantait les braderies et, à Gallup, la moisson était toujours étonnante quand les gens vidaient leur garage.

Janet réapparut avec une tasse de café pour lui (en porcelaine de Chine fragile, posée sur une soucoupe fine comme une feuille de papier) et un verre à pied en cristal rempli de vin pour elle. Elle se pelotonna sur le canapé à ses côtés, trinqua, verre contre tasse, lui sourit et dit :

– À la capture, par tes soins, d'un escadron complet de voleurs de bétail, à ta promotion au grade de commandant en chef de la Police navajo, honcho chef du bureau fédéral des Inepties, et patron international d'Interpol.

– Tu as oublié l'arrestation des vandales qui couvrent Shiprock de graffiti, et mon élection en tant que shérif du comté de San Juan et bureaucrate chef de la DEA [1].

– À tout ça aussi, dit-elle en levant à nouveau son verre et en y trempant les lèvres.

Elle prit la cassette vidéo, l'inspecta :

– C'est quoi ?

– Tu te souviens ? La nièce de mon oncle paternel

1. DEA : Drug Enforcement Administration, organisme chargé de lutter contre le trafic et l'usage de stupéfiants. *(N.d.T.)*

a eu un mariage traditionnel, chez eux, au nord de Little Water. Je lui ai demandé de me procurer une copie de la bande qu'ils ont enregistrée.

Janet la retourna, étudia la face inférieure qui était tout aussi noire et dépourvue d'inscription que le dessus.

– Tu veux que je la regarde ?

– Bien sûr, dit-il tandis que son optimisme déclinait rapidement. Tu te souviens ? On en avait parlé.

En réalité, ils s'étaient un peu disputés. À propos des cultures, des traditions, de tout ça. Non pas que Janet y fût opposée, mais sa mère voulait une cérémonie grandiose dans une cathédrale épiscopale de Baltimore. Et Janet avait accepté, tout au moins le pensait-il, qu'ils fassent les deux.

– Tu m'as dit que tu n'étais jamais allée à un mariage navajo classique avec le shaman et la cérémonie intégrale. J'ai pensé que ça allait t'intéresser.

– Louise m'a décrit comment ça se passe, répondit-elle.

Et elle posa la cassette sur la table basse d'une telle façon que cela donna à Chee l'envie de changer de sujet. Tout à coup, l'achat très spécial qu'avait fait Louise lui parut opportun.

– Je vois qu'elle a encore écumé les braderies. Une sacrée acquisition qu'elle a faite là.

Il désigna l'objet de la tête, rit et ajouta :

– Louise est une fille merveilleuse mais il y a des fois où je m'interroge sur son goût.

Janet ne fit aucun commentaire.

Il insista :

– À quoi ça sert ?

Puis il attendit et comprit tardivement qu'il aurait mieux fait de ne pas ouvrir son stupide clapet.

– Ça s'appelle « Inversion technique numéro trois, vue latérale », répondit Janet.

172

– Remarquable, fit Chee. Très intéressant.

– Je l'ai trouvé à la galerie Kremont, poursuivit-elle d'un ton morose. L'auteur est un artiste nommé Egon Kuzluzski. Le critique du *Washington Post* a écrit qu'il était le sculpteur le plus novateur de la décennie. Un artiste qui discerne sens et beauté dans la technologie qui submerge la culture moderne.

– Très complexe, commenta Chee. Et les couleurs...

Il ne parvint pas à trouver comment il pourrait terminer sa phrase.

– Je pensais vraiment que tu allais l'aimer, dit Janet. Je suis désolée que ce ne soit pas le cas.

– Mais je l'aime bien, commença-t-il en se rendant compte qu'il était trop tard pour ça. Enfin, pas vraiment. Mais je pense qu'il faut du temps pour comprendre quelque chose d'aussi novateur. D'autant que les goûts évoluent, bien sûr.

Elle ne réagit pas.

– C'est pour ça que les courses de chevaux existent, avança-t-il avec un petit rire. Les différences d'opinion, tu sais.

– J'ai remarqué quelque chose de très intéressant à Washington, dit-elle dans un effort assez visible pour couper court à la conversation. Je crois que c'est pour ça qu'ils ont tous été aussi coopératifs vis-à-vis de nos propositions. Le crime sur les réserves indiennes est devenu extrêmement à la mode en deçà de la ceinture urbaine. Tout le monde avait lu des articles sur les stupéfiants qui envahissent les territoires indiens, les problèmes de gangs chez les Indiens, les graffiti indiens, les homicides indiens, l'enfance maltraitée et tout le bataclan. Un sujet extrêmement populaire chez l'intelligentsia urbaine. Nous avons fini par réussir à pénétrer dans les salons des puissants de ce monde.

– Je suppose que cela tombe dans la catégorie des mauvaises bonnes nouvelles, fit Chee avec un sourire de soulagement en se sentant tiré d'affaire.

– Quelle que soit l'appellation que tu choisis, ça veut dire qu'actuellement tout le monde est demandeur de nos compétences.

Le sourire de Chee disparut.

– On t'a proposé quelque chose ?

– Je ne parlais pas de moi. Mais l'un des assistants haut placés du service du maintien de l'ordre du BIA a tenu à me faire savoir qu'ils recrutent des policiers expérimentés, travaillant sur la réserve et possédant les références adéquates, pour postuler au statut de fonctionnaire fédéral, et on m'a tenu le même discours au ministère de la Justice. (Elle lui sourit.) Au ministère, ils m'ont demandé de leur servir d'agent recruteur, et quand ils m'ont expliqué ce qu'ils cherchaient j'ai eu l'impression qu'ils me donnaient exactement ta description. (Elle lui appliqua une petite tape sur la jambe.) Je leur ai dit que je t'avais déjà recruté.

– Dieu merci, dit-il. J'ai fait deux séjours à Washington, tu te souviens ? Une fois à l'académie du FBI pour suivre leur stage de formation, et l'autre fois pour une enquête.

Il frissonna à ce souvenir. À l'école de formation, il avait tenu le rôle du plouc qu'on tolère, il faisait partie des « autres ». Mais, bien sûr, ils avaient considéré Janet comme étant des « leurs ». C'était un fait qu'il lui faudrait trouver un moyen d'accepter.

Elle ôta sa main.

– Je t'assure, Jim, Washington, c'est bien. Plus propre que la majorité des villes. Partout où tu regardes il y a quelque chose de beau, et il y a toujours...

– Qu'est-ce qu'il y a de beau ? Les immeubles ? Les monuments ? Il y a trop de fumée, trop de bruit, trop de circulation, et foutrement trop de gens partout. On ne distingue pas les étoiles la nuit. Il y a trop de nuages pour voir le coucher de soleil.

Il secoua la tête.

– Il y a la brise qui souffle du Potomac, objectat-elle. Et l'odeur fraîche et salée de la baie, les fruits de mer tout juste sortis de l'océan et le bon vin. En avril, les cerisiers en fleurs, et les vertes, très vertes collines, les grandes galeries d'art, le théâtre, la musique.

Elle s'arrêta, agita les mains, rendue muette par la gloire colossale de la culture washingtonienne.

– Et les échelles de salaire sont à peu près le double de ce que toi et moi pouvons gagner ici... surtout au ministère de la Justice.

– Travailler dans l'immeuble J. Edgar Hoover, railla Chee. Ça serait vraiment le pied. Ce vieux salopard de maître chanteur, il aurait dû faire à peu près vingt ans de prison pour détournement de documents publics à fins d'extorsion, et à la place ils ont donné son nom au bâtiment. Il est hideux, au moins, ce qui est tout à fait approprié.

Janet ne releva pas, but un peu de vin, rappela à Chee que son café refroidissait. Il le goûta. Elle avait raison.

– Jim, dit-elle, ce concert était absolument génial. C'était le Philharmonia Orchestra. La soirée annuelle de la société des Membres fondateurs. La femme du président y était, et quantité de diplomates... tous en cravate blanche, et les plus beaux bijoux avaient été sortis des coffres de banque. Et Mozart. Tu aimes Mozart.

– J'aime beaucoup de choses chez Mozart.

Il prit une profonde inspiration.

– C'était l'une de ces manifestations qui sont réservées aux membres inscrits, je suppose. À eux et à leurs invités.

– Absolument, répondit-elle en lui souriant. J'ai côtoyé la *crème de la crème*[1].

– Je parierais que ton ancien cabinet juridique en fait partie, poursuivit-il. Un donateur important, probablement.

– Pas qu'un peu, fit-elle avec le sourire encore aux lèvres.

Elle comprit alors où il voulait en venir. Le sourire s'évanouit.

– Tu vas me demander qui m'y a emmenée.

– Non.

– J'avais été invitée par John McDermott.

Il resta silencieux, immobile. Il le savait, mais il refusait toujours de le croire.

– Ça t'ennuie ?

– Non, dit-il. Je suppose que non. Ça devrait ?

– Non. Après tout, ça fait longtemps que nous nous connaissons. Il a été mon professeur. Et après, j'ai travaillé pour lui.

Il la regardait. Se demandant ce qu'il fallait dire. Elle rougit.

– À quoi tu penses ? lui demanda-t-elle.

– Je pense que j'ai tout compris de travers. Je croyais que tu le détestais à cause de la façon dont il t'a traitée. Dont il s'est servi de toi.

Elle détourna les yeux.

– À un moment, oui, je le détestais. J'étais furieuse.

– Mais plus maintenant ? Tu n'es plus furieuse ?

– La voie navajo, expliqua-t-elle. Nous devons

1. En français dans le texte. *(N.d.T.)*

176

faire en sorte de retrouver l'harmonie* avec le monde tel qu'il est.

– Tu savais qu'il est à nouveau ici ?

Elle fit oui de la tête.

– Tu savais qu'il a engagé Joe Leaphorn pour enquêter sur cette affaire de l'Homme-qui-est-Tombé ?

– Il m'a dit qu'il allait essayer.

– Je me suis demandé comment il avait fait pour savoir que le squelette a été identifié comme étant celui de Harold Breedlove. Ce n'était pas le genre d'histoire qui aurait fait le *Washington Post*.

– Non, confirma-t-elle.

– C'est toi qui le lui as dit ?

– Pourquoi pas ? demanda-t-elle en le dévisageant. Pourquoi pas, à la fin ?

– Eh bien, je ne sais pas. L'homme que tu vas épouser est au téléphone et il te rappelle qu'il t'aime. Et toi tu lui poses des questions sur une affaire sur laquelle il travaille, alors il viole dans une certaine mesure les règles qui régissent le métier de policier et il te dit que le squelette a été identifié.

Il se tut. Ce n'était pas juste. Cela faisait de trop nombreuses heures qu'il réprimait cette colère. Il avait entendu les accents de sa voix, remplie d'émotion.

Elle le fixait toujours, les traits fermés, attendant qu'il poursuive.

– Alors ? Continue.

– Alors je ne suis pas vraiment sûr de ce qui s'est passé après. Est-ce que tu l'as appelé tout de suite pour lui répéter ce que tu venais d'apprendre ?

Elle ne répondit pas. Mais elle s'écarta un peu de lui sur le canapé.

– Une dernière question et je n'en parle plus.

Est-ce que cette espèce de fumier t'a demandé de me soutirer des renseignements ? Autrement dit, je veux savoir s'il...

Janet était debout.

– Je crois que tu ferais mieux de partir, maintenant.

Il se leva. Sa colère s'était tarie. Il se sentait juste las et pris de nausée.

– Une chose encore que j'aimerais savoir. Ça me donnerait une indication sur l'importance que tout cela revêt aux yeux de la société Breedlove. Autrement dit, si tu lui avais parlé de la découverte du squelette, là-haut, dès que tu es arrivée à Washington, ça aurait pu naturellement lui faire repenser à la disparition de Hal Breedlove. Et il aurait voulu savoir de qui il s'agissait. Mais s'il avait déjà cette idée en tête avant, si c'est lui qui a abordé le sujet et non pas toi, cela signifierait un niveau supérieur de... cela voudrait dire qu'ils avaient déjà...

– Va-t'en, ordonna-t-elle.

Elle lui tendit la cassette vidéo.

– Et remporte ça avec toi.

Il la prit.

– Janet. Est-ce que c'est toi qui lui as conseillé d'engager Leaphorn ?

Il avait posé la question avant de remarquer les larmes de colère dans ses yeux. Elle ne lui répondit pas et il ne s'attendait pas à ce qu'elle le fasse.

16

Décembre arrivait sur les Four Corners, mais l'hiver s'attardait dans les montagnes de l'Utah. Il avait enseveli la chaîne des Wasatch sous un mètre de neige et s'était aventuré suffisamment loin vers le sud pour coiffer les San Juan, au Colorado, d'une calotte neigeuse. Mais la brève tempête qui avait suivi Halloween, blanchissant les flancs du Vaisseau de Pierre et les Chuskas, n'avait été qu'une fausse menace. La sécheresse régnait à nouveau sur toute la Nation navajo : ciels d'un bleu foncé, matinées fraîches, soleil éblouissant. L'extrémité sud du plateau du Colorado profitait de ce temps d'automne typique et merveilleux qui fait du premier blizzard inévitable une dangereuse surprise.

Merveilleux ou pas, Jim Chee s'arrangeait pour être beaucoup trop occupé pour en profiter, quand bien même son humeur morose le lui aurait permis. Il avait appris qu'il était capable de remplir ses tâches administratives s'il y consacrait les efforts nécessaires, et que jamais, jamais il n'aimerait cela. Pour la première fois de sa vie, il n'éprouvait aucun plaisir à se rendre au travail. Mais les choses avançaient. Il progressait. La répartition des vacances

179

était établie de telle sorte qu'elle n'engendrait pas de mécontentements graves parmi les policiers qui travaillaient avec lui. Un système avait été élaboré selon lequel tout agent présent dans la région du Dos-du-Cochon effectuait un crochet par le bar de Diamonte pour une petite discussion amicale. Cela se produisait plusieurs fois par semaine, ce qui obligeait Diamonte à se montrer prudent et rendait ses clients mal à l'aise, tout cela sans lui procurer de raison valable de se plaindre. Parmi les conséquences indirectes, ça avait débouché sur l'arrestation de deux ou trois individus jeunes qui avaient négligé d'obtempérer à des avis de recherche.

Par ailleurs, son budget pour l'année à venir était presque à moitié établi et un plan avait été élaboré pour conserver une meilleure trace de la consommation d'essence et de l'entretien des véhicules de patrouille. Ce qui avait fait naître un sourire inhabituel (certes, sans précédent dans l'expérience de Jim Chee) sur le visage du capitaine Largo. Jusqu'à l'agent Bernadette Manuelito qui semblait réagir favorablement à cette efficacité toute nouvelle dans le domaine des enquêtes criminelles dépendant de Chee.

Cela s'était produit après que le bruit était parvenu aux oreilles de Largo (et très peu de temps ensuite, à celles du lieutenant honoraire Jim Chee) que monsieur Finch avait rassemblé des preuves si tangibles contre deux frères voleurs de bétail que, de fait, ils avaient non seulement avoué le détournement de cinq veaux non sevrés, mais aussi six ou sept autres vols similaires dans la zone située au Nouveau-Mexique et relevant des attributions de Chee. Les preuves étaient à ce point accablantes, avait déclaré le capitaine, qu'ils avaient conclu avec l'accusation un accord qui avait expédié les voleurs tout droit à la prison d'Aztec.

– Ah! très bien, avait dit Chee.

– Mais, sacré bon sang, pourquoi nous ne sommes pas capables de coincer ces salopards nous-mêmes?

Chee avait compris que le « nous » impérial de Largo s'adressait en fait à lui. Il avait compris également, avant que cette conversation désagréable ne prenne fin, que Finch avait révélé au capitaine non seulement son ignorance quant à la curiosité des génisses, mais aussi la manière dont lui-même et l'agent Manuelito avaient fichu en l'air le piège tendu près de Ship Rock. À la suite de cette entrevue, Chee s'était éloigné dans le couloir en ayant pris plusieurs résolutions fermes. Il allait attraper le voleur de bétail favori de Finch avant que celui-ci ait pu lui mettre la main dessus. Ayant surpassé Finch sur son propre terrain, il remettrait sa démission des fonctions de lieutenant et redeviendrait un vrai policier. Il ne serait plus question de tenter de devenir bureaucrate pour impressionner Janet. Et afin d'accomplir la première étape de ce programme, il allait confier l'affaire des vols de bétail à Manuelito, puisque Largo et elle étaient les deux seuls du district de Shiprock à prendre cette histoire au sérieux.

L'agent Bernadette Manuelito avait réagi à cette modification de ses attributions en retirant sa requête de transfert. Telle était, tout au moins, l'analyse de Jim Chee. Jenifer avait une idée différente. Elle avait remarqué que les fréquentes communications entre l'avocate de Window Rock et le policier de Shiprock remplissant les fonctions de lieutenant avaient brutalement cessé. Jenifer était très douée pour assurer le fonctionnement harmonieux du bureau d'enquêtes criminelles du district de Shiprock parce qu'elle considérait qu'elle devait être au courant absolument de tout ce qui pouvait se passer. Elle avait appelé deux ou trois vieux amis à Window Rock dans le monde restreint de l'application des lois. Oui, absolument. La jolie avocate avait été vue, versant des larmes alors qu'elle conversait dans sa voiture avec une amie. Elle avait également été vue, dînant à l'Auberge Navajo avec ce bel homme de loi de Washington. Les choses, semblait-il, étaient en devenir. Ayant appris tout cela, la théorie de Jenifer était que l'agent Manuelito l'apprendrait à son tour... pas aussi directement, peut-être, ni aussi vite, mais elle l'apprendrait.

Quelles que soient ses motivations, Manuelito semblait aimer ses nouvelles attributions. Elle se tenait devant le bureau de Chee, l'air tout excité, mais cela ne concernait pas les vols de bêtes.

– C'est exactement ce que je vous dis, répondit-elle. Ils se sont présentés chez Grand-père Maryboy hier soir. Ils lui ont dit qu'ils désiraient son autorisation pour passer sur ses pâtures. Qu'ils voulaient escalader Ship Rock.

– Et c'étaient George Shaw et John McDermott? s'étonna Chee.

– Oui, lieutenant. C'est ce qu'ils lui ont dit. Ils lui ont donné cent dollars et l'ont assuré que s'il y avait le moindre dégât, ils le dédommageraient.

– Bon sang, fit Chee. Vous voulez dire que ces deux hommes de loi vont gravir Ship Rock?

– Grand-père Maryboy m'a dit que le plus petit des deux l'a déjà escaladé. Il y a des années de ça. La plupart des Blancs se contentent de passer sans rien demander, pour faire l'ascension, mais George Shaw était venu jusque chez lui pour obtenir sa permission. Il s'en souvient. De la politesse de Shaw. Mais cette fois Shaw lui a expliqué qu'ils font venir une équipe de spécialistes.

— Par conséquent, le grand avec la moustache ne va probablement pas effectuer l'ascension, dit Chee en se demandant si sa voix trahissait la déception.

Mais avait-il des raisons d'être déçu ? Cela résoudrait-il son problème avec Janet, si McDermott faisait une chute du haut d'une paroi rocheuse ? Il ne le pensait pas.

— Je suppose qu'ils n'ont pas dit pourquoi ils montaient là-haut.

— Non, lieutenant. Je lui ai posé la question. Monsieur Maryboy m'a répondu qu'ils ne le lui avaient pas dit. (Elle rit, dévoilant de très jolies dents blanches.) Il m'a répondu, pourquoi les hommes blancs font-ils ce qu'ils font ? Il m'a répondu qu'il avait connu un Blanc, autrefois, qui essayait de déposer un brevet pour un équipement de saut à l'élastique sans élastique.

Chee récompensa cette information par un gloussement de rire. Dans la version qu'il connaissait, il s'agissait d'un yo-yo sans fil. Maryboy avait réactualisé l'histoire pour l'adapter aux grimpeurs.

— Mais ce dont je voulais vous parler concerne mon travail, reprit l'agent Manuelito. Monsieur Maryboy m'a dit qu'il lui manquait quatre bœufs.

— Maryboy, fit Chee. Voyons. Il a...

— Oui, lieutenant. C'est sur sa pâture que nous avons trouvé les poteaux de clôture descellés. Là où quelqu'un lançait du foin par-dessus. Je suis passée par chez lui pour le mettre au courant. Je voulais lui remettre un calepin et lui demander d'y noter la présence de camions et de remorques suspects. Il m'a répondu que j'arrivais un petit peu tard, mais il a pris le calepin et il m'a dit qu'il allait nous aider.

– Un petit peu tard, il a précisé de combien?

Maryboy n'avait pas signalé de vol de bovins. Chee en était certain. Chaque jour il vérifiait tout ce qui concernait ce délit :

– Est-ce qu'il vous a expliqué pourquoi il n'a pas fait état de cette disparition?

– Il m'a dit qu'il s'en était aperçu au printemps dernier, il ne sait plus quand exactement. Il vendait des bœufs et le compte n'y était pas. Et il m'a dit qu'il ne l'avait pas signalé parce qu'il ne pensait pas que ça servirait à quelque chose. Il a dit que quand ça s'était produit auparavant, à deux ou trois reprises, il était venu nous en parler mais qu'il n'avait jamais récupéré ses bêtes.

C'était l'une des frustrations avec lesquelles Chee avait appris à composer en s'occupant de ces vols. Les gens ne savaient pas où étaient leurs bêtes. Ils les lâchaient sur les pâturages, et s'ils disposaient d'une grande superficie et de réserves d'eau fiables, ils ne les voyaient peut-être que trois ou quatre fois par an. Peut-être seulement à l'époque où les vaches vêlent et à celle du marquage. Et s'ils les voyaient, ils ne remarquaient pas obligatoirement s'il leur en manquait une ou deux. Il avait, lui, passé sa jeunesse au milieu des moutons. Il savait reconnaître une vache Angus d'une Hereford, mais à part ça, elles se ressemblaient toutes beaucoup. Il comprenait qu'on ne s'aperçoive pas qu'il en manquait une ou deux et d'ailleurs, si on s'en apercevait, qu'est-ce qu'on pouvait y faire? C'étaient peut-être les coyotes qui les avaient tuées, ou les petits hommes verts qui étaient venus dans leurs soucoupes volantes. De toute façon, on ne risquait pas de les récupérer.

– On repère donc l'endroit sur la carte, dit Chee, et on indique « non signalé », ce qui ne nous est pas d'un grand secours.

– Ça pourrait. Plus tard.

Il sortit la carte du tiroir de son bureau. Il la gardait cachée, estimant que tous les gens du bureau, à l'exception de Manuelito, trouveraient cette méthode stupide. Ou, pire encore, ils penseraient qu'il essayait de copier la célèbre carte de Joe Leaphorn. Tout le monde, dans la police tribale, semblait en avoir entendu parler ainsi que de l'usage qu'en faisait le légendaire lieutenant pour mettre en pratique sa théorie selon laquelle tout obéit à un schéma, tout effet a sa cause, etc.

La carte était un relevé topographique quadrangulaire établi par la société américaine de géologie, à une échelle suffisamment grande pour indiquer chaque arroyo, hogan, éolienne et fossé d'écoulement des eaux. Chee écarta la corbeille d'arrivée du courrier, déroula la carte, traça un minuscule point d'interrogation bleu sur les pâtures allouées à Maryboy, y accola un quatre minuscule. Il ajouta la date à laquelle la perte des bêtes avait été découverte.

L'agent Manuelito regarda et dit :

– Un quatre bleu ?

– Ça correspond aux éventuels vols non signalés. Quatre têtes de bétail.

Il fit courir sa main sur la carte, montrant toute une série d'indications semblables disséminées ici et là :

– Je les ajoute au fur et à mesure que nous les apprenons.

– Bonne idée, apprécia Manuelito. Et ajoutez un X au même endroit. Maryboy va faire le guet pour nous.

Elle approcha une chaise, s'assit, appuya ses coudes sur le bureau et étudia la carte.

Chee ajouta le X. La carte maintenant en recensait

185

une vingtaine, chacun indiquant l'endroit où habitait un bénévole équipé d'un carnet et d'un stylo à bille. Chee avait acheté les fournitures sur son argent personnel, préférant cette solution à essayer d'expliquer le système au capitaine Largo. Si ça marchait, ce qui ne lui semblait pas très vraisemblable en l'état actuel des choses, il déciderait s'il demandait le remboursement de ses vingt-sept dollars d'investissement.

– C'est drôle ce que ça donne déjà, dit Manuelito. Je croyais que ça prendrait des mois.

– Comment ça?

– Je veux dire, les schémas dont vous parliez. La façon dont les vols qui concernent un seul animal ont tendance à se produire vers le milieu du mois.

Chee regarda. Effectivement, la plupart des 1 qui indiquaient les sites où une seule bête avait été volée étaient suivis de dates tournant autour du quinze du mois. Et un fort pourcentage de ces dates-là étaient regroupées le long de la frontière de la réserve. Mais qu'est-ce que cela signifiait?

– Ouais, fit-il.

– Je ne pense pas que c'est sur ces vols-là que nous devons nous concentrer, déclara-t-elle en détaillant toujours la carte d'un air songeur. Mais si vous voulez que je le fasse, je pourrais aller vérifier dans les bars et les magasins de vente de spiritueux autour de Farmington pour essayer d'établir une liste des individus qui s'y présentent vers le milieu du mois avec une rentrée d'argent récente. (Elle secoua la tête.) Ça ne prouverait rien, mais ça nous fournirait une liste de gens à surveiller.

À peu près à mi-chemin de ce monologue, le cerveau de Chee rattrapa le raisonnement de Manuelito. Les chèques d'aide sociale de la Nation navajo arrivaient vers le premier du mois. Tout policier de la réserve savait que la recrudescence de travail, causée par la nécessité d'arrêter les ivrognes, avait tendance à décroître durant la deuxième semaine, lorsque les buveurs chroniques avaient épuisé leur argent. Il se représenta un alcoolique en état de manque roulant le long d'une pâture et regardant une vache de cinq cents dollars qui le fixait à travers la clôture. Comment pouvait-il résister ? Et pourquoi n'y avait-il pas pensé ?

Il y pensait maintenant. Des semaines pour compiler cette liste, des semaines à vérifier, trier, aboutir finalement à quatre ou cinq cas débouchant peut-être sur deux condamnations qui se solderaient par des amendes de cent dollars, lesquelles seraient assorties d'un sursis, et des peines de prison de trente jours qui seraient converties en libération sous condition. Pendant ce temps, les crimes graves continueraient de fleurir.

– Je crois que nous allons plutôt les identifier et les mettre de côté. Concentrons-nous sur la résolution des vols multiples.

– Là aussi, j'ai l'impression qu'il y a un schéma directeur, dit l'agent Manuelito. Je me trompe ?

Celui-là, Chee l'avait remarqué lui aussi. Les vols de plusieurs bêtes avaient tendance à se produire dans les régions très peu habitées, sur des pâturages semblables à celui de Maryboy où le propriétaire pouvait ne pas voir son troupeau pendant un mois environ. Ils en discutèrent, ce qui les ramena au nombre croissant de leurs sentinelles anti-voleurs, puis à Lucy Sam.

– Vous avez regardé dans son télescope, dit Manuelito. Est-ce que vous avez remarqué si elle peut surveiller l'endroit où les poteaux de clôture avaient du jeu ?

Il fit non de la tête. Il avait regardé la montagne. Il avait pensé à l'Homme-qui-est-Tombé, bloqué sur la falaise, là-haut, appelant à l'aide.

– Elle peut, affirma Manuelito. J'ai vérifié.

– Je crois que ce serait bien que j'aille lui parler, dit Chee.

Mais ce n'était pas aux vols de bêtes qu'il pensait en prononçant ces mots. Il se demandait ce que le père de Lucy Sam avait pu voir, toutes ces années auparavant, quand Hal Breedlove était resté blotti sur cette petite saillie rocheuse dans l'attente de la mort.

17

Aux bruits de BANG, BANG, BANG, BOUM, BOUM, Joe
Leaphorn s'immobilisa net. Cela provenait de Cache
Creek, en amont, tout près, juste derrière le coude de
la rivière, au-delà d'un bouquet de trembles, sur la
rive. Mais ça ne l'arrêta qu'un instant. Il sourit, se
disant qu'il avait vécu trop d'années dans la police
avec le pistolet sur la hanche, et il poursuivit sa
marche. Les troncs des arbres avaient désormais
revêtu leur blancheur hivernale, les feuilles formaient une couverture jaune sur le sol alentour. Et à
travers les branches dénudées, il aperçut Eldon
Demott, penché sur quelque chose, les muscles du
dos bandés sous l'effort.

Que faisait-il ? Leaphorn fit halte pour la seconde
fois et regarda. Demott tendait du fil de fer barbelé
au-dessus de ce qui semblait être une section de
tronc de tremble. Puis, à grands coups sonores
redoublés, il fixa les barbelés dans le bois.

Une sorte de clôture, supposa Leaphorn. Un câble
avait été tendu en ce lieu entre deux pins ponderosa,
de part et d'autre de la rivière, et la clôture donnait
l'impression d'être suspendue à ce câble.

– Bonjour ! lança Leaphorn.

Il fallut un très court instant à Demott pour le reconnaître mais il y parvint avant même que Leaphorn ne lui ait rappelé son nom.

– Ouais, fit Demott. Je me souviens. Mais vous ne portez pas l'uniforme, là. Vous faites toujours partie de la police tribale ?

– Ils m'ont mis au pré, dit Leaphorn. J'ai pris ma retraite à la fin juin.

– Eh bien, qu'est-ce qui vous amène aussi haut sur la Cache ? Ça ne serait pas lié au fait qu'on a finalement retrouvé Hal, si ? Après toutes ces années ?

– Excellente supposition. La famille Breedlove m'a engagé pour reprendre toute l'affaire depuis le début. Ils veulent que je m'assure que je n'ai rien négligé. Voir si je pourrais découvrir où il est allé quand il a abandonné votre sœur à Canyon de Chelly. Si un élément nouveau est apparu, à peu de choses près, au cours des dix dernières années.

– C'est intéressant, fit Demott en récupérant son marteau. Laissez-moi en terminer avec ça.

Il fixa solidement le fil de fer à l'aide de deux cavaliers supplémentaires, redressa son dos et s'étira.

– J'essaye d'installer un système pour résoudre un problème que j'ai ici, expliqua-t-il. Ces fichues vaches viennent boire et après elles descendent un petit peu vers l'aval, ou alors ce sont leurs veaux qui font ça, et elles ressortent de l'eau du mauvais côté de la clôture. On appelle ça une fuite par l'eau. C'est ce terme-là que vous utilisez aussi ?

– Là où j'ai été élevé, plus bas, on n'a pas assez d'eau pour avoir l'usage de ce genre d'appellation.

– Dans les montagnes, c'est l'eau de la fonte des neiges. La rivière monte, elle emporte les broussailles avec elle, ça se prend dans la clôture jusqu'à ce qu'elle soit transformée en barrage, et le barrage retient l'eau jusqu'à ce que la pression arrache le tout. C'est la même histoire à chaque printemps. Et vous vous retrouvez avec des vaches en amont comme en aval, elles bousillent les rives, déclenchent l'érosion et le résultat c'est que tout s'ensable.

Il faisait frais à cette altitude, sans doute deux mille cinq cents mètres au-dessus du niveau de la mer, mais Demott était en sueur. Il s'essuya le front sur la manche de sa chemise.

– La façon dont ça devrait marcher, c'est un peu comme un pont-levis. On installe une section de clôture en travers du cours d'eau, et on la laisse pendre comme ça sous le câble avec un tronc sec pour la tirer vers le bas. Quand l'eau déferle, le tronc flotte. Ça fait remonter les barbelés, les broussailles passent dessous sans être retenues, et quand la saison de la fonte est terminée, le tronc retombe à sa place et ça fait à nouveau une clôture.

– Ça paraît sans failles, dit Leaphorn en pensant que ça pouvait marcher avec l'eau due à la fonte des neiges mais que le ruissellement consécutif à une pluie mâle, dévalant dans un grondement à flanc de mesa*, emporterait la barrière jusque dans le comté voisin en charriant le câble et les arbres par la même occasion. Sans failles pour les vaches, je devrais peut-être dire.

Demott prit l'air sceptique :

– En réalité, ça marche seulement tant qu'il n'y a pas trop de trucs qui se prennent contre le tronc. Enfin bon, ça vaut la peine d'essayer.

Il s'assit sur un rocher, s'essuya à nouveau le visage.

– Qu'est-ce que je peux vous apprendre ?

– Je ne sais pas, répondit Leaphorn. Mais nous avions tiré un trait sur ce qui est arrivé à votre beau-frère il y a presque onze ans. C'était une affaire de plus, concernant la disparition d'une personne majeure. Quelqu'un qui avait tiré sa révérence sans laisser aucun indice sur l'endroit où il était parti ni sur ses raisons. Il s'est donc passé beaucoup de temps pendant lequel vous avez pu recevoir une lettre, entendre dire des choses ou apprendre que quelqu'un qui le connaissait l'avait vu mettre de l'argent dans les machines à sous de Las Vegas. Ce genre de choses. Comme il n'y avait pas de crime à la clef, vous n'aviez pas de raison de nous en parler.

Demott essuyait la boue qui maculait le tranchant de sa main sur sa jambe de pantalon.

– Je peux vous dire pourquoi ils vous ont engagé.

Leaphorn attendit.

– Ils veulent récupérer le ranch.

– Je pensais bien que ça devait être ça. Je ne parvenais pas à trouver d'autre raison.

– Les fumiers. Ils veulent céder à bail les droits d'exploitation du minerai. Ou, plus vraisemblablement, se contenter de vendre toute la propriété à une compagnie minière et les laisser tout massacrer.

– C'est l'idée que j'ai retenue de mon entretien avec la dame de la banque de Mancos.

– Elle vous a parlé de leurs plans ? Ils feraient un puits à ciel ouvert pour exploiter les gisements de molybdène qu'il y a là-haut.

Demott tendit le doigt vers l'amont, le long de Cache Creek, par-delà le bouquet de trembles à l'écorce blanche, la forêt de pins ponderosa majestueux, les étendues sauvages de sapins vert foncé.

– Ils éventreraient tout, poursuivit-il, et après...

L'émotion contenue dans sa voix l'empêcha de continuer. Il prit une profonde inspiration et resta assis un moment, immobile, le regard baissé sur ses mains.

Leaphorn attendit. Demott avait d'autres choses à lui dire. Il voulait les entendre.

L'éleveur lui jeta un coup d'œil en coin.

– Vous avez vu le canyon de la Red River, au Nouveau-Mexique ? Au nord de Taos ?

– Oui.

– Vous l'avez vu avant et après ?

– Je n'y suis pas allé depuis des années, dit Leaphorn. Je garde le souvenir d'une merveilleuse rivière à truites, peut-être un peu plus large que celle que vous avez ici, qui serpente dans une vallée étroite. Plus encaissée que celle-ci. De hautes montagnes de part et d'autre. Un endroit magnifique.

– Ils ont complètement éventré le sommet de l'une de ces montagnes. Ils ont laissé un grand tas blanchâtre de roches broyées sur plusieurs kilomètres. Sans compter les bassins de retenue qu'ils ont creusés pour récupérer le trop-plein d'effluents, et ces saletés se déversent dans la Red River. Ils utilisent du cyanure dans je ne sais quelle solution pour libérer le métal, et ça tue les truites et tout le reste.

– Je n'y suis pas allé depuis des années, dit à nouveau Leaphorn.

– Du cyanure, répéta Demott. Mélangé à de la boue industrielle. C'est ça qui se répandrait dans Cache Creek si la société Breedlove arrivait à ses fins. Cette vase blanche visqueuse mélangée à du cyanure.

Leaphorn garda le silence. Il octroya quelques minutes à Demott pour qu'il s'habitue à sa présence en ce lieu, écouta le chant que faisait Cache Creek en courant sur son lit rocheux, observa un nuage blanc cotonneux qui parvenait d'extrême justesse à franchir la ligne de faîte vers l'amont. Sa frange inférieure frottait sur la cime des sapins, abandonnant des lambeaux de brume. Une journée splendide, un lieu splendide. Un jaseur passa à tire d'ailes. Il se percha dans les trembles de l'autre côté du cours d'eau et contempla les deux hommes en gazouillant ses commentaires d'oiseau.

Demott le regardait aussi tout en continuant à gratter inconsciemment la résine et la terre qu'il avait sur la main gauche.

– Enfin, ça suffit avec ça, dit-il. Je ne sais pas quoi vous dire. Je n'ai pas reçu de lettre et Elisa non plus. Sinon je l'aurais su. Nous sommes une famille qui n'a pas de secrets, pas entre nous deux. Et on n'a entendu parler de rien non plus. De rien du tout.

– On pourrait imaginer qu'il y ait eu des rumeurs, avança Leaphorn. Vous savez comment sont les gens.

– Oui. J'ai trouvé ça bizarre, moi aussi. Je suis sûr qu'il en a beaucoup été question à Mancos et dans la région. La disparition de Hal a été l'événement le plus passionnant qui se soit produit dans le coin depuis des années. Je suis sûr qu'il y a des gens qui ont dû dire que c'était Elisa qui avait tué son mari pour pouvoir hériter du ranch, ou qu'elle avait demandé à un petit ami que personne ne connaissait de le faire, ou encore que c'est moi qui l'avais fait pour que le ranch revienne dans la famille Demott.

– Oui, confirma Leaphorn. Je pense que ça serait le genre de spéculations auxquelles on pourrait s'attendre au vu des circonstances. Mais ce genre de racontars n'est pas parvenu jusqu'à vos oreilles ?

Demott eut l'air choqué.

– Hein, mais ils n'iraient pas raconter des choses comme ça en ma présence. Pareil pour Elisa, bien sûr. Et vous savez, ce qu'il y a de bizarre c'est qu'Elisa aimait Hal, et je crois que les gens d'ici le comprenaient.

– Et vous ? Qu'est-ce que vous pensiez de lui ?

– Oh, il me tapait sérieusement sur le système. Je ne vais pas vous raconter des mensonges là-dessus. C'était un emmerdeur de première. Mais vous savez, à bien des niveaux, je l'aimais bien. Il avait bon cœur et il était gentil avec Elisa. Il la traitait comme une femme de qualité, et c'est exactement ce qu'elle est. Et il y avait de quoi vous rendre triste, vous comprenez. Je crois qu'il aurait pu arriver à quelque chose de bien s'il avait reçu une éducation correcte.

Demott désespéra de nettoyer correctement sa main en la frottant. Il se leva et s'accroupit au bord de la rivière pour la laver.

– Je ne suis pas certain de comprendre ce que vous voulez dire, dit Leaphorn. Qu'est-ce qui n'allait pas ?

En ayant terminé de ses ablutions, Demott regagna son siège et réfléchit à la façon de présenter les choses.

– C'est difficile à dire exactement. Mais quand il était tout gamin, sa famille l'expédiait ici, on le faisait monter sur un cheval et il abattait sa part du boulot comme tout le monde. Il faisait un ouvrier tout à fait convenable pour un jeunot comme lui. Quand il mettait le foin en bottes, qu'il conduisait les vaches ou n'importe quoi d'autre, il effectuait sa journée de douze heures exactement comme nous. Et quand le travail était fini, il venait faire de l'escalade avec Elisa et moi. En réalité, il est devenu bon avant elle.

Il chassa une énorme quantité d'air de ses poumons, secoua la tête.

Pas un mot sur Tommy Castro.

– Vous trois seulement ? s'enquit Leaphorn.

Demott hésita.

– Pratiquement tout le temps, oui.

– Tommy Castro ne venait pas avec vous ?

Demott rougit.

– Où avez-vous entendu parler de lui ?

Leaphorn haussa les épaules.

Demott emplit ses poumons d'air.

– Castro et moi étions camarades d'école et, c'est vrai, lui et moi on a grimpé un peu ensemble. Mais quand Elisa a été suffisamment grande pour apprendre et qu'elle a commencé à nous accompagner, Tommy s'est mis à lui tourner autour. Je lui ai dit qu'elle était beaucoup trop jeune et qu'il fallait qu'il arrête ses conneries. Ça a été réglé.

– Il grimpe toujours ?

– Je n'en ai aucune idée. Je l'évite. Il m'évite.

– Aucun problème avec Hal, en revanche.

– Il était plus proche de son âge et était davantage son genre, même s'il était urbanisé et élevé dans la soie.

Demott réfléchit à ce qu'il venait de déclarer puis ajouta :

– Vous savez, je crois qu'il aimait vraiment ce ranch autant que nous. Il parlait de demander à sa famille de le lui laisser comme part de patrimoine. Il avait tout calculé sur le papier. En valeur pure, c'était loin d'atteindre ce qu'il aurait eu autrement, mais c'était ce qu'il voulait. C'est ce qu'il nous disait. Le plus bel endroit du monde, et il voulait le rendre encore plus beau. Il voulait renforcer les berges de la rivière aux endroits où elles s'érodaient. Remettre de jeunes plants de ponderosas là où le feu les avait détruits. Maintenir les bêtes à un nombre suffisamment bas pour qu'il n'y ait plus surexploitation des sols.

– Je n'ai pas vu beaucoup de traces de surexploitation par là, dit Leaphorn.

– Non, plus maintenant, il n'y en a plus. Mais avant que le père de Hal meure, il voulait toujours qu'on élève plus de bétail sur la ferme que l'herbe ne pouvait en nourrir. Il arrêtait pas de faire pression sur mon père, et après sa mort, c'était sur moi. Pour tout dire, il menaçait de me flanquer à la porte si je ne faisais pas grimper les revenus au niveau où il estimait qu'ils devaient se situer.

– Vous croyez qu'il l'aurait fait ?

– On ne le saura jamais. Il était hors de question que j'épuise les terres, ça, ça risquait pas, bon Dieu. Mais juste au bon moment, Breedlove a eu sa grosse attaque cardiaque et il est mort. (Il eut un petit rire.) Elisa l'a attribué au pouvoir de mes prières.

Leaphorn attendit. Attendit encore. Mais Demott n'avait nulle hâte d'interrompre ses souvenirs. Une brise soufflait dans le sens du courant, douce et rafraîchissante, faisait bruire les feuilles derrière l'ancien lieutenant et fredonnait cette petite mélodie que le vent léger chante dans les sapins.

– C'est une drôlement chouette journée, finit par dire Demott. Mais clignez des yeux deux fois et l'hiver s'abattra sur la montagne.

– Vous vous apprêtiez à me dire ce qui n'allait pas chez Hal.

– Je n'ai pas les diplômes qu'il faut pour pratiquer la psychiatrie.

Il hésita un très bref instant, mais Leaphorn savait que la réponse allait venir. C'était quelque chose dont il voulait parler... et ce, probablement, depuis très, très longtemps.

– Pas plus que la théologie. Si c'est le mot qui convient. Enfin bon, vous savez ce que raconte notre Genèse. Dieu a créé Adam et lui a donné absolument tout ce qu'il voulait pour voir s'il était capable

197

de vivre avec, tout en continuant à lui devoir obéissance et à se comporter comme il fallait. Il s'en est montré incapable. Alors il a perdu la grâce.

Demott posa un regard sur Leaphorn pour voir s'il suivait.

– Il s'est fait jeter du paradis, compléta-t-il.

– Bien sûr, fit Leaphorn. Je m'en souviens.

Ce n'était pas tout à fait de cette façon qu'on lui avait toujours raconté l'histoire, mais il voyait ce que Demott allait peut-être démontrer avec sa version.

– Le vieux Breedlove a installé Hal au paradis. Il lui a tout donné. École privée avec les autres gosses de riches, Dartmouth avec les enfants de la classe dirigeante... absolument tout ce qui se fait de mieux et que l'argent peut apporter. Si j'étais prédicateur, je dirais que le père de Hal a dépensé des tonnes d'argent pour enseigner à son fils à adorer Mammon, je ne sais pas bien comment prononcer ce nom. Enfin bref, ça veut dire fabriquer un dieu à partir des choses qu'on peut acheter.

Il marqua une pause, adressa un regard interrogateur à l'ancien lieutenant.

– Nous avons une philosophie un peu comparable dans notre propre histoire de la Genèse. Pour Premier Homme, le mal, c'est « la façon de faire de l'argent ». D'autre part, j'ai suivi un cours de religions comparées quand j'étais étudiant à Arizona State. J'ai obtenu un A.

– D'accord, fit Demott. Désolé. Enfin, bon. Quand Hal était en terminale ou à peu près, il est arrivé à Mancos, un été, dans son petit avion personnel. Il voulait qu'on lui nivelle une piste d'atterrissage à côté de la maison. J'ai calculé combien ça coûterait, mais son père a refusé de sortir l'argent. Ils ont eu une drôle de discussion là-dessus. Hal s'était déjà engueulé avec lui pour qu'il s'occupe mieux du ranch, qu'il y investisse de l'argent au lieu d'en retirer uniquement. Je crois que c'est à peu près à ce moment-là que son père a commencé à en avoir plus qu'assez. Il a décidé de donner le ranch à Hal et rien d'autre, et de le laisser voir s'il pouvait en vivre.

– En se disant qu'il n'y parviendrait pas ?

– Ouais. Et bien sûr, il avait raison. Quoi qu'il en soit, Breedlove a relâché un peu la pression sur les profits et j'ai réussi à mettre plein de clôtures dont on avait besoin pour protéger deux ou trois des herbages qui étaient en danger, et à faire rentrer du matériel pour contrôler un peu l'érosion le long de la Cache. Elisa et Hal se sont mariés après. Tout allait bien. Mais ça n'a pas duré longtemps. Hal a emmené Elisa en Europe. Il a décidé qu'il fallait absolument qu'il ait une Ferrari. Une voiture géniale pour les routes qu'on a ici. Mais il l'a achetée. Et d'autres trucs. Il a emprunté de l'argent. Rapidement, on n'a plus eu assez de rentrées pour couvrir ses dépenses en vendant nos surplus de fourrage et notre viande de bœuf. Alors il est allé voir son père.

Parvenu à ce point du récit, sa voix se fit plus sourde. Il s'interrompit, passa sa manche de chemise sur son front.

– Il fait chaud pour cette période de l'année, dit-il.

– Oui, fit Leaphorn en trouvant qu'il faisait frais et sec, dans les quinze degrés, même maintenant que la brise était tombée.

– Enfin bref, il est revenu les mains vides. Il n'avait pas grand-chose à raconter mais je suppose qu'ils avaient dû avoir une sacrée scène de famille. Je sais avec certitude qu'il avait essayé d'emprunter de l'argent à George, George Shaw, son cousin qui venait ici et qui grimpait avec nous, et lui aussi avait dû refuser. Je pense qu'ils ont dû lui dire qu'ils donnaient suite à leur projet de contrat d'exploitation du gisement de molybdène, et qu'il pouvait aller se faire voir.

– Mais ils ne l'ont pas fait, objecta Leaphorn. Pourquoi ?

– Je pense que c'est parce que son père a eu sa crise cardiaque peu de temps après. Quand il est mort, ça a tout bloqué pendant un temps en raison des délais d'homologation du testament. Le ranch était placé en fidéicommis, géré pour le compte de Hal. Il ne lui revenait pas avant qu'il ait atteint l'âge de trente ans, mais bien sûr la famille n'en avait plus le contrôle. La situation en est restée à peu près à ce point pendant un bon moment.

Il se tut à nouveau. Inspecta sa main fraîchement lavée. Leaphorn réfléchissait lui aussi à ces frictions entre Hal et sa famille et à leurs implications.

– Lorsque je suis allé voir madame Rivera à la banque, dit-il, elle m'a expliqué que les choses recommençaient à bouger pour le projet de mine de molybdène, juste avant que Hal disparaisse. Mais cette fois, elle pensait que le contrat allait se faire avec une autre compagnie minière. Elle ne pensait pas que c'était la société familiale qui était dans le coup.

Demott perdit tout intérêt pour sa main.

– Elle vous a raconté ça ?

– C'est ce qu'elle m'a dit. Elle m'a précisé qu'une banque de Denver jouait un rôle actif. Que c'était une affaire bien trop grosse pour que sa petite banque couvre l'aspect financier de la chose.

– Avec madame Rivera sur la place publique, on n'a pas vraiment besoin de journal local, commenta Demott.

– Alors je me disais que si les gens de sa famille ont annoncé à Hal qu'ils allaient mener à bien leur projet sans tenir aucun compte de lui, peut-être a-t-il décidé que c'était lui qui allait les avoir. Qu'il allait conclure son propre contrat et leur couper l'herbe sous le pied.

– Je pense que c'est à peu près comme ça que ça s'est passé. Je sais que son représentant légal lui a dit que tout ce qu'il avait à faire, c'était de faire traîner les choses suffisamment en longueur devant les tribunaux pour arriver à son anniversaire. Après, il aurait le titre de propriété sans partage et pourrait faire ce qu'il voudrait. C'est ce qu'Elisa souhaitait. Mais Hal était quelqu'un qui ne pouvait absolument pas attendre. Il y avait des choses qu'il voulait acheter. Des choses qu'il voulait faire. Des endroits qu'il avait pas encore vus. Et il avait emprunté plein d'argent qu'il fallait qu'il rembourse. (Il eut un petit rire aux accents amers.) Ça, Elisa l'ignorait. Elle savait pas qu'il pouvait se servir du ranch comme garantie alors qu'il en était pas encore propriétaire. Quand elle l'a appris, le choc a été rude. Mais il avait demandé à son conseiller de lui monter je ne sais quel arrangement établissant des intérêts additionnels sur le ranch en tant que garantie.

– Beaucoup d'argent ?

– Pas mal. Il s'était débarrassé du petit avion qu'il possédait et avait versé un acompte sur un appareil plus gros. Après sa disparition, on les a laissé reprendre l'avion, mais il a fallu qu'on rembourse le prêt.

Sur ces mots, il se leva et rassembla ses outils.

– Au boulot, dit-il. Désolé de n'avoir rien pu vous dire qui puisse vous aider.

– Encore une question. Peut-être deux. Est-ce que vous faites toujours de l'escalade ?

– Trop vieux pour ça. Qu'est-ce que la Bible dit, à ce sujet ? Qu'en devenant un homme, on abandonne les attitudes propres à l'enfance. Quelque chose comme ça.

– Est-ce que Hal était vraiment fort ?

– Il était très fort, mais il n'avait pas conscience du danger. Il prenait trop de risques à mon goût. Mais il maîtrisait toute la technique. S'il s'y était consacré sérieusement, il aurait pu atteindre un très bon niveau.

– Est-ce qu'il aurait pu grimper Ship Rock en solitaire ?

Demott parut songeur.

– J'ai beaucoup réfléchi à ça depuis qu'Elisa a identifié son squelette. Au début je ne croyais pas, mais je sais pas. Je ne m'y risquerais même pas moi-même. Mais Hal...

Il secoua la tête :

– Quand il voulait quelque chose, il fallait qu'il l'ait.

– George Shaw s'est rendu chez Maryboy, l'autre jour, et il a obtenu la permission d'escalader. C'était le lendemain ou le surlendemain. Vous avez une idée de ce qu'il s'imagine pouvoir trouver là-haut ?

– George va faire l'ascension ?

Le ton de sa voix était incrédule et ses traits reflétaient la stupéfaction :

– D'où est-ce que vous tirez ça ?

– Tout ce que je sais c'est qu'il m'a dit qu'il avait versé cent dollars à Maryboy contre le droit de passage. Il va peut-être engager quelqu'un pour le faire mais il me semble qu'il a voulu dire qu'il allait grimper lui-même.

– Mais pourquoi, bon Dieu ?

Leaphorn ne répondit pas. Il laissa un moment à Demott pour trouver lui-même la réponse.

– Oh ! fit celui-ci. L'espèce de salopard !

– Je dirais qu'il croit peut-être que quelqu'un a légèrement poussé Hal.

– Ouais. Soit il s'imagine que c'est moi et que j'ai laissé un indice qui puisse le prouver, et dont il pourrait se servir pour rendre l'héritage d'Elisa nul et non avenu, soit c'est lui qui l'a fait et il se souvient qu'il a oublié quelque chose là-haut qui pourrait l'incriminer, et il veut aller le récupérer.

Leaphorn haussa les épaules.

– Une supposition qui en vaut bien d'autres.

Demott posa ses outils.

– Quand Elisa est rentrée après la crémation, elle m'a dit qu'il avait pas un seul os de brisé. Certains étaient désarticulés, vous savez. Ça a pu se produire au cours de la chute ou alors ce sont les vautours qui les ont arrachés. Ils sont suffisamment puissants pour y arriver, je suppose. De toute façon, j'espère que c'était une chute, et qu'il est pas resté coincé là-haut à crever de soif. Il aurait pu devenir quelqu'un de vraiment bien.

– Je ne l'ai jamais rencontré. Pour moi, c'était juste quelqu'un que je cherchais et que je n'ai jamais retrouvé.

– Eh bien, c'était un type bien, gentil. Avec un cœur gros comme ça. (Il reprit ses outils.) Vous savez, quand le policier est venu montrer les affaires de Hal à Elisa, j'ai vu le dossier qu'il avait apporté avec lui. Dessus, il y avait marqué : « L'Homme-qui-est-Tombé ». Je me suis dit, oui, ça c'était tout Hal. Son père lui avait donné le paradis et ça lui suffisait pas.

18

Lucy Sam avait semblé heureuse de voir Chee.

– Je crois qu'ils vont une nouvelle fois escalader Tse' Bit' a'i', lui annonça-t-elle. Il y a deux jours, j'ai remarqué une grosse voiture sur la route qui mène chez Hosteen Maryboy, elle y est restée longtemps, et quand elle est repartie, j'ai pris la mienne pour aller chez lui voir comment il allait et il m'en a parlé.

– On m'en a parlé aussi, confirma Chee en pensant combien il était difficile de garder un secret dans des régions presque inhabitées.

– Son visiteur lui a donné cent dollars, poursuivit-elle en secouant la tête. Je ne pense pas que nous devrions les laisser grimper là-haut, même pour mille dollars.

– Je partage votre avis. Ils ont assez de montagnes à eux pour s'amuser.

– Celui qui vivait ici avant, reprit-elle en utilisant la circonlocution navajo pour éviter de prononcer le nom d'un mort, il disait que c'était comme si nous, les Navajos, on allait escalader cette grande église qu'ils ont à Rome, grimper au sommet du mur des Lamentations ou sur cet endroit où le prophète de l'Islam est monté au ciel.

– C'est un manque de respect, acquiesça Chee.

Le sujet ainsi réglé, il orienta la conversation sur les vols de bétail.

Hosteen Maryboy lui avait-il signalé qu'il avait encore perdu des bêtes ? Oui, et il était furieux. Ces vaches lui auraient rapporté suffisamment d'argent pour lui permettre d'effectuer les ultimes versements sur son pick-up truck.

Est-ce qu'elle avait vu quelque chose de suspect depuis la dernière fois qu'il était venu ? Elle ne le pensait pas.

Est-ce qu'il pouvait consulter le cahier sur lequel elle prenait ses notes ? Bien sûr. Elle allait le lui chercher.

Lucy Sam le sortit du tiroir du bureau et le lui tendit.

– Je le tiens de la même manière, expliqua-t-elle en tapant sur la page à plusieurs reprises avec son doigt. J'inscris la date et l'heure ici, au bord, et après, je marque ce que je vois.

En tournant les feuillets à rebours, il vit que Lucy Sam y consignait bien plus que cela. Elle en faisait une sorte de journal quotidien, pratiquement comme l'avait fait son père. Et elle n'avait pas simplement copié le système de son père, elle avait également adopté son style d'écriture, enseigné par les *padres* franciscains (petites lettres tracées avec soin entre de petites lignes tracées avec soin), qui était devenu une sorte de marque de fabrique chez les générations de Navajos éduqués à l'école Saint Michael, à l'ouest de Window Rock. Une écriture facilement lisible qui ne gâchait ni papier ni encre. Mais lisible ou pas, Chee ne trouva rien de très utile.

Il remonta jusqu'à la date à laquelle l'agent Manuelito et lui étaient venus voir l'endroit où les poteaux de clôture avaient été descellés. Ils avaient eu droit à une mention, juste après l'annotation de Lucy Sam disant : « Yazzie est venu. Il a dit qu'il allait apporter du bois pour le feu », et juste avant « Les vautours sont de retour ». Entre ces deux entrées, Lucy avait écrit : « Voiture de police coincée sur la route sous Tse' Bit' a'i'. Conducteur de camion aide. » Puis, un peu plus bas sur la page : « Camion de dépannage venu chercher la voiture de police. » La dernière inscription précédant celle de la dépanneuse signalait : « Le camion avec sa caravane s'est arrêté. Le conducteur a inspecté les environs. »

Le camion avec sa caravane ? Chee se sentit rougir au souvenir de cet épisode embarrassant. Ce devait être Finch qui venait vérifier à quel point ils avaient réduit à néant le piège tendu à Zorro. Il progressa page à page, apprenant plus de choses sur les faucons crécerelles, les gros-becs migrateurs, une famille locale de coyotes et autre faune du plateau du Colorado qu'il ne souhaitait en savoir. Il acquit aussi une meilleure idée de la solitude de Lucy Sam, mais rien de ce qu'il lisait ne pouvait lui servir dans son rôle de chasseur de voleurs. Si Zorro était revenu récupérer un chargement de bêtes appartenant à Maryboy à l'endroit où il avait laissé le foin, il l'avait fait quand Lucy Sam ne regardait pas.

Mais elle regardait vraiment beaucoup. Il était fait mention d'un pick-up truck blanc « très boueux » qui tirait une carriole à chevaux sur la route de terre qui contournait Ship Rock, mais elle n'indiquait pas qu'il s'était arrêté. Chee se promit d'y revenir plus tard. Une douzaine d'autres véhicules étaient passés dans le champ du télescope de Lucy Sam, dont aucun ne pouvait appartenir à un voleur de bétail potentiel. Ils comprenaient un camion de livraison de courrier

Federal Express, qui avait dû s'égarer, une nouvelle apparition du camion de Finch tirant sa caravane, et trois pick-ups qu'elle avait identifiés par le nom de leurs propriétaires qui habitaient la région.

Alors qu'y avait-il dans tout cela qui pût lui servir ? Ça lui apprenait que si le réseau de guetteurs de Manuelito devait porter ses fruits, il faudrait de la patience, et vaisemblablement des années, avant d'établir des schémas de comportements suspects. Et ça lui apprenait que monsieur Finch voyait en lui un concurrent dans sa traque contre Zorro, comme il l'appelait. Finch voulait qu'il fasse une croix sur le lieu où les poteaux avaient été déterrés, mais lui-même n'en faisait rien. Il ne le lâchait pas du regard. Ce qui entraîna une autre idée. Maryboy avait déjà perdu des bêtes, avant. Lucy Sam, ou son père, avaient-ils remarqué quelque chose d'intéressant par le passé ? Plus précisément, avaient-ils remarqué, auparavant, ce camion blanc qui remorquait sa carriole à chevaux ? Quand il en aurait le loisir, il reprendrait le registre en remontant page après page pour vérifier ça. Il rechercherait aussi les dernières pages en quête de cars de ramassage scolaire. Il avait remarqué une note de Lucy Sam faisant état d'un car scolaire bloqué sur cette même route de terre alors qu'elle ne figurait sur aucun itinéraire de ramassage. Elle avait également mentionné que « le camion avec sa caravane » était resté garé presque toute la journée au pied de la montagne l'année précédente. L'entrée disait : « Pour escalader notre montagne ? »

Chee posa le cahier. Lucy Sam était sortie nourrir sa basse-cour et il la voyait maintenant, dans son enclos à moutons, inspectant une jeune chèvre qui avait trouvé moyen de se prendre dans la clôture. Il se surprit à se représenter Janet Pete dans ce rôle et lui-même dans le fauteuil roulant de Grand-père Sam. Ça ne marchait pas. Dans un rugissement de moteur, la Porsche blanche surgissait pour la sauver. Mais ce n'était pas juste de sa part. Il se laissait aller au racisme. Depuis le jour où il avait rencontré Janet et était tombé amoureux d'elle, il réfléchissait en raciste. Parce que son nom était Pete, parce que son père était navajo, son sang avait dû lui enseigner la voie du *Dine* * et faire d'elle une femme de son peuple. Mais seule la culture enseigne les valeurs, et celle qui l'avait formée était la culture aristocratique, blanche, raffinée, athée du Maryland, celle qu'offraient les fortunes ancestrales et les meilleures universités. Ce qui la plaçait pratiquement aussi loin qu'il est possible des valeurs traditionnelles des Navajos, lesquelles font de la richesse* un symbole de l'égoïsme, et avaient eu pour conséquence que l'un de ses amis avait délibérément cessé de remporter des compétitions de rodéo parce qu'il devenait exagérément célèbre et qu'en conséquence il perdait l'harmonie.

Oh, et puis merde. Il se leva, refit la mise au point avec le télescope et trouva l'endroit où les pieux avaient été partiellement déterrés. Cette route n'était probablement pas empruntée par plus de douze véhicules chaque semaine, et par absolument aucun quand le temps était à la pluie. Elle était déserte en l'occurrence, et il n'y avait nul mouvement du côté du piège tendu à Zorro par monsieur Finch. Au-delà, dans le champ, il compta dix-huit vaches et veaux, un mélange d'Angus et de Hereford, et trois chevaux. Il parcourut les herbages de Maryboy jusqu'à la base de Ship Rock, fit sa mise au point sur l'endroit d'où Lucy Sam lui avait dit que les équipes de grimpeurs aimaient prendre le départ de leur grande aventure.

Rien que sauge, herbe-aux-lapins et une buse à queue rousse en quête de son déjeuner.

Il revint s'asseoir et prit le cahier le plus ancien. Lors de sa visite précédente, il avait vérifié les entrées correspondant aux jours qui avaient suivi la disparition de Breedlove, mais seulement d'un œil superficiel. Cette fois, il allait être minutieux.

Lucy Sam rentra, se lava les mains et le regarda en les essuyant.

– Quelque chose qui ne va pas ?

– Déçu, dit-il. Il y a tellement de détails. Ça va me prendre une éternité.

– Il n'avait rien d'autre à faire, expliqua-t-elle d'un ton d'excuse. À la suite de cette maladie qui s'est attaquée à ses nerfs, tout ce qu'il pouvait faire c'était se traîner jusqu'à son fauteuil roulant. Il ne pouvait aller nulle part, il restait là dans son fauteuil et des fois il lisait ou il écoutait la radio. Et bien sûr il regardait dans son télescope et il tenait ses notes à jour.

Et les tenait très bien, constata Chee. Malheureusement, elles ne semblaient pas inclure ce qu'il souhaitait trouver.

La date de la disparition de Hal se situait à peu près au milieu du vieux cahier. Aux yeux de Hosteen Sam, ça avait été une journée venteuse et fraîche, les corneilles avaient commencé à se rassembler comme elles le font lorsque l'été touche à sa fin, passant devant le monolithe au crépuscule en vols immenses et désorganisés, en route vers leurs lieux de nidification dans les bois de la San Juan. Trois camions-citernes du champ de pétrole étaient arrivés par la route qui menait à Red Rock et avaient tourné vers le gisement de Rattlesnake. De hauts nuages étaient apparus mais il n'y avait pas eu de promesse de pluie.

L'entrée correspondant au jour suivant était plus longue, consacrée largement au comportement loufoque de quatre coyotes nés dans l'année qui donnaient l'impression d'essayer d'apprendre à chasser, plus bas sur la pente, au cœur du village des chiens de prairie. Intéressant, mais pas ce que Chee espérait.

Une heure et plusieurs dizaines de pages plus loin, il referma le cahier, se frotta les yeux et soupira.

– Vous voulez déjeuner ? lui demanda Lucy Sam.

C'était exactement la question qu'il souhaitait entendre depuis un moment. Elle se tenait devant le réchaud à l'autre bout de la cuisine, coupait des oignons, remuait, répondait à ses questions sur les abréviations qu'il ne parvenait pas à déchiffrer ou des points qu'il ne comprenait pas. Et l'odeur du ragoût de mouton avait progressivement investi la pièce et ses sens, faisant paraître sa quête illusoire beaucoup moins importante que la faim qui le tenaillait.

– S'il vous plaît, dit-il. Cela sent exactement comme le ragoût que préparait ma mère.

– C'est probablement le même. Tout le monde est bien obligé d'utiliser les mêmes ingrédients : mouton, oignons, pommes de terre, boîte de tomates, sel, poivre.

Elle haussa les épaules.

Comme le ragoût de sa mère, il était délicieux. Il expliqua à Lucy ce qu'il tentait de découvrir : il lui parla de la disparition de Hal Breedlove puis de la découverte de son squelette sur la montagne. Ce qu'il cherchait, c'était une idée du moment où il était revenu s'attaquer à cette ascension fatale.

– Vous avez trouvé quelque chose ?

– Je crois avoir appris qu'il n'est pas revenu directement ici après avoir abandonné sa femme à Canyon de Chelly. En tout cas, il n'y a pas d'entrée signalant que quelqu'un est venu escalader.

– Il y en aurait eu une. Jusqu'où vous êtes allé ?

– Seulement les huit premières semaines après sa disparition. Ça va me prendre une éternité.

– Vous savez, ils s'y prennent toujours de la même manière. Ils commencent à grimper juste à l'aube, peut-être avant. C'est parce qu'ils veulent être redescendus avant qu'il fasse nuit et parce qu'il y a des endroits où cette roche noire devient terriblement chaude quand le soleil de l'après-midi tape dessus. Alors tout ce que vous avez à faire c'est regarder la première chose qu'il a écrite chaque jour. Il faisait pareil tous les matins. Il se levait à l'aube et allait jusqu'à la porte dans son fauteuil roulant. Puis il adressait le chant à Garçon de l'Aube et bénissait la matinée avec son pollen*. Ensuite, il regardait sa montagne. S'il y avait un véhicule quelconque garé à l'endroit où ils laissaient toujours leurs voitures, c'était la première chose qu'il notait.

– Je vais essayer ça, alors, dit Chee.

Sur la page où il rouvrit le cahier, la première entrée portait la date du 15/9/85, ce qui était trop tôt de plusieurs pages et de huit jours. Il jeta un coup d'œil à la première ligne. Quelque chose sur un faucon crécerelle qui avait attrapé une sturnelle des prés. Il tourna les pages chronologiquement, suivant le conseil de Lucy et parcourant les premières inscriptions après chaque date.

Il était maintenant au 18/9/85, au milieu de la page. La première ligne disait : « Grimpeurs. Petit camion vert bizarre où ils se garent d'habitude. Trois à monter. Si Lucy rentre d'Albuquerque, je vais lui demander d'aller à Shiprock prévenir la police. »

211

Chee vérifia à nouveau la date. Le 18 septembre 1985. Soit cinq jours avant la disparition de Breedlove à Canyon de Chelly. Il parcourut rapidement le reste de la page, cherchant d'autres passages concernant les grimpeurs. Il en trouva deux le même jour.

Le premier précisait : « Ils ont passé la moitié, maintenant, ils progressent sous une falaise ; comme des insectes sur un mur. » Et le deuxième : « Phares de la voiture verte à la mode allumés, plafonnier aussi. Je les vois qui rangent leur attirail. Ils sont partis maintenant et la police n'est pas venue. J'ai dit à Maryboy qu'il devrait laisser personne monter sur Tse' Bit' a'i' mais il m'a pas écouté. »

Lucy faisait la vaisselle dans une bassine d'eau, sur la table à côté du réchaud, elle l'observait tout en travaillant. Il lui porta le cahier, pointa le doigt sur ce jour-là.

– Vous vous souvenez de ça ? demanda-t-il. Ça devait être il y a onze ans. Trois personnes sont venues escalader Ship Rock dans une sorte de camionnette verte. Votre père voulait que vous alliez prévenir la police mais vous étiez partie à Albuquerque.

Lucy Sam mit ses lunettes et lut.

– Ça alors, pourquoi j'avais bien pu prendre le car d'Albuquerque ? s'interrogea-t-elle. Ah, oui. Irma mettait son bébé au monde, là-bas. Petite Alice. Elle a onze ans maintenant. Et quand je suis rentrée, il était tout excité à cause d'eux. Et en colère. Il voulait que je l'emmène voir Hosteen Maryboy à cause de ça. Je l'y ai conduit et ils se sont disputés. Je m'en souviens.

– Est-ce qu'il a dit quelque chose, sur eux ?

– Il m'a dit qu'ils avaient été un peu lents. La nuit était déjà tombée quand ils sont revenus à leur voiture.

– Quelque chose sur la voiture ?

– La voiture ?

Elle parut réfléchir :

– Je me souviens qu'il n'en avait encore jamais vu de semblable. Il m'a dit qu'elle était laide, qu'elle avait l'air disgracieuse, carrée comme une boîte. Elle était verte et il y avait un porte-skis sur le toit.

Chee ferma le cahier et le remit à Lucy, essayant de se souvenir de la description que Leaphorn lui avait faite de la voiture que Breedlove avait abandonnée après avoir laissé sa femme. C'était un véhicule de tourisme, de couleur verte, de marque étrangère. Oui. Une Land Rover. Ce qui correspondrait tout à fait aux caractéristiques notées par Grand-père Sam : laide, carrée.

– Merci, dit-il à Lucy Sam. Il faut que j'aille chez Hosteen Maryboy, maintenant, pour voir ce dont il se souvient.

19

Le soleil couchant flamboyait derrière Beautiful Mountain au moment où la voiture de patrouille de Chee avait été secouée sur la grille à bétail de Lucy Sam et avait regagné la chaussée. Dans le crépuscule de plus en plus sombre, ses phares ne servaient pas à grand-chose et il avait failli rater la bifurcation dépourvue de toute indication. Elle l'avait mené sur le chemin de terre qui conduisait au sud vers Rol Hai Rock, Table Mesa et les étendues infinies de terres inhabitées entre ces vieilles buttes massives et la chaîne des Chuskas.

Lucy Sam lui avait dit :

– Surveillez votre compteur et à environ treize kilomètres après l'embranchement, vous arriverez au sommet d'une crête et vous verrez où habite Maryboy sur la gauche, à peut-être quinze cents mètres.

– Il fera noir, avait objecté Chee. Est-ce que l'embranchement est indiqué ?

– Il y a un petit wash, et un grand tremble de Frémont à l'endroit où vous tournez. C'est le seul arbre du coin et Maryboy garde une veilleuse allumée à son hogan. Vous ne pouvez pas vous tromper.

– D'accord, avait-il dit en regrettant qu'elle ait ajouté « Vous ne pouvez pas vous tromper ».

C'était le genre de point de repère qu'il ne voyait jamais.

– Il y a deux endroits avec beaucoup de sable où vous traverserez des arroyos. Si vous roulez trop lentement, vous risquez de rester bloqué. Mais c'est une assez bonne route par temps sec.

Il avait déjà emprunté cette piste à une ou deux reprises lorsque le devoir l'avait exigé, et il ne la considérait pas du tout comme assez bonne. Trop mauvaise pour justifier ne serait-ce que l'une de ces discrètes lignes qui figurent sur la carte routière officielle avec la légende « non refaite » et un avertissement en bas de carte. Mais il roulait un peu plus vite que le bon sens ne l'aurait voulu. Il était impatient. Ce véhicule vert en forme de boîte devait être la Land Rover de Hal Breedlove, celle-là même qu'il avait vue au Lazy B. Un des trois hommes qui en étaient descendus devait être Breedlove. Pourquoi ne pas suspecter que l'un des deux autres était celui qui l'avait appelé à la Thunderbird Lodge, au bout de trois ou quatre jours, et l'avait entraîné loin de sa femme et jusqu'à l'oubli final ? Il allait demander sa description à Maryboy, si toutefois le vieil homme était capable de la lui fournir. Et il le serait peut-être, car les gens qui mènent une existence solitaire où rare est la présence de leurs congénères se souviennent souvent des inconnus, surtout de ceux qui ont pour étrange mission de risquer leur vie sur Ship Rock. Quoi qu'il en soit, il allait apprendre un maximum de choses et ensuite il appellerait Leaphorn.

Pour une raison qu'il ne tenta même pas de comprendre, il lui semblait extrêmement important de s'asseoir en face de lui, et de tout lui raconter. Il

215

avait cru qu'il lui en voulait d'avoir signé avec John McDermott. Mais les yeux noirs et vifs de Leaphorn le scruteraient avec approbation. Son expression austère s'adoucirait dans un sourire. Il réfléchirait un moment puis il lui expliquerait en quoi ces renseignements allaient permettre de résoudre cette terrible énigme.

Au moment où la piste franchit une crête, le compteur marqua presque exactement les treize kilomètres prédits depuis la bifurcation. La lune n'était pas encore levée, mais la silhouette noire et découpée des Chuskas sur la droite et la masse au sommet aplani de Table Mesa sur la gauche se détachaient sur un ciel étincelant d'étoiles. Devant, un océan de ténèbres s'étirait vers l'horizon. Puis la piste contourna un monticule de thé mormon et il aperçut la lumière qui brillait devant chez Maryboy, ponctuant la nuit d'une tache jaune vif.

Chee vira à gauche après le tremble que Lucy lui avait indiqué et s'insinua dans deux ornières sableuses séparées par un monticule herbeux. Elles le guidèrent le long d'un wash sans profondeur, vers la lumière. La piste plongea sur une pente et la tache étincelante se mua en une faible lueur. Il entendit un bruit assourdi quelque part dans le lointain. Ou plutôt un claquement soudain. Mais il était trop occupé à conduire dans l'immédiat pour se demander quelle en était la cause. La piste avait brusquement tourné pour descendre dans le lit à sec, faisant pencher la voiture. Elle s'enfonça au cœur d'un enchevêtrement de ronces et de chênes nains que ses phares convertissaient en un tunnel lumineux. Il en émergea.

La lumière était éteinte.

Il fronça les sourcils, étonné. Il se dit qu'elle devait être juste hors de vue, derrière l'écran de broussailles qu'il dépassait. La piste sortit des arbres nains pour gagner une étendue plane couverte d'herbes où rien ne poussait plus haut que la sauge. Toujours pas de lumière. Pourquoi ? Parce que Maryboy l'avait éteinte, forcément ? À moins que l'ampoule n'ait grillé. Aussi isolé, Maryboy ne devait pas être sur le réseau de distribution de l'administration de l'Électrification rurale. Il devait avoir un système de générateur à vent avec accumulateurs. Peut-être les accumulateurs étaient-ils morts. C'était idiot. Et pourtant, la seule raison que l'on puisse avoir d'éteindre une telle lampe c'est quand, pour une raison ou une autre, on craint d'être menacé par l'esprit des morts. Et dans ce cas, pourquoi l'éteindre avant que Garçon de l'Aube n'ait restauré l'harmonie dans le monde ? Et pourquoi l'éteindre quand on sait qu'un visiteur arrive ? Maryboy s'attendait-il à recevoir la visite de quelqu'un dont il voulait se cacher ?

Chee parcourut les quatre cents derniers mètres plus lentement qu'il ne l'aurait fait si la lumière avait continué à briller. Sa voiture passa le long d'un enclos à bovins en planches avec une rampe d'accès pour les vaches. Ses phares se reflétèrent sur les parois en aluminium d'un mobile-home. Derrière, il distingua les vestiges d'un camion auquel il manquait les roues arrière. Plus loin, un autre pick-up truck, assez récent, et au-delà, un petit hogan, un petit enclos à chèvres, un abri de broussailles et deux remises. Il se gara à une distance un peu plus grande de l'habitation qu'il ne l'aurait fait normalement et laissa le moteur tourner un peu plus longtemps. Et quand il coupa le contact, il baissa la vitre de son côté et resta immobile à prêter l'oreille.

Il n'y avait pas de lumière à l'intérieur du mobile-home. L'air froid et sec de décembre s'engouffrait par la vitre. Il véhiculait l'odeur de la sauge et de la poussière, des feuilles mortes et de l'enclos à chèvres. Il véhiculait le silence de mort d'une nuit d'hiver sans vent. Un chien sortit de l'un des abris, l'air très vieux, loqueteux et las. Il vint en boitant et s'arrêta, la lumière des phares se reflétant dans ses yeux.

Chee se pencha par la fenêtre.

– Il y a quelqu'un ? lui demanda-t-il.

Le chien fit demi-tour et repartit en boitant vers la remise. Chee éteignit les lumières et attendit, mal à l'aise, qu'un signe de vie émane de la maison. Il tambourina des doigts sur le volant. Écouta. Au loin, quelque part, retentit le cri d'une chouette des terriers chassant sa proie. Il réfléchit. Quelqu'un l'a bien éteinte, cette fichue lumière. Par conséquent, il y a quelqu'un à l'intérieur. Il est absolument hors de question que je rentre chez moi en avouant que je suis venu ici pour parler à Maryboy et que j'ai eu trop peur du noir pour descendre de voiture.

Il marmonna un gros mot, s'assura que son calibre .38 officiel était bien rangé dans son étui, décrocha la torche, ouvrit la portière et sortit... reconnaissant à la politique qui avait entraîné la suppression de l'allumage automatique des plafonniers lors de l'ouverture des portières. Il resta à côté de la voiture, heureux d'être dans l'obscurité, et cria « Hosteen Maryboy » en accompagnant son appel d'une formule de politesse en navajo. Il s'identifia par le clan et la famille. Attendit.

Rien d'autre que le silence. Mais le bruit de sa propre voix, fort et clair, avait fait exploser la bulle d'appréhension qui l'environnait. Il attendit aussi longtemps que l'exigeait la politesse, s'avança vers la porte d'entrée, monta les deux marches en blocs de béton qui y menaient et tapa contre le grillage.

Rien. Il frappa à nouveau, plus fort cette fois. Toujours pas de réponse. Il tira sur l'écran-moustiquaire qui s'ouvrit sans résister. Il fit de même avec la porte. Le bouton tourna facilement dans sa main.

– Hosteen Maryboy, cria-t-il. Vous avez de la visite.

Il écouta. Rien. Et ouvrit la porte sur des ténèbres totales. Alluma sa torche.

Si le temps peut se mesurer en pareilles circonstances, il fallut quelques nanosecondes peut-être au faisceau lumineux pour traverser la pièce minuscule de part en part et révéler qu'elle était inoccupée. Mais même dans ce court laps de temps, ce qu'il aperçut à la périphérie de son champ de vision lui dit le contraire. Il orienta la torche vers le sol.

Le corps gisait sur le dos, les pieds vers la porte, comme s'il était venu répondre à l'appel d'un visiteur puis était tombé en arrière comme une masse.

Dans l'instant qui s'écoula avant d'éteindre la torche et de bondir dans les ténèbres de la maison, il avait tiré plusieurs conclusions. Le mort avait reçu une balle près du milieu de la poitrine. Il s'agissait probablement, mais pas forcément, de monsieur Maryboy. Le claquement qu'il avait entendu avait été le coup de feu fatal. Le tireur devait donc être à proximité. Ayant abattu monsieur Maryboy puis aperçu les phares du policier, il avait éteint la lampe extérieure. Et, ce qui était bien plus urgent, Jim Chee courait de sérieux risques d'être pris pour cible à son tour. Il s'appuya contre le mur à côté de la porte, dégaina son pistolet, l'arma, s'assura que le cran de sécurité était bien relevé.

Il passa les quelques minutes qui suivirent à écouter le silence et à envisager la situation sous tous ses aspects. Parmi les arômes qui montaient de la cuisine de Hosteen Maryboy, il avait repéré l'odeur âcre de la poudre brûlée, confirmant l'hypothèse selon laquelle Maryboy n'avait été tué que quelques minutes auparavant. Une conclusion effrayante, qui renforçait l'indice fourni par l'extinction de la lumière extérieure. Le tueur n'était pas reparti en voiture. Chee l'aurait rencontré sur la piste d'accès. Qu'il se fût éloigné à pied était possible, mais guère plausible. Cela aurait signifié l'abandon de son véhicule. Était-ce le pick-up qu'il avait remarqué ? Peut-être. Mais il s'agissait plus vraisemblablement de celui de Maryboy. Le meurtrier, quand il l'avait vu arriver, avait eu tout le temps de déplacer sa voiture, mais aucune possibilité de partir sans croiser Chee sur la piste.

Alors, quelles options s'offraient à lui ?

Il s'accroupit à côté du corps, chercha le pouls, n'en trouva pas. Il était mort. Ce qui atténuait un peu l'urgence de la situation. Il pouvait attendre le lever du jour, ainsi les chances seraient plus égales. En l'état actuel des choses, l'assassin savait exactement où il se trouvait alors que lui n'avait pas le moindre indice. Mais attendre avait aussi son inconvénient. Tôt ou tard, le tueur aurait l'idée de tirer une balle dans le réservoir d'essence de la voiture de patrouille, ou de faire autre chose qui la rendrait inutilisable. Après quoi il pourrait partir sans être poursuivi. Ou alors il pouvait siphonner de l'essence sur n'importe lequel des véhicules, mettre le feu à ce mobile-home et abattre Chee quand il en sortirait.

Mais ses yeux, maintenant, s'étaient habitués à l'obscurité. Il distinguait parfaitement les fenêtres. La lumière des étoiles qui entrait par les fenêtres, aussi faible fût-elle, lui permettait de repérer une chaise, un canapé, une table et la porte qui menait à la cuisine.

L'assassin pouvait-il s'y trouver ? Ou dans la chambre, juste derrière ? C'était peu problable. Il s'assit contre le mur, retenant sa respiration, concentrant tous ses instincts sur l'écoute. Il n'entendit rien. Néanmoins, il redoutait l'idée de recevoir une balle dans le dos.

Il ramassa la torche, la tint loin de son corps, la pointa de même que le pistolet sur le seuil de la cuisine et alluma. Rien ne bougea dans la partie de la pièce qu'il voyait. Il s'approcha de la porte, maintenant la torche à l'écart de son corps. La cuisine était vide. Il en alla de même lorsqu'il répéta la manœuvre pour la chambre et la minuscule salle de bains derrière elle.

Revenu dans le séjour, il s'assit sur le canapé et s'installa aussi confortablement que les circonstances le lui permettaient. Il soupesa les différentes options, n'en trouva pas de nouvelles, imagina l'aube qui pointait, imagina le soleil qui se levait, imagina qu'il attendait, encore et encore, imagina qu'il finissait par trouver que ça avait assez duré et qu'il allait droit à sa voiture. Soit il était pris pour cible, soit il ne l'était pas. S'il ne l'était pas, il lui faudrait contacter le capitaine Largo par radio et lui signaler le crime.

« Quand cela s'est-il produit ? » lui demanderait le capitaine, puis, « Pourquoi avez-vous attendu toute la nuit avant de le signaler ? » et après, « Est-ce que vous êtes en train de me dire que vous êtes resté assis dans la maison toute la nuit parce que vous aviez peur de sortir ? » Et la seule réponse serait : « Oui, capitaine, c'est ce que j'ai fait. » Et puis, un peu plus tard, Janet Pete lui demanderait pourquoi il était mis à pied de la Police tribale navajo et il lui dirait... Mais est-ce que cela l'intéresserait assez pour poser la question ? Et quelle importance, de toute façon ?

Une chose en avait. Il se leva, s'immobilisa à côté de la porte, les yeux et les oreilles aux aguets... étonné de constater à quel point la nuit était claire, maintenant, à l'extérieur du salon sans lumière. Mais il ne vit rien, n'entendit rien. Il poussa la porte-moustiquaire et, le pistolet à la main, fonça vers sa voiture, ouvrit la portière, se glissa à l'intérieur. Il se recroquevilla bas sur le siège, s'empara du micro, mit le moteur en marche.

La standardiste de nuit répondit presque aussitôt.

– Un homicide chez Maryboy, annonça-t-il, le criminel toujours sur place. Il me faut...

La standardiste se souvint qu'elle avait entendu le bruit de deux coups de feu, très rapprochés, et celui du verre brisé, puis quelque chose qu'elle décrivit comme « des grattements, des couinements et des coups assourdis ». Telle fut la fin du message du lieutenant honoraire Jim Chee.

20

Au début, Chee eut seulement conscience de quelque chose de gênant qui lui recouvrait la majeure partie de la tête et l'œil gauche. Puis devint perceptible l'engourdissement général de ce même côté du visage et enfin, une impression d'inconfort assez prononcé au niveau des côtes, à gauche. Ensuite, il entendit deux voix, toutes deux féminines, dont l'une appartenait à Janet Pete. Il fit en sorte d'accommoder avec son œil droit et il la vit : elle tenait sa main et lui disait quelque chose qu'il ne parvenait pas à comprendre. En y repensant par la suite, il se dit que c'était peut-être « Je te l'avais bien dit » ou quelque chose d'approchant.

Quand il se réveilla à nouveau, la seule personne présente dans la pièce était le capitaine Largo qui le regardait avec une expression d'incompréhension.

– Qu'est-ce qui s'est passé là-bas, enfin quoi ? demanda-t-il. Qu'est-ce que c'est que cette histoire ?

Puis, comme touché par un rare sentiment, il s'enquit :

– Comment vous vous sentez, Jim ? Le docteur dit qu'il pense que ça va aller.

Chee était suffisamment éveillé pour douter que le

223

capitaine attendît une réponse et il s'octroya quelques instants pour se repérer. Il était dans un hôpital, de toute évidence. Probablement celui du service indien de la Santé à Gallup, mais peut-être à Farmington. De toute évidence, il lui était arrivé quelque chose de grave, mais il ignorait quoi. De toute évidence encore, ça avait quelque chose à voir avec ses côtes, qui lui faisaient mal, là, et avec son visage, qui le ferait souffrir quand l'engourdissement aurait disparu. Le capitaine pouvait le mettre au courant des derniers développements. Et pour commencer, quel jour était-ce ?

– Qu'est-ce qui a bien pu m'arriver ? demanda-t-il. Un accident de voiture ?

– Quelqu'un vous a tiré dessus, sacré bon sang. Vous savez qui c'était ?

– Quelqu'un m'a tiré dessus ? Pourquoi ?

Mais avant même d'avoir fini sa phrase, les souvenirs commencèrent à lui revenir. Hosteen Maryboy, mort sur le plancher. Le trajet jusqu'à sa voiture. Mais c'était très vague et comme dans un rêve.

– On vous a tiré dessus deux fois à travers la portière de votre voiture de patrouille, explicita Largo. Teddy Begayaye a l'impression que vous étiez en train de repartir de chez Maryboy et que l'agresseur a tiré deux balles à travers la portière du conducteur. Il a trouvé les douilles. À vue d'œil, et quand on voit ce qu'elles vous ont arraché, du calibre .38. Mais votre vitre était baissée ce qui fait qu'elles ont dû traverser le verre Securit après avoir percé le métal. Le médecin dit que c'est ce qui vous a probablement sauvé.

Chee était plus ou moins réveillé maintenant, et il n'avait pas le sentiment d'avoir été sauvé par quoi que ce soit. Il se sentait affreusement mal.

– Oh, ouais, fit-il. Ça me revient en partie, maintenant.

– Ça vous revient suffisamment pour me dire qui vous a tiré dessus ? Et ce que vous pouviez bien aller foutre chez Maryboy au milieu de la nuit ? Qui a tué Maryboy ? Et pourquoi ? Vous pouvez nous fournir une description ? Nous dire ce qu'on doit rechercher, bon sang… homme, femme, enfant ou quoi ?

Chee parvint presque à répondre à la quasi-totalité de ces questions avant que l'effet des analgésiques qu'on lui avait injectés dans l'ambulance, puis dans la salle des urgences, puis dans la salle d'opération, et à nouveau depuis, ne reprenne le dessus et qu'il ne commence à défaillir. L'infirmière était entrée et essayait de chasser Largo. Mais Chee était encore juste assez conscient pour s'interposer dans leur discussion.

– Capitaine, dit-il d'une voix qu'il perçut comme un peu molle, pâteuse et venant d'un kilomètre. Je crois que la cause du meurtre de Maryboy est liée à cette affaire Breedlove sur laquelle Joe Leaphorn a enquêté, il y a onze ans. Cette histoire de l'Homme-qui-est-Tombé. Le squelette sur Ship Rock. Il faut que je parle à Leaphorn de…

Lorsqu'il regagna le monde des vivants, la fois suivante, ce fut plus ou moins entièrement. La douleur était réelle, mais tolérable. Une infirmière tripotait le tuyau flexible auquel il était relié. C'était une jolie femme d'une quarantaine d'années dont le badge indiquait SANCHEZ. Elle lui sourit, lui demanda comment il se sentait et si elle pouvait faire quelque chose pour lui.

– Une évaluation de l'étendue des dégâts ? demanda-t-il. Un pronostic. Un bilan de santé. Le capitaine m'a dit qu'il pensait que j'allais m'en tirer, mais où en est mon œil gauche ? Et mes côtes ?

– Le médecin va venir vous voir très bientôt. C'est à lui qu'il appartient de donner ce genre d'informations au patient.

– Pourquoi vous ne le faites pas, vous ? Ça m'intéresse énormément.

– Oh, pourquoi pas ?

Elle prit la feuille de soins au pied du lit et la parcourut. Elle fronça les sourcils, fit un petit bruit désapprobateur avec sa langue.

– Ça n'est pas très encourageant à entendre, dit-il. Ils ne vont pas décréter que je suis trop abîmé pour que ça vaille le coup de me réparer ?

– Il y a deux mots mal orthographiés là-dessus, dit-elle. On n'enseigne plus l'orthographe aux médecins. Mais, non, j'aimerais bien être en aussi bonne santé que vous. Je suppose qu'un chef d'atelier estimerait qu'il s'agit d'une aile assez sérieusement enfoncée. Pas assez grave pour vous envoyer à la casse, et à peine assez pour demander à l'expert de l'assurance de se déplacer et faire grimper le montant de votre prime.

– Et l'œil ? insista-t-il. Il y a un bandage dessus.

– C'est à cause de...

Elle consulta la feuille et lut.

– « ... lacérations superficielles multiples dues à des éclats de verre. » Mais d'après ça, aucune lésion n'est intervenue à un endroit qui pourrait affecter votre vue. Pendant un moment, vous allez peut-être jouer aux montagnes russes en vous rasant cette joue-là et il va falloir que vous laissiez repousser deux centimètres de sourcils neufs. Mais apparemment, aucune séquelle au niveau de la vue.

– Ça fait plaisir à entendre. Et le reste de mon individu ?

Elle posa sur lui un regard sévère.

– Bon, quand le médecin va venir, il faudra que vous preniez l'air surpris. D'accord ? Tout ce qu'il vous dira sera nouveau pour vous. Et pour l'amour du ciel, ne discutez pas avec lui. N'allez pas lui dire : « Ce n'est pas ce que Florence Nightingale [1] m'a raconté. » Vous comprenez ?

Il comprenait. Il se tut et l'écouta. Deux balles tirées. L'une avait apparemment ricoché sur l'os épais qui se trouve à l'arrière du crâne, causant une blessure du cuir chevelu, une importante perte de sang et une commotion cérébrale. L'autre, apparemment tirée après qu'il fut tombé en avant, avait traversé la portière. Tandis que le côté gauche de son visage était criblé de débris, la balle avait été déviée vers son flanc gauche où elle s'était enfoncée dans les chairs et avait fêlé deux côtes.

– Je dirais que vous avez eu une drôle de chance, conclut l'infirmière en le regardant par-dessus la feuille de soins. Sauf, peut-être, dans la façon dont vous choisissez vos amis.

– Oui, fit-il avec une grimace de douleur. Est-ce que cette feuille indique qui m'a envoyé ces fleurs ?

Il y avait deux compositions : un pot splendide contenant un genre de chrysanthèmes raffinés, et un bouquet de fleurs assorties.

L'infirmière préleva la carte sur le bouquet.

– Vous voulez que je vous la lise ?

– S'il vous plaît.

– Ça dit : « Apprenez à vous baisser », et c'est signé : « Vos chiens de terriers de Shiprock. »

– C'est pas vrai, fit Chee en se sentant rougir de plaisir.

---

1. Florence Nightingale (1820-1910), infirmière célèbre pour son dévouement lors de la guerre de Crimée et pour les réformes qu'elle apporta dans les hôpitaux militaires. *(N.d.T.)*

– Des amis à vous ?

– Vous pouvez le dire. De vrais amis.

– Et sur l'autre carte : « Remets-toi vite, sois plus prudent et il faut qu'on parle » et c'est signé : « Baisers, Janet. »

Sur ces mots, l'infirmière Sanchez partit en le laissant s'interroger sur ce que cela pouvait bien signifier.

Le visiteur suivant fut un jeune homme bien habillé nommé Elliott Lewis, dont le costume trois-pièces impeccable et la cravate proclamaient qu'il était un agent spécial du Bureau Fédéral d'Investigations. Il présenta néanmoins ses justificatifs à Chee. Ce qui motivait son intérêt était le décès, dû à des causes non naturelles, d'Austin Maryboy, tout incident criminel de ce type survenant sur une réserve fédérale étant du ressort du Bureau. Chee lui dit ce qu'il savait, mais pas ce qu'il soupçonnait. Lewis, dans la meilleure tradition du FBI, ne dit strictement rien en retour.

– Cette histoire a dû avoir un certain retentissement dans les journaux, fit Chee. Je me trompe ?

Lewis rangeait son carnet et son magnétophone dans sa mallette.

– Pourquoi vous dites ça ?

– Parce que le FBI est arrivé vite.

Lewis leva les yeux des petits rangements domestiques auxquels il se livrait dans sa mallette. Il réprima un sourire forcé et hocha la tête.

– Ça a fait la première page de la *Phœnix Gazette,* de l'*Albuquerque Journal* et du *Desert News*, énonça-t-il. Et je suppose que vous pourriez ajouter le *Gallup Independent*, le *Navajo Times*, le *Farmington Times* et tous les autres.

– Cela fait combien de temps que vous êtes en poste ici ? demanda Chee.

– C'est ma troisième semaine, répondit Lewis. Je sors tout juste de l'académie mais j'ai entendu parler de la réputation qu'on nous fait de chasseurs de grosses manchettes dans les journaux. Et vous remarquerez que j'ai déjà mémorisé le nom des organes de presse pertinents.

Une réponse qui fit regretter à Chee son trait d'ironie. Qu'était Lewis sinon un jeune policier qui essayait de faire son métier ? Peut-être le Bureau lui enseignerait-il sa fameuse arrogance. Mais ce n'était pas encore le cas et, avec la disparition progressive du vieux gang des partisans de J. Edgar Hoover, ils oubliaient peut-être leurs attitudes de Superman. Chee avait déjà travaillé avec ces deux extrêmes.

Qui plus est, Lewis était efficace. Il posait les bonnes questions, d'où il ressortait que la théorie ayant les faveurs du Bureau expliquait le crime par un mobile lié aux vols de bêtes... dont Maryboy était connu pour être l'une des victimes. Chee avait envisagé d'introduire l'escalade des montagnes dans la conversation mais avait décidé de n'en rien faire. Sa tête lui faisait mal. La vie était déjà trop compliquée. Et comment s'y prendrait-il pour expliquer ça, bon sang ? Lewis avait donc refermé son carnet, éteint son magnétophone et pris congé.

Le policier blessé tourna ses pensées vers le message qu'avait signé Janet Pete. Comparé au souvenir de messages antérieurs, il semblait froid, au vu des circonstances. Ou était-ce l'effet de son imagination ? Et tout à coup elle fut là, sur le seuil, très belle, et elle lui souriait.

– Tu acceptes une visite ? demanda-t-elle. Ils ont donné la priorité absolue aux fédéraux. Il a fallu que j'attende.

– Entre, assieds-toi et parle-moi.

Ce qu'elle fit. Mais en chemin elle se pencha, trouva un endroit qui n'était pas dissimulé par des pansements et l'embrassa très fort.

– Ça me fait deux raisons d'être furieuse contre toi, dit-elle.

Il attendit.

– Tu as failli te faire tuer. C'est la plus grave. Les lieutenants sont censés envoyer leurs hommes en éclaireurs pour qu'ils se fassent tirer dessus. Il n'est pas prévu qu'ils se fassent tirer dessus eux-mêmes.

– Je sais, dit-il. Il faut que j'y travaille.

– Et tu m'as insultée, ajouta-t-elle. Est-ce que tu as suffisamment récupéré pour qu'on en parle ?

Fin du badinage. Le sourire avait disparu.

– J'ai fait ça ?

– Ce n'est pas l'impression que tu as gardée ? Tu as sous-entendu que je t'avais manœuvré. Tu as pratiquement affirmé que je m'étais servie de toi pour obtenir des renseignements dans le but de les transmettre à John.

Chee ne répondit pas. « John », pensa-t-il. Pas « McDermott » ni « Monsieur McDermott » mais « John ».

Il haussa les épaules.

– Dans ce cas, je te présente mes excuses. Je crois que j'ai mal interprété les choses. J'avais le sentiment que ce salopard était ton ennemi. Tout ce que je sais de lui, c'est ce que tu m'en as dit. La façon dont il s'est servi de toi, dont il a profité de la situation. Toi, l'étudiante qui n'était qu'employée. Lui, le célèbre professeur qui était aussi le patron. Ça faisait de lui ton ennemi, et toute personne qui te traite de la sorte est mon ennemi.

Pendant qu'il prononçait ces paroles, elle avait gardé une immobilité complète, mains croisées sur ses cuisses.

– Jim, commença-t-elle.

Puis elle s'arrêta, mordillant nerveusement sa lèvre inférieure.

– Ça m'a sûrement fichu un sacré coup, reprit-il. Moi, j'étais le naïf romantique qui se prenait pour le preux Galahad sauvant la damoiselle du dragon, et je découvre que la damoiselle fait la fête avec le dragon.

Le teint de Janet Pete avait légèrement viré au rose.

– Je suis en partie d'accord avec ce que tu viens de dire. En ce qui concerne ta naïveté. Mais je pense qu'il est préférable qu'on en parle plus tard. Quand tu iras mieux. Je n'aurais pas dû aborder le sujet maintenant. Je n'ai pas bien réfléchi. Excuse-moi. Je veux que tu te hâtes de te remettre, et tout ça n'est pas bon pour toi.

– Si tu veux. Je suis désolé de t'avoir fait de la peine.

Elle fit halte à la porte.

– J'espère qu'il y a un élément vraiment positif qui va sortir de tout ça. J'espère que le fait d'avoir failli te faire tuer comme ça va te guérir de l'envie d'être policier.

– Comment ça ? demanda Chee qui savait pertinemment ce qu'elle voulait dire.

– Eh bien, tu pourrais rester dans le même domaine sans porter cette saleté de pistolet et sans faire ce genre de travail. Tu pourrais choisir entre une dizaine de postes à...

– À Washington, compléta-t-il.

– Ou ailleurs. Il y a des dizaines d'organismes. Des dizaines d'agences. Au BIA, au ministère de la Justice. J'ai entendu parler d'une opportunité magnifique à Miami. Un truc qui concerne l'agence seminole.

Chee avait mal à la tête. Il ne se sentait pas bien. Il dit :

– Merci d'être venue, Janet. Merci pour les fleurs.

L'instant d'après, elle n'était plus là.

Il glissa dans un sommeil sans profondeur ponctué de rêves désagréables. On le réveilla pour lui faire avaler ses antibiotiques, vérifier sa température et le bon fonctionnement des organes vitaux. Il s'assoupit à nouveau, fut tiré du sommeil pour manger un bol tiède de velouté de champignons, une portion de Jell-O [1] à la cerise et un yaourt parfumé à la banane. On lui rappela qu'il devait se lever un moment et marcher dans la pièce pour que tout se remette en bon ordre. Pendant qu'il s'en acquittait consciencieusement, il sentit une présence derrière lui.

Joe Leaphorn se tenait sur le seuil, le visage présentant cette expression de désapprobation que Chee avait appris à redouter quand il était l'assistant et le subalterne du légendaire lieutenant.

1. Jell-O : gelée sucrée servie en dessert. *(N.d.T.)*

21

– Vous ne devriez pas être au lit ? demanda Leap-horn.

Il portait une chemise écossaise et une casquette de l'équipe de base-ball des Chicago Cubs, mais cela ne suffisait pas à minimiser l'effet. Il était toujours, pour Chee, le Légendaire Lieutenant.

– C'est le docteur qui m'a ordonné de faire ça. Je m'habitue à marcher de façon à ce que mes côtes ne me fassent pas mal.

Il s'habituait également à contempler dans le miroir son reflet qui présentait un œil bandé et l'autre hideusement noirci. Mais cela, il refusait de l'admettre devant Leaphorn. En fait, il était même écœuré de lui avoir expliqué sa conduite. Il aurait dû l'envoyer paître. Mais il n'en fit rien. À la place, il poursuivit :

– Oui, lieutenant. Je me comporte en malade modèle afin qu'ils m'accordent une remise de peine pour bonne conduite.

– Eh bien, je suis heureux que ce ne soit pas aussi grave qu'on me l'avait annoncé au début, déclara Leaphorn en prenant un siège sans y être invité. On m'avait dit qu'il vous avait pratiquement tué.

233

Ils couvrirent alors tous les faits relatifs à l'incident, avec rapidité et efficacité. Deux professionnels qui s'entretenaient d'un crime. Chee se réinstalla avec précautions sur le lit. Leaphorn resta assis, sa casquette à la main. Ses cheveux raides taillés en brosse étaient encore plus gris que Chee n'en avait gardé le souvenir.

– Je ne vais pas rester longtemps, assura-t-il. On m'a dit que vous devez vous reposer. Mais il y a quelque chose que je voulais vous dire.

– Je vous écoute, dit Chee en pensant, il y a aussi quelque chose que vous voulez me demander.

Et alors ? C'était sa stratégie avérée et confirmée. Il n'y avait rien de sournois là-dedans.

Leaphorn s'éclaircit la gorge.

– Vous êtes sûr que vous ne voulez pas vous reposer un peu ?

– J'en ai marre de me reposer. Je veux partir d'ici et je pense qu'ils vont peut-être me laisser sortir ce soir. Le docteur veut encore changer les pansements et tout contrôler.

– Le plus tôt sera le mieux. Les hôpitaux sont des endroits dangereux.

Chee contint son rire au moment précis où il se déclenchait. La femme de l'ancien lieutenant était morte à l'hôpital, il s'en souvenait. L'ablation d'une tumeur au cerveau. Tout s'était très bien passé. La tumeur était bénigne. Mais l'infection de staphylocoques qui s'était déclarée lui avait été fatale.

– Oui, dit-il. Je veux rentrer chez moi.

– Je me suis livré à des vérifications.

Leaphorn eut un geste penaud avant de poursuivre.

– Quand on est dans la Police tribale navajo depuis aussi longtemps que moi, et en dehors depuis un tout petit moment, il semble que les gens éprouvent des difficultés à se souvenir qu'on est juste un citoyen comme les autres. Qu'on ne remplit plus de fonctions officielles.

– Lieutenant, dit Chee en riant. Je crains que pour quantité de gens vous ne donniez toujours l'impression d'être quelqu'un d'officiel. Moi y compris.

Leaphorn parut légèrement embarrassé par cette remarque.

– Bon, enfin, les choses vont dans le sens auquel on pouvait s'attendre. C'était un jour creux pour les nouvelles et le journal en a fait un événement d'importance. Ce qui a fait rappliquer les fédéraux. Vous avez vu les quotidiens, non ?

– Non, fit Chee en montrant son œil gauche. Jusqu'à aujourd'hui je n'ai pas joui d'une vision très nette. Mais j'ai vu le type du Bureau.

– Bon, ça n'a rien de surprenant qu'ils s'y intéressent. Gros titres. L'assassin tire sur un policier sur les lieux de son crime. Pas de suspect. Pas de mobile. Gros mystère. Gros titres. Donc le Bureau fonce tête baissée sans qu'on ait besoin de les aiguillonner contrairement à d'habitude. Ils ont découvert que Maryboy avait eu des bêtes de volées. Ils ont découvert que vous étiez allé là-bas pour enquêter sur ces vols de bétail. Donc ils travaillent un peu dans cette direction-là...

Il s'interrompit un instant, adressa un sourire crispé à Chee :

– Vous voyez ce que je veux dire ?

Chee rit :

– À moins qu'ils n'aient changé du tout au tout depuis avant-hier, ça veut dire qu'ils font travailler mes amis de la Police tribale navajo de Shiprock, plus la police des routes d'Arizona, la police de l'État du Nouveau-Mexique et les adjoints aux shérifs des comtés de San Juan et de McKinley.

Leaphorn ne souleva aucune objection à l'encontre de cette analyse :

– Et après ils se disent qu'il y a peut-être une histoire de drogue derrière tout ça, ou une histoire de gangs. Tous ces trucs sympa.

– Pas d'autres théories ?

– Pas qui soient parvenues jusqu'à moi.

– Vous êtes en train de me dire quelque chose, là, fit Chee qui était incapable de réprimer un large sourire même si cela lui faisait mal. Et ça doit être que ni les fédéraux ni personne d'autre n'a trouvé le moindre intérêt à effectuer le rapprochement entre une affaire de mari disparu remontant à onze ans et cet homicide volontaire. J'ai raison ?

Leaphorn n'avait jamais été tellement du genre à rire, mais son amusement était visible.

– C'est exact, reconnut-il.

– Ça fait un moment que j'essaye de me représenter la scène. Vous connaissez le capitaine Largo depuis plus longtemps que moi. Mais est-ce que vous pouvez l'imaginer en train d'essayer d'expliquer à je ne sais quel agent spécial que j'étais en réalité parti interroger Maryboy pour savoir s'il pouvait identifier qui a escaladé Ship Rock, il y a onze ans, parce que nous travaillons toujours sur une affaire de disparition de personne datant de 1985 ? Vous pouvez vous représenter Largo en train de faire ça ? D'essayer d'obtenir l'attention du type, surtout en ne comprenant pas lui-même ce qui se passe ?

L'amusement avait quitté le visage de Leaphorn.

– J'avais bien pensé que c'était pour ça que vous vous étiez rendu là-bas. Qu'avez-vous trouvé ?

Chee ne pouvait laisser passer cette occasion de

provoquer un peu le Légendaire Lieutenant. D'autant qu'il travaillait pour McDermott.

– Rien, répondit-il donc. Maryboy était mort quand je suis arrivé.

– Non. Non, fit Leaphorn dont l'impatience était visible. Je voulais dire, qu'est-ce que vous avez trouvé qui vous a incité à vous rendre chez lui ? En pleine nuit ?

Le moment était venu :

– J'ai appris qu'au matin du 18 septembre 1985, un véhicule de tourisme vert, laid et carré, avec un porte-skis sur le toit, est arrivé au point de départ habituel des expéditions, sur les terres allouées à Maryboy. Trois hommes en sont descendus et ont escaladé Ship Rock. Maryboy leur avait octroyé le droit de passage. Bon, pour ce qui est des derniers développements, j'ai appris hier que John McDermott a remis cent dollars à ce même Hosteen Maryboy pour pouvoir passer sur ses terres afin d'effectuer une nouvelle ascension. Je suppose que George Shaw et d'autres ont l'intention de grimper la montagne, probablement dès qu'ils auront pu former une équipe. Je suis donc allé là-bas pour essayer de savoir si Hosteen Maryboy se souvenait de qui l'avait payé, pour le droit de passage à fin d'escalade en 1985.

Il relata ces faits lentement en observant les traits de Leaphorn. Ils se figèrent complètement. Sa respiration s'arrêta. La voiture verte fut aussitôt apparentée au véhicule de prestige de Breedlove, la date à la semaine qui avait précédé celle où Hal avait commencé à jouer les disparus, et deux jours avant son trentième anniversaire si crucial. Tout cela, et toutes les implications complexes que cela sous-entendait, avait été analysé avant que Chee n'ait achevé son exposé. La première question de Leap-

237

horn, il le savait, concernerait la manière dont il avait obtenu ces renseignements. Pour déterminer si ses sources d'informations étaient sûres. Eh bien, qu'il la pose. Il était prêt à répondre.

Leaphorn soupira.

– Je me demande combien de gens sont au courant que George Shaw est à la recherche d'une équipe pour faire l'ascension de cette montagne avec lui.

Chee regarda le plafond, fit claquer sa langue contre ses dents et dit :

– Je n'en ai aucune idée.

Pourquoi continuait-il à essayer de deviner comment fonctionnait le cerveau du Légendaire Lieutenant ? Ça le dépassait complètement.

Leaphorn frappa tout à coup dans ses mains.

– Ça y est, vous venez de nous donner le maillon qui permet de reconstituer un schéma d'ensemble, s'écria-t-il avec une rare exubérance. Enfin quelque chose sur quoi travailler. Pendant des mois et des mois, j'ai essayé de résoudre cette affaire par la réflexion et je ne suis pas arrivé aussi loin. Emma était encore en bonne santé à l'époque, et elle y a réfléchi aussi. Et j'ai passé beaucoup de temps à y penser depuis, même si officiellement nous avions classé l'affaire. Et en... combien de jours ça fait, moins de dix ? Vous trouvez le lien.

Chee était tout déconcerté. Mais Leaphorn posait sur lui un regard rayonnant, rempli de fierté. Ce qui rendait les choses à la fois pires et meilleures.

– Mais nous ignorons toujours qui a tué Hosteen Maryboy, objecta Chee en se disant que lui, en tout cas, l'ignorait.

– Mais maintenant nous disposons de quelque chose sur quoi travailler. Une autre partie du schéma prend forme.

– Hum, fit Chee qui essaya d'adopter un air pensif plutôt que perplexe.

– On découvre le squelette de Breedlove sur Ship Rock, fit Leaphorn en levant le doigt carré qui actionne la détente. Amos Nez est aussitôt blessé par balle. (Il ajouta un second doigt.) Maintenant, peu de temps après, précisément au moment où des dispositions sont prises pour une nouvelle escalade de Ship Rock, l'une des dernières personnes à avoir vu Breedlove est abattue.

Leaphorn leva un troisième doigt.

– Oui, reconnut Chee. Si nous disposons de tous les faits pertinents, cela nous laisse avec une liste de suspects limitée.

– Je peux jeter un peu de lumière sur cet aspect des choses. En fait, c'est pour vous en parler que je venais vous voir. Eldon Demott m'a appris des choses intéressantes sur Hal. L'élément clef, c'est qu'il était fâché avec son père et sa famille. Il avait décidé de priver la société familiale des droits d'exploitation du minerai dès qu'il aurait hérité du ranch.

– Est-ce que la famille était au courant ?

– Demott pense que oui. Moi aussi. Hal leur avait probablement dit lui-même. Demott a cru comprendre que Hal avait essayé de demander de l'argent à son père, mais il s'était vu opposer un refus, et il était rentré avec une attitude de défi. Mais même s'il a essayé de garder ça secret, les milieux financiers semblent avoir été au courant. Hal avait des dettes. Il empruntait de l'argent. Et si les milieux financiers le savaient, je suis sûr que l'information était remontée jusqu'à la société Breedlove.

– Ah ! Il nous faut donc ajouter George Shaw à la liste des gens qui seraient heureux que Hal Breed-

239

love soit mort avant d'avoir pu célébrer l'anniver-saire fatidique.

– Ou encore plus heureux de prouver que Hal Breedlove a été assassiné par sa femme, ce qui signi-fierait qu'elle ne pouvait pas hériter. Je suppose que cela renverrait le ranch devant la juridiction compé-tente pour les droits de succession. Et que la famille Breedlove en hériterait.

Ils restèrent assis un moment à réfléchir.

– Si vous voulez que les choses se compliquent encore un peu, j'ai découvert un petit ami possible d'Elisa. Il se trouve qu'à un moment, en ce qui concerne l'escalade, leur groupe se composait de quatre personnes.

Il exposa à Chee ce que madame Rivera lui avait appris sur Tommy Castro, et ce que Demott avait ajouté.

– Un nouveau grimpeur, commenta Chee. Vous pensez qu'il a tué Hal pour pouvoir arriver jusqu'à la veuve ? Ou que la veuve et Castro ont prémédité de se débarrasser de lui ?

– Si c'est le cas, ils n'en ont pas beaucoup tiré parti. À notre connaissance du moins.

– Et si c'était Shaw qui avait laissé Breedlove mourir sur la saillie rocheuse ? Ou qui l'y avait peut-être poussé ?

Leaphorn haussa les épaules.

– Je crois que ma préférence penche légèrement du côté de l'un des Demott.

– Et pour le tireur ?

– À peu près pareil.

Ils réfléchirent encore et Chee se sentit englouti par la nostalgie. Il se remémorait l'époque où il avait travaillé pour Leaphorn, assis de l'autre côté de sa table dans le bureau encombré du lieutenant au premier étage, à Window Rock, essayant d'assembler les pièces d'une énigme ou d'une autre pour comprendre un crime. Aussi stressante qu'ait été cette collaboration, aussi exigeant que Leaphorn ait pu l'être, ça avait été une période heureuse. Et pratiquement exempte de ces fichues tâches administratives.

– Est-ce que vous avez toujours votre carte ? demanda-t-il.

Si Leaphorn avait entendu sa question, il ne le montra pas. Il dit :

– Le problème, ici, c'est le temps.

Perdu une nouvelle fois, Chee demanda :

– Le temps ?

– Considérez à quel point les choses seraient différentes si le trentième anniversaire de Hal Breedlove était survenu une semaine après sa disparition au lieu d'une semaine avant.

– Ouais. Ça aurait drôlement simplifié les choses, pas vrai ?

– À ce moment-là, les soupçons qui auraient accompagné sa disparition auraient été ceux d'assassinat avec préméditation. D'homicide visant à empêcher la transmission de l'héritage.

– Tout à fait.

Leaphorn se leva, récupéra sa casquette des Cubs sur la table de Chee.

– Pensez-vous pouvoir obtenir de Largo qu'il déclare Ship Rock zone interdite d'accès pour toute expédition, pendant quelques jours ?

– Je dois lui expliquer pourquoi ? s'enquit Chee.

– Dites-lui que les grimpeurs ont pour tradition de laisser une trace de leur passage quand ils atteignent un sommet difficile. Ship Rock est du nombre. Tout en haut il y a une boîte métallique, une de ces petites malles que l'armée utilise pour ranger les bandes de munitions des mitrailleuses. C'est étanche, bien sûr, et il y a un registre à l'intérieur que ceux qui parviennent en haut signent. Ils inscrivent la date et l'heure ainsi que les messages qu'ils veulent laisser à ceux qui leur succèderont.

– C'est Shaw qui vous a dit ça ?

– Non. J'ai questionné les gens. Mais Shaw ne peut manquer de le savoir.

– Vous voulez empêcher Shaw de monter mettre la main dessus. Vous ne m'avez pas dit que vous travailliez pour lui ?

– Il m'a versé une avance pour découvrir tout ce que je peux sur ce qui est arrivé à Hal Breedlove. Comment pourrais-je apprendre quelque chose qui soit digne de foi dans ce registre si monsieur Shaw s'en empare en premier ?

– Oh ! fit Chee.

– Je veux savoir qui composait cette expédition de trois qui a effectué l'ascension avant que Hal ne disparaisse. Est-ce que l'un d'eux était Hal, Shaw, Demott ou peut-être même Castro ? Trois hommes, a dit Hosteen Sam. Mais comment pouvait-il être sûr de leur sexe à travers un télescope d'observation situé à des kilomètres de là ? Les grimpeurs portent des casques et ils n'ont pas de jupes. Est-ce que madame Breedlove était parmi les trois ? Si Hal en était et s'il est parvenu au sommet, son nom sera dans le livre. S'il n'y est pas, ça pourrait expliquer pourquoi il y est retourné après avoir disparu de Canyon de Chelly : pour faire une nouvelle tentative. S'il est arrivé au sommet cette fois-là, son nom et la date y figureront. Je veux savoir quand il a effectué l'ascension qui l'a tué.

– Ça n'a pas été dans les quarante-trois premiers jours qui ont suivi sa disparition, affirma Chee.

– Quoi ? fit Leaphorn, surpris. Comment le savez-vous ?

Chee décrivit le cahier tenu par Hosteen Sam, l'habitude qu'il avait d'amener son fauteuil roulant jusqu'à la fenêtre chaque matin, après ses prières adressées à l'aube, et d'observer la montagne. Il décrivit le système d'entrées méticuleux du vieil homme.

– Mais il n'a pas signalé de groupe entre le dix-huit septembre, jour où il a regardé ces trois-là escalader et est allé s'en plaindre auprès de Maryboy, et la première semaine de novembre. Donc si Hal a grimpé durant cette période, il a fallu qu'il s'y prenne je ne sais comment, en cachette de Sam. Je doute que ça ait été possible, même s'il savait que Sam observerait (ce qu'il n'avait pas de raison de savoir), ou même s'il avait une raison de vouloir échapper aux regards. On m'a expliqué que c'est le seul point où on peut entamer l'ascension.

– Je pense qu'il faut que nous mettions ce cahier en sûreté quelque part, dit Leaphorn. Il semble nous indiquer que Breedlove a continué à vivre bien plus longtemps que je ne le croyais.

– Je vais appeler Largo et lui demander de différer toutes les ascensions pendant quelque temps. Et je vais appeler mon bureau. Manuelito connaît Lucy Sam. Elle peut aller la voir et obtenir la garde de ce cahier pendant un petit moment.

– Et soignez-vous bien, dit Leaphorn en se dirigeant vers la porte.

– Attendez une seconde. Si nous empêchons les gens de grimper, comment allez-vous vous y prendre pour que quelqu'un parvienne là-haut et jette un coup d'œil sur le registre ?

– Je vais louer un hélicoptère, répondit Leaphorn.

Je connais un avocat de Gallup. C'est un spécialiste qui a lui-même escaladé Ship Rock. Je pense qu'il sera d'accord pour aller là-haut avec moi et le pilote, on le dépose sur le sommet et il consulte le registre.

– Et il le redescend.

– Ce n'est pas ce que j'avais l'intention de faire. Je suis un simple citoyen, désormais. Je ne veux surtout pas toucher à une preuve matérielle. Nous emporterons un appareil photo.

– Et vous ferez des clichés conformes ?

– Exactement.

– Ça va coûter très cher, non ?

– C'est la société Breedlove qui paye, dit Leaphorn. J'ai leurs vingt mille dollars à la banque.

22

La veille au soir, la carte météorologique de
KOAT-TV avait indiqué l'incursion massive d'un front
d'air glacial, en provenance du Canada, qui descendait des Rocheuses et gagnait vers le sud. Les nouvelles de la matinée signalaient de la neige sur tout
l'Idaho et dans le nord de l'Utah, et l'accompagnait
de mises en garde adressées aux propriétaires de
bétail. La présentatrice du bulletin météo parlait
d'un « joli front bleu venu du nord » et conseillait à
la région des Four Corners de se préparer à le recevoir le lendemain. Mais pour l'instant, la matinée
était magnifique pour une balade en hélicoptère si on
appréciait ce genre de chose, ce qui n'était pas le cas
de Leaphorn.

La dernière fois qu'il était monté dans l'une de ces
hideuses bestioles, c'était pour être transporté
d'urgence dans un hôpital afin d'y être soigné pour
diverses blessures. Il se disait qu'il valait mieux y
monter en bonne santé, mais pas de beaucoup.

En revanche, Bob Rosebrough semblait très
content de ce voyage : une bonne chose puisque
c'était lui qui s'était porté volontaire pour descendre
sur le sommet à l'aide de l'échelle de l'hélicoptère,

photographier les documents contenus dans la boîte et remonter à bord.

– Pas de problème, Joe, avait-il dit. Il est parfois plus difficile de descendre le long d'une falaise que de l'escalader, mais les échelles, c'est différent. Et j'aime assez l'idée d'être le premier homme à poser le pied sur le sommet de Ship Rock par la voie des airs.

Et puisque l'idée lui plaisait, cela signifiait qu'il n'acceptait aucun dédommagement pour sa journée d'absence de son cabinet juridique de Gallup. Leaphorn appréciait. La location de l'hélicoptère coûtait huit cent des vingt mille dollars d'acompte de la société Breedlove et il commençait à avoir des scrupules moraux quant à sa façon de dépenser ce salaire.

La vue, pour l'heure, était splendide. Ils avaient pris vers le sud après avoir quitté l'aéroport de Farmington et, si l'ancien lieutenant avait eu envie de regarder droit en dessous de lui, ce qui n'était pas le cas, il aurait plongé son regard dans des rangées successives de dents de dragon que l'érosion avait taillées sur le versant est du pli de terrain que l'on nomme le Dos-du-Cochon. Le soleil levant soulignait les dents d'ombres, leur conférant l'apparence d'obstacles anti-chars grotesques et démesurés, un aspect moins hospitalier encore qu'elles n'offraient depuis le sol. La lumière oblique créait également un miroir argenté à la surface du lac Morgan, au nord, et convertissait le long panache de vapeur qui montait des cheminées de la centrale des Four Corners en une gigantesque plume blanche. Sa taille était telle que même Leaphorn, rat du désert élevé dans l'immensité des Four Corners, prit conscience de sa démesure.

Le pilote montrait le sol du doigt.

– Vous vous rendez compte si on était obligé de se poser dans ces dents de requin ? demanda-t-il. Ou pire, de sauter en parachute juste au-dessus. Rien que d'y penser, on a mal entre les jambes.

Leaphorn préférait penser à autre chose, mais, d'une certaine façon, c'était tout aussi désagréable. Il songeait combien le meurtre est étrange en général, et celui-ci en particulier. Hal Breedlove disparaît. Dix années s'écoulent paisiblement. Puis, brusquement, en l'espace de quelques jours, un squelette non-identifié est découvert sur Ship Rock, celui d'un homme apparemment victime d'une chute accidentelle fatale lors d'une ascension. Après quoi Amos Nez est blessé par balle. Les ossements sont identifiés comme appartenant à la dépouille de Hal Breedlove. Hosteen Maryboy est assassiné. Chaque cause suivie d'effets, encore et toujours. Le schéma était à sa portée s'il parvenait à découvrir l'élément qui lui manquait, celui qui éclairerait l'ensemble. Au centre, il en était certain, se trouvait le grand et sombre monolithe volcanique qui se dressait maintenant à la verticale devant eux, telles les ruines d'une cathédrale gothique bâtie pour des géants. Au sommet se cachait une boîte en métal. À l'intérieur ils trouveraient une nouvelle pièce qui s'inscrirait dans le puzzle de Hal Breedlove.

– C'est la flèche de gauche, précisa Rosebrough dont la voix prenait des accents métalliques à travers les casques qu'ils portaient. Vues d'au-dessus comme ça elles donnent l'impression d'avoir à peu près la même hauteur, mais celle de gauche, c'est au sommet de celle-là qu'il faut monter si on veut pouvoir prétendre qu'on a escaladé Ship Rock.

– Je vais d'abord tourner un peu autour, annonça

247

le pilote. Je veux me faire une idée du mouvement des masses d'air, courants ascendants, vents descendants, tout ça. Ça peut être extrêmement trompeur autour de ce type de relief. Même par une matinée calme et tranquille.

Ils tournèrent donc. Leaphorn avait été mis en garde contre la réaction que cela peut provoquer, sur l'estomac, de regarder vers le bas alors que l'hélicoptère vole en spirale. Il croisa ses mains sur la ceinture de sécurité et étudia ses phalanges.

– Parfait, dit Rosebrough. C'est ça, là, juste dessous.

– Ça n'a pas l'air très plat, objecta le pilote d'un ton de doute. C'est grand comment ?

– Pas très. Environ la taille du dessus d'un bureau. La boîte est sur cet espace plus grand, à peu près plat, juste un peu plus bas. Il va falloir que je descende jusque-là pour la trouver.

– Vous avez dans les six mètres d'échelle, mais je pourrais sans doute m'approcher suffisamment pour que vous sautiez tout simplement, dit le pilote.

Rosebrough rit :

– Je prends l'échelle.

Aussitôt dit, aussitôt fait.

Leaphorn regarda. Rosebrough était sur la montagne, debout sur le minuscule plan incliné qui constituait le sommet, puis, à flanc de montagne, il gagna la zone plus plane. Il tira de sa niche une boîte de munitions de l'armée américaine, d'un vert olive terne, l'ouvrit, sortit le registre et tenta de le protéger du vent produit par les pales de l'appareil. Du bras, il leur fit signe de s'éloigner. Leaphorn, l'estomac retourné, se replongea dans l'étude de ses doigts.

– Ça va ? lui demanda le pilote.

– Oui, fit Leaphorn en avalant.

– Il y a un sac pour vomir, si vous en avez besoin.

– Oui, fit Leaphorn.

– Il photographie, là, annonça le pilote. Il prend l'une des pages.

– Parfait, fit Leaphorn.

– Ça va aller très vite.

Leaphorn, qui était maintenant occupé avec le sac, ne répondit pas. Mais le temps que cette minute rhétorique s'étire en longueur et que Rosebrough remonte dans l'hélicoptère, il se sentait un petit peu mieux.

– J'ai pris une série d'expositions différentes pour qu'on en ait plusieurs de bonnes, dit-il en s'installant sur son siège et en bouclant sa ceinture de sécurité. Et j'ai photographié les cinq ou six pages d'avant et d'après. C'est ce que tu voulais ?

– Parfait, dit encore Leaphorn dont le cerveau fonctionnait à nouveau et dans lequel bourdonnaient toutes les interrogations qui les avaient conduits là. Tu as trouvé le nom de Breedlove ? Et qui d'autre...

Il se tut. Il était en train de transgresser ses propres règles. Il valait bien mieux laisser Rosebrough raconter ce qu'il avait trouvé sans intervention de sa part.

– Il l'a signé, dit Rosebrough, et il a écrit « *vita brevis* ».

Il n'expliqua pas que c'était du latin et ne fournit pas la traduction de cette inscription : l'une des raisons pour lesquelles Leaphorn l'appréciait. Pourquoi Breedlove avait-il pris la peine de laisser cette épigraphe ? « La vie est courte. » Était-ce dans le but d'expliquer pourquoi il avait pris la route dangereuse pour descendre, au cas où il n'arriverait pas en bas ? Une question dont il serait temps de se préoccuper plus tard.

– Un truc étrange, reprit Rosebrough. Personne d'autre n'a signé à cette date-là. Je t'avais dit que je ne le croyais pas capable d'effectuer l'ascension en solitaire. Mais on dirait bien que je me suis peut-être trompé.

– Les gens qui étaient avec lui avaient peut-être déjà réussi l'ascension ? avança Leaphorn.

– Ça n'y changerait rien. Ils auraient quand même voulu établir qu'ils l'avaient fait à nouveau. C'est une fichue escalade, tu sais.

– Rien d'autre ?

– Il a écrit qu'il était arrivé au sommet à onze heures vingt-sept du matin, et en dessous il a marqué : « Quatre heures, vingt-neuf minutes pour monter. Maintenant, je descends au plus court. »

– Il semble qu'il ait essayé, dit le pilote. Mais il lui a fallu à peu près onze ans pour parvenir jusqu'en bas.

– Est-il possible qu'il ait grimpé aussi vite en étant seul ? demanda Leaphorn. La durée indiquée te paraît raisonnable ?

Rosebrough hocha la tête.

– Aujourd'hui, l'itinéraire est si bien établi que des bons spécialistes expérimentés comptent environ quatre heures pour monter en équipe et trois pour redescendre.

– Et en ce qui concerne le plus court ? interrogea Leaphorn pour qui cela ressemblait à un ultime message laissé avant un suicide. Qu'est-ce qu'il a voulu dire par là à ton avis ?

Rosebrough secoua la tête.

– Il a fallu des années à des équipes de bons grimpeurs pour trouver une voie permettant d'aller du pied de la montagne jusqu'au sommet. Même ça, ce n'est pas évident. Ça comprend beaucoup de passages périlleux qui nécessitent une corde pour te sauver au cas où tu glisserais. Après, tu dois négocier une déclivité afin d'atteindre la face où tu peux recommencer à monter. C'est la voie qu'ont empruntée tous ceux qui sont jamais parvenus au sommet de Ship Rock. Et à ma connaissance, c'est par là que tout le monde est toujours redescendu.

– Par conséquent il n'y a pas de « plus court » ?

Rosebrough réfléchit quelques instants.

– On a émis l'hypothèse qu'il puisse y avoir un raccourci. Mais ça impliquerait de nombreuses descentes en rappel, et je n'ai jamais entendu dire que quelqu'un ait vraiment essayé. Je pense que c'est beaucoup trop dangereux.

Ils s'éloignaient maintenant du monolithe, redescendant progressivement en direction de l'aéroport de Farmington. Leaphorn se sentait mieux. Il se disait que quelle que soit la signification que Breedlove avait voulu donner à « au plus court », il avait assurément fait quelque chose de dangereux.

– Je réfléchis à cet itinéraire de descente en rappel, reprit Rosebrough. S'il a tenté de l'emprunter en solitaire, ça expliquerait l'endroit où on a retrouvé le squelette.

Il posa un regard un peu ironique sur Leaphorn :

– On ne t'entend pas beaucoup, Joe. Ça va ? Tu as l'air tout pâle.

– Je me sens pâle, mais si tu ne m'entends pas beaucoup, c'est parce que je pense aux deux autres qui ont effectué l'escalade avec lui ce jour-là. Ils ne sont pas arrivés au sommet ou quoi ?

– C'était qui ? demanda Rosebrough. Je connais la plupart des amateurs d'escalade sérieux de cette partie du globe.

– Nous n'en savons rien. Tout ce que nous avons,

ce sont les notes prises par un vieux monsieur qui observait la montagne. En plus, elles sont dans un style un peu télégraphique. Il a juste indiqué « 18/9/85 » et écrit que trois hommes s'étaient garés au point de départ et s'attaquaient à...

— Attends une minute, dit Rosebrough. Tu as dit dix-huit, neuf, quatre-vingt-cinq? Ce n'est pas cette date-là que Breedlove a inscrite. Il a marqué trente, neuf, quatre-vingt-cinq.

Leaphorn analysa cette information. Plus aucune trace de nausée maintenant.

— Tu en es sûr? Que Breedlove a fait figurer le trente septembre comme date de son ascension? Pas le dix-huit?

— J'en suis absolument certain. C'est ce que la photo établira. J'ai fait une erreur, ou quoi?

— Non, c'est moi qui étais dans l'erreur.

— Tu es sûr que tu te sens bien?

— Très bien, assura Leaphorn.

En réalité, il se sentait gêné. Il avait été joué, et il lui avait fallu onze années pour découvrir le premier indice tangible sur la manière dont on l'avait dupé.

23

Chee venait de décider que la graisse était suffisamment chaude dans la poêle et il tirait sur le couvercle à ouverture facile de la boîte de saucisses de Vienne quand un faisceau de phares éclaira sa fenêtre. Il éteignit le plafonnier de sa caravane, un geste qu'il n'aurait pas envisagé de faire quelques jours plus tôt. Mais ses côtes fêlées lui faisaient toujours mal et la personne qui en était responsable encore en liberté, quelque part. Peut-être dans la voiture qui venait s'immobiliser sous le tremble de Frémont, au dehors.

Le conducteur en descendit et vint se placer dans la lumière des phares où Chee pouvait le distinguer. C'était à nouveau Joe Leaphorn, le Légendaire Lieutenant. Chee lâcha un grognement, dit : « Oh, merde ! » et ralluma.

Leaphorn entra, le chapeau à la main.

– Il commence à faire froid, dit-il. Le présentateur de la météo a annoncé un avis de tempête de neige sur les Four Corners. Il a conseillé aux gens de rentrer les bêtes. Le grand jeu.

– C'est à peu près le moment habituel pour la pre-

253

mière mauvaise tempête, dit Chee. Je peux prendre votre chapeau ?

Ce qui détourna l'esprit de Leaphorn des conditions météo.

– Non. Non, dit-il d'un ton d'excuses.

Il regrettait de faire intrusion à cette heure tardive, d'interrompre le repas de Chee. Il n'allait rester qu'un court instant. Il voulait que Chee voie ce qu'ils avaient trouvé dans la boîte à munitions au sommet de Ship Rock. Il sortit une liasse de photos du gros dossier qu'il avait apporté, les lui tendit.

Chee les étala sur la table.

– Remarquez la date de la signature, signala Leaphorn. C'est la semaine qui a suivi la disparition de Breedlove à Canyon de Chelly.

Chee réfléchit.

– Ça alors, fit-il.

Il réfléchit encore. Étudia le cliché.

– C'est tout ? Personne d'autre n'a signé le registre ce jour-là ?

– Juste Breedlove. Et on m'a assuré qu'il était de tradition que tous les membres de l'expédition inscrivent leur nom quand ils parviennent au sommet.

– Eh bien, fit Chee.

Il posa le doigt sur l'inscription :

– On dirait du latin. Vous savez ce que ça signifie ?

Leaphorn lui donna la traduction, ajouta :

– Mais qu'a-t-il voulu dire par là ? Je n'en sais pas plus que vous.

Il relata ce que Rosebrough lui avait dit concernant la remarque sur la descente « au plus court », à savoir que si Hal avait tenté de négocier cette voie périlleuse en rappel, ça expliquerait comment son corps s'était retrouvé sur la saillie où on l'avait découvert.

Debout devant la table, Chee étudiait les photos et Leaphorn observait Chee. L'odeur de la graisse extrêmement chaude s'imposa à la conscience de l'ancien lieutenant en même temps que la brume de fumée bleue dont elle s'accompagnait. Il se racla la gorge.

– Jim, dit-il. Je crois que je vous ai interrompu pendant que vous cuisiniez.

– Oh !

Il lâcha la photo, retira vivement la poêle fumante du brûleur à propane et alla la déposer dehors sur le pas de la porte.

– Je m'apprêtais à faire des œufs brouillés avec ces saucisses, dit-il. Si vous n'avez pas mangé, je peux en rajouter.

– Avec plaisir, accepta Leaphorn qui avait laissé son petit déjeuner dans le sac prévu à cet effet, avait trop souffert de séquelles de nausées pour envisager de déjeuner à midi et avait été trop occupé depuis pour prendre le temps de dîner. Dans sa condition présente, même l'odeur de la graisse brûlée stimulait l'appétit.

Ils remplacèrent les clichés par des assiettes, récupérèrent la poêle à frire, la réapprovisionnèrent en graisse avec un morceau de margarine, mirent la cafetière à chauffer, exécutèrent les autres tâches requises pour la préparation d'un repas dans un espace extrêmement exigu et mangèrent. Leaphorn avait toujours essayé d'éviter les saucisses de Vienne, même comme ration de dépannage, mais il trouva que ce mélange flattait remarquablement le palais. Pendant qu'il attaquait sa deuxième assiette, Chee reprit la photographie cruciale et en poursuivit l'étude.

– J'hésite à relever ce point, dit-il, mais que pensez-vous de la date ?

– Parce qu'elle correspond à un jour où l'œil exercé de Hosteen Sam n'a vu personne escalader Ship Rock, c'est ça ?

– Exactement.

– Je n'ai pas atteint de conclusion précise. Et vous, qu'en pensez-vous ?

– J'en suis pratiquement au même point que vous. Et le fait que personne n'ait signé le registre douze jours plus tôt ? Qu'en pensez-vous ? Je suis en train de me dire que les trois personnes que Sam a vu grimper là-haut n'ont pas dû atteindre le sommet. Soit ça, soit ils étaient trop modestes pour officialiser leur exploit. Ou encore, si son cahier ne m'avait pas démontré à quel point il était d'une précision absolue, je penserais qu'il s'est trompé dans les dates.

Leaphorn l'étudiait.

– Vous considérez donc qu'il n'y a aucune chance que ce soit l'explication ?

– À mon avis, aucune. Zéro. Vous devriez voir la façon dont il tenait son cahier. Ce n'est pas ça. Il faut chercher ailleurs.

Leaphorn hocha la tête.

– D'accord. C'est ce que je vais faire.

L'inscription laissée par Breedlove était près du milieu de la page. Au-dessus, le registre avait été signé par quatre hommes, dont aucun ne portait un nom connu de Chee, et daté du 4 avril 1983. En dessous, un groupe de trois, dont deux avaient des noms japonais, avaient enregistré leur conquête du Rocher-qui-a-des-Ailes le 28 avril 1988.

– Revenez au dix-huit septembre, proposa Leaphorn. Supposons que Hal ait été l'un des trois grimpeurs que Hosteen Sam a vu escalader. Il semble bien que le véhicule dont ils sont descendus était cette stupide voiture tout-terrain britannique dans laquelle il roulait. Et supposons aussi qu'ils n'aient pas réussi à atteindre le sommet parce que Hal a foiré son ascension. Alors ça le travaille. Il reçoit l'appel d'un de ses copains d'escalade à Canyon de Chelly. Il décide d'y retourner et d'effectuer une nouvelle tentative.

— D'accord. À ce moment-là on va supposer que ce copain d'escalade y va avec lui, qu'ils essayent de redescendre par cet itinéraire dangereux. Cette fois, le copain en question, et on peut l'appeler George Shaw, bon, c'est lui qui fait une connerie et qui laisse Hal tomber au pied de la paroi. Il se sent coupable et se dit que Hal est mort de toute façon, alors il fiche le camp en douce sans rien dire à personne.

— Ouais, fit Leaphorn. J'y ai pensé. Le problème, c'est pourquoi le copain en question n'a pas signé le registre avant de s'attaquer à la descente ?

Chee secoua la tête, redonna à son invité un peu de son mélange œufs-saucisses et reposa la poêle.

— Par modestie, vous croyez ? reprit Leaphorn. Il ne voulait pas établir officiellement sa réussite ?

— La seule raison qui me vienne à l'esprit est associée à l'idée de meurtre qualifié. Avec préméditation.

— Absolument. Bon, le mobile alors ?

— Facile. C'était forcément en rapport avec le ranch, et avec ce contrat d'exploitation du gisement de molybdène.

Leaphorn acquiesça.

— Bon, Hal en a hérité. Ça lui appartient. Alors disons que George Shaw a le sentiment qu'il va mettre sa menace à exécution et signer son propre contrat pour les droits d'extraction en court-circuitant Shaw et le reste de la famille. Alors Shaw provoque sa chute.

— Peut-être. Il y a quand même un problème, dans cette théorie.

– Ou disons que c'est Demott qui est son compagnon d'escalade. Il sait que Hal est partant pour la mine d'exploitation à ciel ouvert, alors il l'élimine pour préserver le ranch. Mais c'était quoi, le problème, pour l'idée d'avant ?

– Elisa héritait de Hal. Shaw aurait été obligé de s'entendre avec elle.

– Il croyait peut-être que c'était possible ?

– Il dit que non. Il m'a dit cet après-midi qu'Elisa était tout aussi fanatique que son frère en ce qui concernait le ranch. Qu'elle lui avait juré qu'il n'y aurait pas d'extraction à ciel ouvert tant qu'elle serait en vie.

– Vous avez vu Shaw aujourd'hui ? demanda Chee qui semblait aussi surpris que choqué.

– Absolument. Je lui ai montré les photos. Après tout, c'est son argent que j'ai dépensé pour les obtenir.

– Qu'est-ce qu'il en a pensé ?

– Il a eu l'air déçu. Il l'était sans doute. Il aimerait bien pouvoir prouver que Hal était mort une semaine environ avant qu'il ait signé ce registre.

Chee hocha la tête.

– Il y a un problème aussi pour votre seconde théorie.

– Lequel ?

– Je me suis entretenu au téléphone avec Demott le vingt-quatre septembre. À deux reprises, en fait.

– Vous vous souvenez de ça ? Au bout de onze ans ?

– Non. Je conserve une trace de mes enquêtes. J'ai vérifié dans mes archives.

– Un téléphone portable, peut-être ?

– Non, je l'ai appelé au ranch. Elisa ne se souvenait plus du numéro d'immatriculation de la Land

Rover. Je l'ai appelé à peu près au milieu de la matinée et il m'a donné le numéro. Puis je l'ai rappelé dans l'après-midi pour m'assurer que Breedlove n'était pas rentré. Et pour savoir s'il avait reçu d'autres appels. S'il disposait d'informations intéressantes.

– Merde alors, fit Chee. Alors on se retrouve avec Breedlove qui grimpe là-haut tout seul, ou avec Shaw, et qui prend ensuite le raccourci suicidaire pour redescendre.

Les traits de Leaphorn suggéraient qu'il ne partageait pas cette conclusion, mais il ne la commenta pas directement.

– Ça signifie aussi, reprit Chee, qu'il va falloir que je fasse la chasse à tous ceux qui sont montés là-haut pendant les dix années qui ont suivi afin de découvrir si l'un ou l'autre est reparti avec un long fragment de ce type de corde dont se servent les gens qui gravissent les rochers.

– Pas obligatoirement. Vous oubliez que cette histoire de l'Homme-qui-est-Tombé n'est toujours pas considérée comme une enquête criminelle. C'est une affaire de disparition de personne résolue par la découverte d'un décès accidentel.

– Ouais, fit Chee d'un ton empreint de doute.

– Ça me rend heureux d'être un simple citoyen, dorénavant.

Le vent souffla en rafale, projetant des grains de sable qui crépitèrent contre la paroi en aluminium de la maison de Chee, sifflant autour de ses aspérités et dans tous les interstices.

– Le temps me fait le même effet, ajouta-t-il. Tous ceux qui portent l'uniforme vont faire des heures supplémentaires cette semaine, et souffrir d'engelures.

Chee désigna l'assiette de l'ancien lieutenant :

– Vous en revoulez ?

– Je suis plein à ras bord. J'ai sûrement trop mangé. Et j'ai trop pris sur votre temps.

Il se leva, récupéra son chapeau.

– Je vais vous laisser ces photos, dit-il. C'est Rosebrough qui a les négatifs. Il est avocat. Assermenté devant les tribunaux. Elles auront valeur de preuve si on en arrive à ça.

– Vous voulez dire, si quelqu'un monte là-haut et vole le registre ?

– C'est à envisager. Qu'est-ce que vous allez faire demain ?

Chee avait travaillé suffisamment longtemps avec Leaphorn pour que cette question entraîne un sentiment de malaise bien connu.

– Pourquoi ?

– Si je me rends au ranch, demain, pour montrer les photos à Demott et à Elisa, et si je demande à la veuve de Hal ce qu'elle en pense et qui a tenté d'escalader la montagne ce fameux dix-huit septembre, je pense qu'on pourrait m'accuser d'intervenir auprès d'un témoin en faisant obstacle au bon déroulement de l'enquête.

– Quelle enquête ? Officiellement il n'y a pas encore de crime, lui rappela Chee.

– Vous ne pensez pas que ça va venir ? À condition que nous soyons suffisamment intelligents pour comprendre comment tout ça s'organise.

– Vous voulez dire, à part celui qui concerne Maryboy et moi ? Si. Je suppose que si. Mais vous pourriez certainement vous entretenir avec Elisa sans que cela pose de problèmes tant que le lien n'aura pas été officiellement établi. Vous êtes seulement un représentant de l'avocat de la famille. C'est absolument légal.

– Mais pourquoi Demott ou la veuve accepte-
raient-ils de s'entretenir avec un représentant de
l'avocat de la famille ?

Chee hocha la tête, reconnaissant qu'il avait raison.

– Et je pense qu'il y a autre chose que je devrais
faire.

Chee laissa son regard poser la question à sa place.

– Grand-père Amos Nez a confiance en moi,
répondit Leaphorn avant de s'interrompre pour
réfléchir aux paroles qu'il venait de prononcer.
Enfin, plus ou moins. Je veux lui présenter cette
preuve que Hal a escaladé Ship Rock exactement
une semaine après être parti du canyon, le mettre au
courant de l'assassinat de Maryboy et lui demander
si Hal avait signalé qu'il avait tenté d'escalader Ship
Rock juste avant de venir dans le canyon. Ce genre
de choses.

– Ça pourrait attendre, objecta Chee en pensant à
ses côtes douloureuses et au long et pénible trajet
pour se rendre au Colorado.

– Peut-être que ça pourrait attendre. Mais vous
savez, l'autre après-midi, vous avez décidé que Hosteen Maryboy ne pouvait pas attendre et vous vous y
êtes précipité pour voir s'il pouvait vous identifier
ces grimpeurs. Et vous aviez raison. La suite a
prouvé que ça ne pouvait pas attendre.

– Ah ! fit Chee. Mais je ne vois pas très bien en
quoi Amos Nez est si important. Vous pensez que
Breedlove aurait pu lui faire des confidences ?

– Essayons une autre théorie. Supposons que Hal
Breedlove n'ait pas vécu assez longtemps pour voir
son trentième anniversaire. Supposons que ces gens
que Hosteen Sam a vu grimper le dix-huit septembre
soient parvenus au sommet, ou tout au moins deux

261

d'entre eux. L'un des deux était Hal. L'autre, ou peut-être les deux autres, l'ont poussé dans le vide. Ou, plus vraisemblablement, il est simplement tombé. Maintenant le voilà mort et il est mort deux jours trop tôt. Il a toujours vingt-neuf ans. Le registre est alors falsifié pour prouver qu'il était vivant après son anniversaire.

Chee leva la main avec un sourire forcé :

– Il y a un trou énorme dans cette solution. Vous vous souvenez que Hal est allé en excursion dans le canyon jusqu'au vingt-trois en compagnie de sa femme et d'Amos Nez...

Sa phrase se termina dans le silence. Puis il fit « Oh ! » et scruta Leaphorn.

Ce dernier faisait la grimace en secouant la tête.

– On peut dire qu'il m'a fallu un sacré moment pour entrevoir cette possibilité. Je n'y serais jamais arrivé si vous n'étiez pas allé consulter le cahier de Grand-père Sam.

– Mon Dieu, fit Chee. Si c'est ce qui s'est passé, je comprends pourquoi il faut qu'ils tuent Nez. Et s'ils sont intelligents, le plus tôt sera le mieux.

– Je vais vous demander d'appeler le Lazy B, pour découvrir si Demott et la veuve sont là-bas et prendre vos dispositions pour vous y rendre demain afin de leur parler de ce que nous avons trouvé au sommet de la montagne.

– Et s'ils ne sont pas chez eux ?

– Dans ce cas, je pense que nous devrons nous activer un peu plus si nous voulons préserver la vie d'Amos Nez.

Puis Leaphorn ouvrit la porte et sortit dans le vent glacial.

24

C'était Elisa Breedlove qui avait répondu au téléphone. Oui, Eldon était au ranch, et ils seraient heureux de lui parler. Que dirait-il du lendemain dans l'après-midi ?

Et donc, Jim Chee se présenta tôt à son lieu de travail de Shiprock pour mettre de l'ordre dans ses affaires et procéder aux arrangements nécessaires que réclamaient ses fonctions de lieutenant. Il arriva avec du sparadrap collé sur les points de suture de son œil gauche et un cocard bien visible tout autour. Il se laissa glisser avec précaution dans le fauteuil derrière son bureau pour éviter de cogner ses côtes, et laissa quelques instants aux agents Teddy Begayaye, Deejay Hondo, Edison Bai et Bernadette Manuelito pour inspecter l'étendue des dégâts. Chez Begayaye et Bai, cela sembla provoquer un mélange d'admiration et d'amusement, bien réprimé. Hondo ne parut pas intéressé et le visage de Bernie Manuelito refléta une sorte de compassion révoltée.

Ceci une fois réglé, il apaisa leur curiosité en leur faisant un compte rendu personnel de ce qui s'était réellement déroulé chez Maryboy, complétant le rapport officiel qu'ils avaient déjà dû recevoir. Puis, place au boulot.

Il donna pour instructions à Bai d'essayer de découvrir d'où provenait un pistolet calibre .38 confisqué sur un élève de l'école secondaire de Shiprock. Suggéra à l'agent Manuelito de poursuivre ses efforts pour déterminer l'endroit où se cachait un individu nommé Adolph Deer qui s'était évanoui dans la nature après avoir été libéré sous caution à la suite d'une mise en accusation pour vol qualifié, mais qui aurait « été vu fréquemment dans le voisinage du comptoir d'échanges de Two Gray Hills ». Ordonna à Hondo d'achever le travail administratif lié à une affaire de cambriolage qui devait très bientôt être examinée par le jury de mise en accusation. Puis vint le tour de Teddy Begayaye.

– Je suis au regret de vous annoncer, Teddy, que vous allez devoir jouer les chauffeurs de taxi aujourd'hui. Il faut que je monte au ranch du Lazy B, pour cette histoire de meurtre de Maryboy. Je pensais pouvoir m'en tirer tout seul, mais...

Il leva le bras gauche, tressaillit et fit la grimace.

– ... mes vieilles côtes ne sont pas en aussi bon état que je le croyais.

– Vous ne devriez pas rouler sur les routes, intervint l'agent Manuelito. Vous devriez être au lit, à vous remettre. Ils n'auraient pas dû vous laisser sortir de l'hôpital.

– Les hôpitaux sont des endroits dangereux, dit Chee. Les gens y meurent.

Edison Bai accueillit cette repartie par un large sourire mais l'agent Manuelito ne trouva pas ça drôle.

– S'il arrive quelque chose quand on a des côtes cassées, on a le poumon perforé, dit-elle.

– Elles sont juste fêlées. Ce n'est qu'une égratignure.

Le sujet étant clos, il garda Bai après les autres pour se faire expliciter les derniers développements dans l'affaire de l'élève au pistolet. Comme à son habitude, Bai lui fournit bien plus de détails qu'il n'en voulait. Au cours de l'été le garçon avait participé à un vol de voiture suivi d'une équipée sauvage. Il était né au peuple des Rivières qui Courent Ensemble, le clan de sa mère, pour le Clan du Sel, son peuple du côté paternel, mais son père était également en partie hopi*. Il était soupçonné d'être impliqué dans le plus violent et le plus petit des gangs d'adolescents de Shiprock. Il était la méchanceté personnifiée. Les gens n'élevaient plus leurs enfants comme autrefois. Chee acquiesça, coiffa son chapeau et se hâta de passer le seuil et de gagner le parking avec raideur. Lorsqu'il était arrivé, l'air était piquant et les nuages s'amoncelaient. Maintenant, le ciel était complètement couvert et un vent glacial soufflait du nord-ouest, balayant feuilles et poussière autour de ses chevilles.

Le souffle de la tempête ramenait Begayaye vers lui.

– Jim, dit-il. J'avais oublié. Ma femme m'a pris un rendez-vous chez le dentiste aujourd'hui. On ne pourrait pas échanger nos rôles, avec Bernie ? Ce jeune, là, Deer, il ne va pas fiche le camp.

– Euh, fit Chee.

De l'autre côté du parking, il vit sa propre voiture de patrouille et Bernie Manuelito qui se tenait à côté, s'abritant du vent et regardant dans leur direction.

– Elle est d'accord, Manuelito ?

– Oui, lieutenant, affirma Begayaye. Ça lui est égal.

265

– À propos, j'ai oublié de tous vous remercier pour les fleurs que vous m'avez envoyées.

Begayaye eut l'air de ne pas comprendre.

– Les fleurs ? Quelles fleurs ?

Ce fut donc ainsi que Jim Chee partit vers le nord et la frontière avec le Colorado, appuyant son épaule valide contre la portière du passager tandis que l'agent Bernadette Manuelito tenait le volant. En sa qualité d'enquêteur, il en avait déduit qui lui avait envoyé les fleurs. Ce n'était pas Begayaye, et Bai ne penserait jamais à faire un tel geste même s'il appréciait Chee... lequel avait l'intime conviction qu'il n'en était rien. Il restait donc Deejay Hondo et Bernie. Avec pour conclusion évidente que c'était Bernie la responsable : elle s'était arrangée pour donner l'impression d'une initiative collective afin qu'il n'ait pas l'impression qu'elle faisait de la lèche. Ce qui, vraisemblablement, signifiait qu'elle l'aimait bien. En remontant dans le temps, il se souvenait de deux ou trois autres indices pointant dans ce sens.

Tout bien considéré, il l'aimait bien aussi. Elle était vraiment intelligente, gentille avec tout le monde au bureau, et elle consacrait toujours ses jours de congé à s'occuper d'une succession apparemment inépuisable de membres de sa famille qui étaient souffrants ou indigents, ce qui la plaçait haut sur l'échelle des valeurs navajo. Quand le moment viendrait, il ne pourrait faire autrement que de lui octroyer une bonne note professionnelle. Il lui adressa un regard en coin, vit qu'à travers le pare-brise elle fixait sans ciller la chaussée abîmée de l'U.S. Highway 666 à la triste réputation. Un tout petit sourire retroussait le coin de ses lèvres, lui donnant l'air heureux qu'elle arborait en général. Aucun doute là-dessus, c'était vraiment une très jolie jeune femme.

Ce n'était pas ainsi qu'il devrait penser à l'agent Bernadette Manuelito. Non seulement il était son supérieur hiérarchique direct, mais il était plus ou moins sur le point de se marier avec une autre femme. Selon toute vraisemblance, il voyait les choses ainsi parce qu'il rencontrait un problème tout à fait déconcertant avec cette autre femme. Il commençait à se dire qu'elle ne voulait pas vraiment l'épouser. Ou, en tout cas, il n'était pas certain qu'elle ait envie d'épouser Jim Chee tel qu'il existait actuellement, un simple policier et un authentique Navajo des campements à moutons, par opposition avec l'Autochtone plus romantique et politiquement correct. Pour rendre les choses pires encore, il ne savait absolument pas quoi faire à cet égard. Ni s'il devait faire quelque chose. C'était une triste, une bien triste situation.

Il soupira, décréta que ses côtes lui feraient moins mal s'il changeait de position. Il le fit, retint soudain sa respiration et grimaça.

– Ça va ? s'enquit Bernie en lui adressant un regard inquiet.

– Oui-oui.

– J'ai de l'aspirine dans mes affaires.

– Pas de problème.

Elle roula un moment en silence.

– Lieutenant. Est-ce que vous vous souvenez nous avoir dit que le lieutenant Leaphorn essayait toujours de vous faire chercher des schémas directeurs ? Je veux dire, quand vous travailliez sur quelque chose qu'il était difficile de comprendre.

– Ouais.

– Et que c'est ce que vous vouliez que j'essaye de faire pour cette affaire de vols de bétail ?

Chee lâcha un grognement en tentant de se souvenir s'il avait émis pareille suggestion.

– Eh bien, j'ai convaincu Lucy Sam de me laisser emporter le cahier à la boutique Quick-Copy de Farmington et je me suis fait faire des photocopies des pages en remontant plusieurs années en arrière afin de les avoir. Après j'ai pris nos archives sur les plaintes qu'on a reçues et j'ai relevé les dates correspondant à tous les vols de bêtes signalés pour ces mêmes années.

– Bon sang, fit Chee en se représentant le temps que cela avait dû prendre. Qui s'occupait de votre travail courant à votre place ?

– Seulement les vols de plusieurs bêtes, rectifia Manuelito sur la défensive. Ce qui ressemble à du travail de professionnel. Et je l'ai fait sur mes soirées.

– Oh ! fit Chee qui se sentait gêné.

– Enfin bon, j'ai commencé à comparer les dates. Vous savez, quand monsieur Sam inscrivait quelque chose concernant un certain type de camion et quand il y avait un vol de bétail signalé dans notre partie de la réserve.

L'agent Manuelito avait récité ces phrases avec beaucoup d'application, comme si elle les avait répétées. Elle se tut alors.

– Qu'avez-vous remarqué ?

Elle eut un petit rire d'autodérision :

– C'est sûrement complètement idiot, dit-elle.

– J'en doute, l'encouragea Chee en se disant qu'il aimerait bien cesser de penser à Janet Pete et arrêter de chercher un moyen de remonter dans le temps et de ramener les choses à leur état antérieur. Pourquoi ne pas me dire tout simplement ce que vous avez trouvé ?

– Il y avait une corrélation entre les vols de plusieurs bêtes et la présence dans le voisinage, établie par monsieur Sam, d'un gros camion blanc sale, cabossé, tirant une caravane.

Elle avait parlé en fixant du regard la ligne de séparation au milieu de la chaussée. Elle ajouta :

– Pas tout le temps. Mais assez souvent pour qu'on commence à se poser des questions.

Chee assimila cette information.

– Une caravane qui ressemble à celle dont est équipé monsieur Finch ? La caravane de l'inspecteur du bétail marqué du Nouveau-Mexique ?

– Oui, lieutenant, dit-elle en riant à nouveau. Je vous ai dit que c'était sûrement idiot.

– Eh bien, je suppose que nos plaintes sur ces vols lui étaient transmises. Et qu'il venait ensuite jeter un coup d'œil.

L'agent Manuelito garda le regard braqué sur la route ; ses lèvres s'ouvrirent comme si elle s'apprêtait à dire quelque chose. Mais elle n'en fit rien. Elle semblait simplement déçue.

– Attendez une minute, reprit Chee tandis que la vérité se faisait en lui avec un temps de retard. Est-ce que Hosteen Sam observait le camion de Finch après que les vols aient été signalés ? Ou...

– En général avant. Parfois les deux, mais en général avant. Mais vous savez comment ça se passe. Il arrive que les bêtes ne soient plus là depuis un bon moment avant que le propriétaire s'aperçoive de leur disparition.

Bernie, les mains sur le volant, donnait le sentiment d'être très tendue. Chee assimila ce qu'elle venait de lui dire. Tout à coup, il abattit sa main droite sur sa jambe.

– Qui l'aurait cru ? Cette espèce de vieux salopard rusé.

L'agent Manuelito se détendit, arbora un sourire.

– Vous y croyez ? Vous pensez que ça peut être ça ?

269

– Je serais prêt à parier que oui. Il a tout pour lui. Tous les formulaires officiels légaux pour véhiculer des bovins. Tous les renseignements sur les marques. Toutes les raisons de se trouver aux endroits où il y a des bêtes. Et tous les policiers savent qu'il est des leurs. Parfait.

Bernie souriait plus largement encore, ravie.

– Oui, dit-elle. C'est un peu ce que je me disais.

– Maintenant, il nous faut découvrir comment il les revend. Et comment il les trimbale des pâturages jusqu'aux parcs d'engraissement.

– Je pense que c'est dans la caravane.

– Dans la caravane ? Vous voulez dire qu'il transporte des vaches dans la caravane où il habite ?

Le ton incrédule de Chee fit naître une légère rougeur sur le visage de la jeune femme.

– Je crois, oui. Je ne pourrais pas le prouver.

Quelques instants plus tôt, il aurait pu tourner en dérision cette idée remarquable. Mais plus maintenant.

– Expliquez-moi. Comment s'y prend-il pour les faire passer par la porte ?

– Il m'a fallu longtemps avant que l'idée me vienne. Je pense que c'est quand j'ai remarqué que de temps en temps je voyais sa caravane garée à l'Auberge Anasazi de Farmington, et je me disais que c'était bizarre de traîner cette grosse caravane encombrante derrière soi si on n'a pas envie de dormir à l'intérieur. Je me suis dit, vous savez, bon, peut-être qu'il veut simplement prendre un bain chaud, ou quelque chose comme ça. Mais c'est resté dans ma tête. (Elle rit.) J'essaye toujours de comprendre les Blancs.

– Moi aussi, reconnut Chee.

– Alors, l'autre jour, quand il a garé sa caravane

sur le parking, au poste, en passant à côté j'ai remarqué ce qu'elle sentait.

– Un léger arôme de bouse de vache, compléta Chee qui était lui aussi passé derrière. Moi, je me suis dit, vous savez, qu'il était tout le temps autour des parcs d'engraissement. Qu'il marchait dedans. Qu'il y est probablement habitué. Qu'il ne nettoie pas ses bottes.

– J'ai pensé la même chose. Mais c'était assez fort. Les femmes sont peut-être plus sensibles aux odeurs.

Ou plus intelligentes, pensa Chee.

– Vous avez regardé à l'intérieur ?

– Toutes les fenêtres sont entièrement recouvertes d'autocollants pour touristes, et elles sont en hauteur. J'ai essayé de glisser un œil mais je ne voulais pas qu'il me voie fouiner.

– On pourrait peut-être obtenir un mandat de perquisition, suggéra Chee. Qu'est-ce que vous mettriez sur la demande ? Un truc sur la caravane de l'inspecteur du bétail qui sent la bouse de vache, ce à quoi le juge nous répondra, « Évidemment » et sur Finch qui n'aime pas y dormir, ce qui entraînera comme réponse du juge, « Forcément, si ça sent la bouse de vache. »

– J'ai réfléchi au mandat de perquisition. Bien sûr, il n'existe aucune loi qui interdise de transporter des vaches dans sa caravane si on le veut.

– Exact. On pourrait peut-être arriver à le faire enfermer pour cause de démence.

– Enfin bon, j'ai appelé à son bureau et j'ai...

– Vous avez *quoi* ?

– Je voulais juste savoir où il était. S'il répondait, je raccrochais. S'il ne répondait pas, je leur demandais où je pouvais le trouver. Il n'était pas là et la secrétaire m'a dit qu'il avait appelé de la vente aux enchères Davis and Sons, près de Iyanbito. Alors j'y suis allée, son camion avec la caravane était garé à côté de l'étable et il était plus loin par-derrière, avec des gens, occupé à effectuer un chargement de bœufs. Alors j'y ai regardé de plus près.

– Vous n'êtes pas entrée par effraction ? demanda Chee en se disant qu'elle allait probablement lui répondre que si.

Rien de ce que cette femme faisait ne le surprendrait plus.

Elle posa son regard sur lui, l'air offensé, et ne tint aucun compte de sa question.

– Vous avez peut-être remarqué que la partie arrière de sa caravane est entièrement plate et verticale. Il n'y a pas de porte découpée dedans, et pas de fenêtre. Eh bien, tout autour de ce panneau arrière, c'est scellé avec de l'adhésif isolant argenté. Ce qu'on mettrait peut-être pour empêcher la poussière de rentrer. Mais quand on se baisse et qu'on regarde dessous, on voit une série de grosses charnières très résistantes.

Chee était maintenant complètement à ce qu'elle lui disait :

– Comme ça on fait reculer la remorque jusqu'à la clôture, on arrache l'adhésif, on abaisse le panneau arrière et ça le transforme en rampe de chargement. Il a probablement fait aménager des stalles à l'intérieur pour empêcher les bêtes de bouger.

– Elle doit pouvoir en contenir six, compléta Bernie. Deux rangées de bêtes, trois de front.

– Bernie, dit Chee. Si mes côtes n'étaient pas aussi douloureuses, et si ça ne risquait pas de me valoir une accusation de harcèlement sexuel en plus de nous faire quitter la route, je tendrais les bras et je vous donnerais une énorme accolade de félicitations.

Elle sembla contente et gênée à la fois.

– Vous avez consacré beaucoup de travail à cette enquête, poursuivit-il. Et beaucoup de réflexion également. Bien au-delà de ce que le devoir exige.

– Euh, j'essaye d'apprendre le métier d'enquêtrice. Et c'est aussi devenu une affaire personnelle. Je n'aime pas ce personnage.

– Je ne l'aime pas beaucoup non plus, avoua Chee. Il est arrogant.

– Il a plus ou moins essayé de me draguer. Enfin, peut-être pas. Pas exactement.

– C'est-à-dire ?

– Eh bien, vous savez, il vous balance des trucs du genre « poupée » ou « mignonne ». Après, il m'a demandé si j'aimerais avoir un poste pour travailler avec lui. Mais bien sûr il a dit « sous » lui. Il m'a dit que je pourrais être Tonto[1] et lui il serait le Lone Ranger.

– Tonto ? Ben voyons. Je vais vous dire ce qu'on va faire. On le surveille. Et quand il conduira avec un chargement de bêtes, on l'arrête en flagrant délit. Et le moment venu, c'est vous qui aurez le plaisir de lui passer les menottes.

---

1. Tonto : nom de l'acolyte et faire-valoir indien du « Justicier Solitaire », Robin des Bois de série télévisée évoluant dans les grands espaces de l'Ouest. (N.d.T.)

25

Lorsque l'agent Bernadette Manuelito gara la voiture de patrouille de Chee au ranch du Lazy B, Elisa Breedlove se tenait sur le seuil où elle les attendait, les bras serrés autour du corps pour se protéger du vent froid. Ou bien était-ce, pensa Chee, pour se protéger des nouvelles qu'il lui apportait peut-être ?

– Un temps typique des Four Corners, dit-elle. Hier, l'automne doux et ensoleillé. Aujourd'hui, c'est l'hiver.

Elle les introduisit dans le séjour, salua Bernie avec grâce, exprima la consternation de rigueur devant l'état de santé de Chee, lui souhaita un prompt rétablissement et les invita à s'asseoir.

– J'ai vu à la télévision le reportage sur ce qui vous est arrivé, dit-elle. Aussi mal en point que vous le paraissiez, à les entendre, c'était encore pire.

– Juste des côtes fêlées, répondit-il.

– Et le vieux monsieur Maryboy qui a été tué. Je ne l'avais rencontré qu'une fois, mais il avait été très gentil avec nous. Il nous avait invités à entrer et nous avait proposé du café.

– Quand était-ce ?

– Ça remonte à la préhistoire. À l'époque où Hal et George venaient l'été et où Eldon et moi allions grimper avec eux.

– Est-ce que votre frère est là ? J'espérais vous parler à tous les deux.

– Il était là tout à l'heure, mais l'une des juments s'est prise dans une clôture. Il est parti s'occuper d'elle. Il paraît qu'il y a une tempête qui arrive et il voulait la faire rentrer à l'écurie.

– Vous pensez qu'il sera bientôt là ?

– Elle est là-haut, sur le pâturage nord. Mais il ne devrait pas en avoir pour longtemps à moins qu'elle ne se soit entaillée suffisamment gravement pour qu'il soit obligé d'aller chercher le véto à Mancos. Est-ce que vous aimeriez boire quelque chose, tous les deux ? La route est longue pour venir de Shiprock.

Elle leur servit du café mais ne s'en versa pas. Chee trempa ses lèvres et, par-dessus le bord de la tasse, il vit qu'elle se tordait les mains. Si elle était une des trois personnes qui avaient escaladé Ship Rock ce fameux jour, et si elle avait atteint le sommet, elle devait savoir ce qui allait suivre. Il sortit la chemise contenant les photographies, lui tendit celle qui était signée du nom de son mari.

– Merci, dit-elle avant de la regarder.

L'agent Manuelito l'observait, assise d'un petit air sage au bord de son fauteuil, la tasse posée sur la soucoupe, gardant un silence qui ne lui ressemblait pas. L'idée vint à Chee qu'elle avait tout à fait l'air d'une jolie femme qui joue au policier.

Elisa fronçait les sourcils en regardant le cliché :

– C'est une photo de la page du registre des vainqueurs du Vaisseau de Pierre, l'identifia-t-elle lentement. Mais où...

Elle lâcha l'épreuve au-dessus de la table basse, dit « Oh, mon Dieu » d'une voix étranglée et se couvrit le visage de ses mains.

L'agent Manuelito se pencha en avant, lèvres entrouvertes. Chee secoua la tête pour lui intimer le silence.

Elisa reprit la photographie, l'étudia, la laissa tomber sur le sol et resta assise, rigide, le visage très blanc.

– Madame Breedlove, dit-il. Est-ce que ça va ?

Elle secoua la tête. Frissonna. Reprit le contrôle d'elle-même et le regarda.

– Cette photographie. C'est tout ce qu'il y avait sur la page ?

– Juste ce que vous venez de voir.

Elle se pencha, ramassa le cliché, le fixa à nouveau.

– Et la date. La date. C'est ce qu'il y avait d'écrit ?

– Exactement comme vous le voyez.

– Mais bien sûr, fit-elle en émettant un rire qui était à l'extrême limite de l'hystérie. Quelle question idiote. Mais c'est faux, vous savez. Il devrait y avoir... mais pourquoi...

Elle mit sa main devant sa bouche, baissa brusquement la tête.

Le vacarme que faisait le vent (cliquetis, sifflements, hurlements) s'infiltrait à travers fenêtres et murs pour investir la pièce sombre avec les bruits de l'hiver.

– Je sais que la date ne correspond pas, dit Chee. L'inscription stipule le trente septembre. C'est une semaine après la disparition de votre mari à Canyon de Chelly. Qu'est-ce qui...

Il s'interrompit. Elisa ne l'écoutait pas. Elle était

276

perdue dans ses propres souvenirs. Et cela, associé
à ce que la photographie lui avait révélé, l'entraînait
vers une conclusion atroce.

– L'écriture, dit-elle. Est-ce que vous avez...

Elle coupa également cette phrase, serrant les
lèvres l'une contre l'autre comme pour les empêcher d'achever sa question.

Mais pas assez vite, bien sûr. Ainsi, elle ignorait
ce qui s'était passé au sommet de Ship Rock.
Jusqu'à l'instant d'avant, lorsque l'imitation de la
signature de son mari le lui avait appris. Lui avait
appris quoi, exactement ? Que son mari était mort
avant d'avoir eu la possibilité de signer. Que sa
mort, par conséquent, avait dû être préméditée de
même qu'elle était postdatée. Le schéma que Leaphorn lui avait enseigné à chercher prenait son
aspect sinistre presque définitif. Et emplissait Jim
Chee de pitié.

L'agent Manuelito était debout.

– Madame Breedlove, vous avez besoin de vous
allonger. Vous n'êtes pas bien. Laissez-moi aller
vous chercher quelque chose. De l'eau.

Elisa s'affaissa en avant, appuya le front contre la
table. L'agent Manuelito se précipita vers la cuisine.

– Nous n'avons pas encore vérifié l'écriture, dit
Chee. Est-ce que vous pouvez nous dire ce que cela
va nous révéler ?

Elle sanglotait maintenant. Bernie revint de la
cuisine, verre d'eau dans une main, torchon dans
l'autre. Elle adressa à Chee un regard signifiant :
« Comment avez-vous pu faire ça ? » et s'assit à côté
d'Elisa, lui appliquant de petites tapes sur l'épaule.

– Buvez une gorgée d'eau. Et vous devriez vous
allonger jusqu'à ce que vous vous sentiez mieux.
Nous pouvons finir plus tard.

Ramona apparut sur le seuil, emmitouflée dans un manteau matelassé, le visage rougi par le froid. Elle les contempla d'un air inquiet.

– Qu'est-ce que vous lui faites ? protesta-t-elle. Allez vous-en, maintenant, et laissez-la se reposer.

– Oh, mon Dieu ! fit Elisa dont la voix était assourdie par la table. Pourquoi a-t-il pensé qu'il devait faire ça ?

– Où puis-je trouver Eldon ? demanda Chee.

Elisa secoua la tête.

– Est-ce qu'il a un fusil ?

Mais il en avait un, c'était sûr. Dans l'Ouest des Rocheuses, tout individu de sexe masculin qui a dépassé approximativement l'âge de douze ans possède un fusil.

– Où le range-t-il ?

Elisa ne réagit pas. Chee fit signe à Bernie. Elle partit à la recherche de l'arme.

Elisa leva la tête, s'essuya les yeux, regarda Chee.

– C'était un accident, vous savez. Hal a toujours été imprudent. Il voulait descendre la paroi en rappel. J'ai cru que je l'en avais dissuadé. Mais je suppose que non.

– Est-ce que vous avez été témoin de ce qui s'est passé ?

– Je ne suis pas allée jusqu'au sommet. J'étais plus bas. J'attendais qu'ils redescendent.

Chee hésita. La question suivante allait être cruciale, mais devait-il la poser maintenant, alors que cette femme était anéantie par le choc et le chagrin ? N'importe quel avocat lui conseillerait de ne pas prononcer une parole ayant trait à tout cela. Mais ce n'était pas elle qui passerait en jugement.

Bernie réapparut sur le pas de la porte, Ramona derrière elle.

– Il y a un râtelier de trois fusils dans le bureau. Un fusil de chasse à pompe calibre douze à l'emplacement du bas, les deux du haut vides.

– D'accord, fit Chee.

– Et dans la corbeille à papiers à côté de la table de travail, il y a une boîte de munitions 30-06. Le dessus est déchiré et la boîte est vide.

Chee hocha la tête, prit sa décision.

– Madame Breedlove. Personne n'a gravi la montagne à la date qui figure à côté du nom de votre mari. Mais le dix-huit septembre, trois personnes ont été vues en train de l'escalader. Hal était l'une d'elles. Vous étiez la deuxième. Qui était la troisième ?

– Je ne veux plus parler avec vous. Je veux que vous partiez.

– Vous n'êtes pas obligée de nous répondre, dit Chee. Vous avez le droit de garder le silence et d'appeler votre avocat si vous pensez en avoir besoin. Je ne crois pas que vous ayez fait quelque chose qui soit passible d'une inculpation, mais on ne peut jamais vraiment savoir ce que le procureur décidera.

L'agent Manuelito s'éclaircit la gorge.

– Et tout ce que vous direz pourra être retenu contre vous. Il faut vous en souvenir.

– Je ne veux plus rien dire.

– Ça n'est pas un problème, dit Chee. Mais il y a une chose qu'il faut que je vous dise. Eldon n'est pas ici, son fusil non plus, et il semble qu'il vienne juste de le recharger. Si nous ne nous sommes pas trompés dans notre interprétation des faits, Eldon ne va pas manquer de savoir qu'il ne reste plus qu'un seul homme en vie qui puisse tout gâcher.

Chee se tut un instant dans l'attente d'une réaction. Elle ne vint pas. Elisa demeurait assise, comme statufiée, le regard fixé sur lui.

– Il s'agit d'un homme nommé Amos Nez. Vous vous souvenez de lui? Il était votre guide dans Canyon de Chelly. Juste après la découverte du squelette de Hal sur Ship Rock à Halloween, monsieur Nez se trouvait sur son cheval dans le canyon. Quelqu'un lui a tiré dessus depuis le bord de la falaise. Il n'a pas été tué, seulement sérieusement blessé.

Ses épaules se voûtèrent un peu plus en entendant ces mots. Elle baissa les yeux sur ses mains et dit :

– Je ne le savais pas.

– Avec un fusil 30-06, ajouta Chee.

– Quel jour était-ce?

Il le lui dit.

Elle réfléchit un moment. Tournée vers ses souvenirs. Se tassa un peu plus encore.

– Si quelqu'un tue monsieur Nez, l'accusation sera celle de meurtre avec préméditation sur la personne d'un témoin. C'est passible de la peine de mort.

– Eldon est mon frère. La mort de Hal était un accident. Parfois il se comportait presque comme s'il voulait mourir. Il disait que ça n'avait rien d'amusant, si on ne prenait pas de risques. Il est tombé. Quand Eldon est redescendu jusqu'à l'endroit où je les attendais, il avait presque l'air d'être mort lui-même. Il était brisé. Si secoué que c'est à peine s'il est parvenu à m'en parler.

Elle se tut, le regard tourné vers Chee, vers Bernie, puis de nouveau vers Chee.

Elle attend notre réaction, pensa-t-il. Elle attend que nous lui donnions l'absolution? Non, elle attend que nous déclarions adhérer à cette vérité afin de pouvoir recommencer à y croire elle-même.

– Je pense que vous y étiez allés en Land Rover, dit-il. Quand les policiers l'ont trouvée abandonnée dans un arroyo au nord de Many Farms, ils ont dit qu'il y avait un téléphone à l'intérieur.

– Mais ça aurait changé quoi, d'appeler à l'aide ? demanda-t-elle d'une voix qui monta d'un ton. Hal était mort. Son corps était tout déchiqueté sur cette saillie étroite. Personne ne pouvait le ramener à la vie. Il était mort !

– Vous en êtes sûre ?

– Oui, cria-t-elle. Oui. Oui. Oui.

Et maintenant Chee comprenait pourquoi Elisa avait été aussi choquée quand elle avait appris que le squelette était intact, sans un seul os de cassé. Elle ne voulait pas le croire. Refusait toujours de le croire. Ce qui rendait la question suivante plus difficile à poser. Qu'est-ce que Eldon lui avait raconté sur ce qui s'était déroulé au sommet ? Lui avait-il expliqué pourquoi Hal avait entamé sa descente avant de signer le registre ? Pourquoi lui-même l'avait falsifié ? Avait-il...

Ramona se précipita dans la pièce, s'assit à côté d'Elisa, la serra contre elle. Elle posa sur Chee un regard furieux.

– Je vous ai dit de partir, maintenant. Sortez. Ça suffit. Ça suffit. Elle a trop souffert.

– Ça va, assura Elisa. Ramona, quand tu es arrivée, est-ce que tu as vu la Land Rover dans le garage ?

– Non. Seulement le pick-up truck d'Eldon.

Elisa regarda Chee, poussa un soupir et dit :

– Alors je suppose qu'il n'est pas allé là-haut s'occuper de la jument. Il aurait pris le camion.

Chee récupéra son chapeau et les photographies. Il remercia madame Breedlove de sa coopération, s'excusa d'avoir été porteur de mauvaises nouvelles et se hâta de sortir avec Bernie qui trottinait derrière lui. Le vent était devenu cinglant, il apportait ces premiers flocons, secs comme la poussière, qui sont précurseurs des tempêtes de neige.

– Je veux joindre Leaphorn par radio, expliqua-t-il au moment où Bernie lançait le moteur, et nous allons peut-être être obligés de foncer à Canyon de Chelly.

Bernie avait le regard tourné en arrière vers la maison.

– Vous croyez que ça va aller pour elle ?

– Je pense que oui. Ramona va bien s'occuper d'elle.

– Ramona est sérieusement secouée, elle aussi, s'inquiéta Bernie. Elle pleurait quand elle m'a aidée à chercher le fusil. Elle m'a dit qu'Elisa était toujours entourée des hommes qu'il ne fallait pas... qu'il fallait toujours qu'elle veille sur eux. Que Hal était un enfant gâté et Eldon un tyran. Elle m'a dit que sans Eldon, elle serait mariée avec un homme bien qui voulait veiller sur elle.

– Elle a dit de qui il s'agissait ?

– Je crois qu'elle a dit Tommy Castro. Ou Kaster. Quelque chose comme ça. Elle pleurait.

Bernie avait toujours le regard fixé sur la maison, l'air inquiet.

– Bernie. Il commence à neiger. Ça va probablement être méchant. Démarrez. Allez. Allez. Allez.

– Vous redoutez pour la vie d'Amos Nez, dit-elle en lançant le moteur. Il n'y a qu'à appeler l'agence de Chinle et leur demander d'intercepter toutes les Land Rover qui rentrent dans le canyon. Je parie que monsieur Leaphorn l'a déjà fait.

– Il m'a dit qu'il en avait l'intention, confirma Chee. Mais je veux lui faire transmettre un message pour qu'il sache que Demott est parti avec son 30-06 chargé. Il ne va peut-être pas pénétrer en voiture dans le canyon. Quand on est capable de gravir Ship Rock sur une hauteur de plus de cinq cents mètres, on peut descendre le long d'une falaise de cent quatre-vingts mètres de haut.

26

À mi-chemin entre Mancos et Cortez, ils se heur-
tèrent de plein fouet à la tempête. Le vent secouait la
voiture et chassait à l'horizontale devant leur pare-
brise un rideau aveuglant de minuscules flocons de
neige secs.

– Au moins, ça nettoie la chaussée, fit Bernie d'un
ton presque gai.

Chee la regarda. Elle semblait apprécier l'aventure. Lui, non. Ses côtes lui faisaient mal, de même
que les abrasions autour de son œil, et il n'était pas
d'humeur à se réjouir.

– Ça ne va pas durer longtemps, affirma-t-il.

Effectivement. À Cortez, la neige recouvrait le
bord des trottoirs, commençait à se tasser sur la
chaussée, et les bulletins d'informations diffusés sur
la longueur d'onde ouverte pour les situations
d'urgence ne paraissaient pas très encourageants. Les
derniers hoquets issus du système dépressionnaire du
Pacifique s'infiltraient jusqu'en Arizona après avoir
traversé la Basse Californie. Là, ils rencontraient la
première offensive de l'air venu de l'Arctique qui
descendait du Canada en suivant le versant est des
Rocheuses. À Flagstaff, où les deux masses s'affron-

taient, l'Interstate 40 était déjà impraticable à cause de la neige. Il en allait de même de toutes les routes des monts Wasatch en Utah. L'automne était très clairement achevé sur le plateau du Colorado.

Ils bifurquèrent sur l'U.S. 666 pour parcourir les soixante-cinq kilomètres presque plein sud qui les séparaient de Shiprock. À l'aide du vent glacial qui soufflait dans leur dos, de la chaussée désertée par la circulation à la suite des avis de tempête, et au mépris des limites de vitesse, Bernie distança la contribution canadienne à la tourmente. Le ciel s'éclaircit. Loin devant eux, ils distinguèrent l'endroit où le front venu du Pacifique avait atteint les monts Chuskas. Son air froid et humide rencontrait les masses sèches et plus chaudes sur la ligne de crête, côté Nouveau-Mexique. La collision entraînait un mur de brouillard blanc vertical qui tombait sur les pentes, telles des chutes du Niagara se déversant en silence au ralenti.

– Ça alors, s'exclama Bernie. Je n'avais jamais rien vu de pareil.

– L'air froid qui est plus lourd s'insinue de force sous la masse d'air plus chaude, expliqua Chee qui ne pouvait se retenir de faire un peu étalage de son savoir. Je parierais qu'il y a sept ou huit degrés de moins à Lukachukai qu'à Red Rock, et il n'y a qu'une trentaine de kilomètres entre les deux.

Ils traversèrent l'extrémité ouest de la Réserve ute, s'engouffrèrent au Nouveau-Mexique et franchirent la mesa qui dominait Malpais Arroyo.

– Ça alors, s'écria à nouveau Bernie. Regardez.

Au lieu de le faire, il jeta un coup d'œil sur le compteur kilométrique et tressaillit.

– Écoutez, vous conduisez et moi j'observe le paysage pour nous deux.

Et cela valait amplement le coup. Le regard plongeait sur le vaste bassin de la San Juan, assombri par la tempête sur leur droite, moucheté de soleil sur leur gauche. Le Rocher-qui-a-des-Ailes se dressait, juste à la limite de la ligne d'ombre, pouce grotesque éclairé par le soleil pointant vers le ciel, mais, par suite d'un caprice dû au vent et aux pressions atmosphériques, le long renflement du Dos-du-Cochon était déjà en grande partie englouti sous l'ombre des nuages.

– Je crois que nous allons arriver avant la neige, dit Bernie.

Ils y parvinrent presque. Elle les rattrapa au moment où la jeune femme se garait sur le parking du poste, mais les flocons qui vinrent fouetter Chee tandis qu'il se hâtait de gagner le bâtiment étaient encore petits et secs. Le front canadien froid dominait toujours la tempête venue du Pacifique.

– Vous avez une mine épouvantable, commenta Jenifer. Comment vous sentez-vous ?

– Je dirais bien en dessous de la moyenne. Est-ce que Leaphorn a appelé ?

– Indirectement, répondit-elle en lui remettant trois messages et une enveloppe.

La réponse à sa question était sur le dessus : un appel du sergent Deke, à l'agence de Chinle, confirmait que Leaphorn avait reçu le message de Chee lui signalant que Demott avait quitté le ranch armé de son fusil. Leaphorn était entré dans le canyon pour se rendre chez Nez et soit il le ramènerait avec lui, soit il resterait là-bas, en fonction des conditions météorologiques qui étaient déplorables.

Chee jeta un coup d'œil aux autres messages. Des informations de pure routine. L'enveloppe portait son nom, « Jim » et c'était l'écriture de Janet. Il en tapota le dos de sa main. La posa. Appela Deke.

– J'ai vu pire, lui répondit celui-ci. Mais c'en est une méchante pour cette époque de l'année. On est toujours au-dessus de zéro mais pas pour très longtemps. Avec des rafales de neige. Nous avons la Navajo 12 qui est fermée à Upper Wheatfields, la 191 entre ici et Ganado, la 59 au nord de Red Rock, et... enfin, bon, une nuit épouvantable pour être sur les routes. Comment ça se passe par chez vous ?

– Je crois que la frange nous arrive droit dessus, là. Est-ce que Leaphorn a eu mon message ?

– Ouais. Il a dit que vous n'avez pas à vous inquiéter.

– Qu'est-ce que vous en pensez ? Demott est un montagnard accompli. Est-ce que Nez va être suffisamment en sécurité ?

– Sauf peut-être pour les engelures, répondit Deke. Personne ne va s'attaquer à ces falaises-là ce soir.

Et donc, Chee ouvrit l'enveloppe dont il sortit ce message :

« Jim. Désolée de t'avoir raté. Je vais manger un morceau et je ferai un crochet par chez toi – Janet. »

La voiture de la jeune avocate n'était pas là lorsqu'il arriva à sa petite maison mobile, ce qui était aussi bien, pensa-t-il. Ça allait lui laisser un peu de temps pour réchauffer l'atmosphère. Il fit donner à fond le poêle à propane, mit du café à chauffer, inspecta les lieux d'un œil critique. Il le faisait rarement. La caravane était simplement l'endroit où il vivait. Il y faisait parfois chaud et parfois froid. Mais pour le reste, ce n'était pas quelque chose qui occupait le moins du monde ses pensées. Elle avait l'air exigu, encombré, légèrement négligé et, tout bien considéré, assez lugubre. Ah, tant pis, c'était trop tard pour y remédier. Il vérifia dans le réfrigérateur s'il avait quelque chose à lui offrir. Pas bien riche point de vue nourriture, mais il sortit un bloc de fromage, prit une boîte de crackers et un bol avec quelques biscuits Oreo à l'intérieur, sur l'étagère au-dessus du réchaud. Puis il s'assit sur le bord de la couchette et se laissa aller à sa fatigue en écoutant le vent glacial qui ébranlait sa maison, trop épuisé pour réfléchir à ce qui pouvait être sur le point de survenir.

Il avait dû s'assoupir. Il n'entendit pas la voiture quand elle descendit la pente, ne vit pas les phares. Des coups frappés à la porte le réveillèrent, et il la trouva debout sur les marches, le regard levé vers lui.

– Ça gèle, dit-elle quand il la fit entrer.

– Café chaud, annonça-t-il.

Il remplit une tasse, la lui tendit et lui proposa la chaise pliante à côté de la table dépliée. Mais elle resta debout un moment, les bras serrés autour de son corps, frissonnante et apparemment irrésolue.

– Janet, l'invita-t-il. Assieds-toi. Détends-toi.

– J'ai juste quelque chose à te dire. Je ne peux pas rester. Il faut que je retourne à Gallup avant que les conditions empirent.

Mais elle s'assit.

– Bois ton café. Réchauffe-toi.

Elle le regardait au-dessus de sa tasse.

– Tu as une mine épouvantable, dit-elle. On m'a dit que tu étais allé à Mancos. Voir la veuve Breedlove. Tu ne devrais pas être déjà retourné au travail. Tu devrais être au lit.

– Je vais bien, affirma-t-il.

Puis il attendit. Allait-elle lui demander pourquoi il s'était rendu à Mancos ? Ce qu'il y avait appris ?

– Qu'est-ce qui empêchait quelqu'un d'autre de le faire ? Quelqu'un qui n'a pas de côtes cassées.

– Juste fêlées, corrigea-t-il.

288

Elle posa sa tasse. Il tendit la main pour la prendre. Elle l'intercepta, la garda dans la sienne.

– Jim. Je pars pendant un certain temps. Je récupère mes jours de congés en retard, et mes vacances, et je rentre chez moi.

– Chez toi ? reprit-il. Pendant un certain temps ? Ça fait combien de temps, ça ?

– Je ne sais pas. Je veux remettre de l'ordre dans mes idées. Regarder devant moi et derrière moi.

Elle tenta de sourire mais le résultat n'était pas très convaincant. Elle haussa les épaules :

– Et réfléchir, un point c'est tout.

Chee s'aperçut qu'il ne s'était pas versé de café. Bizarrement, il n'en voulait pas. Il lui vint à l'esprit qu'elle ne brûlait pas ses vaisseaux.

– Réfléchir ? répéta-t-il. À nous ?

– Bien sûr.

Cette fois, le sourire fut un peu plus réussi.

Mais sa main était froide. Il la serra.

– Je croyais que nous en avions terminé avec cette phase-là.

– Non. Tu n'as jamais cessé de te demander si nous serions compatibles. Si nous irions réellement l'un avec l'autre.

– Et ce n'est pas le cas ?

– Si, dans ce rêve éveillé que j'avais, fit-elle en agitant les mains en se moquant d'elle-même. Un grand et beau garçon. Gentil et intelligent, et pour autant que je pouvais m'en rendre compte, tu m'aimais vraiment. On se serait bien amusés sur la Grande Réserve un moment, puis tu aurais eu un boulot important dans un endroit intéressant. Washington. San Francisco. New York. Boston. Et j'aurais décroché un travail important au ministère de la Justice, ou peut-être dans un cabinet d'avocats. Toi et moi ensemble. Tout aurait été absolument parfait.

Chee ne répondit rien.

– Tout absolument parfait, répéta-t-elle. Le meilleur de ces deux mondes.

Elle le regarda, essayant de conserver son sourire sans y parvenir tout à fait.

– Avec des Porsche identiques dans un garage pouvant accueillir trois voitures, compléta-t-il. Mais quand tu as appris à me connaître, j'ai cessé de correspondre à ton rêve.

– Presque. Peut-être que tu y corresponds, en fait...

Tout à coup, ses yeux étaient humides. Elle détourna le regard.

– Ou alors c'est moi qui change de rêve.

Il sortit son mouchoir, fronça les sourcils en le regardant, tendit la main vers le tiroir de rangement derrière lui où il préleva des serviettes en papier qu'il lui offrit.

– Merci, dit-elle.

Et elle s'essuya les yeux.

Il voulait la serrer dans ses bras, très fort. Mais il dit :

– Le vent froid, ça a toujours cet effet-là.

– Alors je me suis dit que peut-être, avec le temps, tout change un peu. Je change, et toi aussi.

Il ne trouva aucune réponse honnête à lui opposer.

– Mais après l'autre soir, à Gallup, quand tu étais si en colère contre moi, j'ai commencé à comprendre.

– Tu te souviens d'une fois, il y a très longtemps, où tu m'avais posé des questions sur une maîtresse d'école avec qui je sortais ? Quelqu'un t'avait parlé d'elle. Elle était du Wisconsin. Elle venait de finir ses études. Blonde, les yeux bleus, elle enseignait en cours préparatoire à Crownpoint quand moi j'étais un tout jeune policier qui venait d'être nommé là-bas. Eh bien, ce n'était pas qu'il y avait quelque chose de particulier qui ne convenait pas chez moi, mais pour ses enfants, elle voulait le bon vieux rêve américain. Elle ne voyait aucun espoir à ce niveau-là en pays navajo. Alors elle est partie.

– Pourquoi me dis-tu ça ? Elle n'était pas navajo.

– Mais moi je le suis. Donc je me suis dit, quelle est la différence ? J'ai la peau plus foncée. J'attrape rarement des coups de soleil. J'ai les hanches étroites. Les épaules larges. Ce sont des caractéristiques raciales, n'est-ce pas ? Est-ce que c'est important ? Je crois que non, pas beaucoup. Alors qu'est-ce qui fait de moi un Navajo ?

– Tu vas dire la culture, intervint Janet. Moi aussi, j'ai étudié l'anthropologie sociale.

– J'ai grandi en sachant qu'il est mal d'avoir plus que ce dont on a besoin. Ça veut dire qu'on ne se soucie pas des siens. Si on gagne trois courses de suite, il vaut mieux ralentir un peu. Laisser gagner quelqu'un d'autre. Ou si quelqu'un boit trop, rentre dans ta voiture et t'expédie en piteux état à l'hôpital, tu ne l'attaques pas en justice, tu souhaites organiser un chant pour le guérir de l'alcoolisme.

– Ce n'est pas ça qui te permet d'entrer à la faculté de droit, dit Janet. Ni d'échapper à la pauvreté.

– Ça dépend de la façon dont tu définis la pauvreté.

– Les livres de droit la définissent. Une famille de x membres disposant d'un revenu annuel inférieur à y.

– J'ai rencontré un homme de quarante ans à un chant Yeibichai il y a quelques années. Il tenait un cabinet de comptabilité à Flagstaff et il était venu à Burnt Water parce que sa mère avait eu une crise cardiaque et qu'ils organisaient un rite guérisseur pour elle. J'ai dit quelque chose comme, « Vous avez l'air de bien vous débrouiller. » Et il m'a répondu, « Non, je serai pauvre toute ma vie. » Alors je lui ai demandé ce qu'il voulait dire, et il m'a répondu, « Personne ne m'a jamais enseigné aucun chant. »

– Ah, Jim.

Elle se leva, fit les deux pas requis pour atteindre la couchette sur laquelle il était assis, l'entoura de ses bras avec précaution et l'embrassa. Puis elle serra le côté indemne de son visage contre sa poitrine.

– Je sais que le fait d'avoir un père navajo n'a pas fait de moi une Navajo. Ma culture, c'est l'association des étudiantes de Stanford, le circuit des cocktails du Maryland, Mozart et les billets pour le Metropolitan. Alors peut-être faut-il que j'apprenne à ne pas considérer que vivre en haillons, ne pas avoir l'eau courante et faire des kilomètres à pied pour aller chez le dentiste sont des signes de pauvreté. J'y travaille.

Chee, noyé dans le pull de Janet, dans son parfum, sa douceur, répondit quelque chose comme « Hummmm ».

– Mais il me reste du chemin à faire, ajouta-t-elle en le relâchant.

– Il faut sans doute que j'y travaille de mon côté aussi, dit-il. Je pourrais m'habituer à être lieutenant, à essayer de monter les échelons. À essayer d'accorder de la valeur à des choses comme...

Il laissa sa phrase en suspens.

– Il y a une chose que je veux que tu saches, assura-t-elle. Je ne me suis pas servie de toi.

– Tu veux dire...

– Je veux dire que je ne t'ai pas délibérément soutiré des informations pour pouvoir les communiquer à John.

– Je crois que je l'ai toujours su. C'était juste parce que j'étais jaloux. Je me suis fait une idée erronée des choses.

– Je lui ai bien dit que vous aviez trouvé le corps de Breedlove. Il nous avaient invitées, Claire et moi, au concert. Claire et moi, on se connaît depuis l'école secondaire. On se rappelait comment c'était à l'époque et, tu sais, c'est sorti comme ça. C'était juste un truc intéressant à lui raconter.

– Bien sûr, fit Chee. Je comprends.

– Il faut que j'y aille, maintenant. Avant que vous fermiez la route. Mais je voulais que tu le saches. Le projet Breedlove, c'était lui qui s'en occupait quand la veuve a déposé sa demande d'attestation officielle de décès. Ça avait l'air vraiment étrange. Mais finalement, maintenant, je suppose que tout ça est bien fini.

Le ton de sa voix transformait la phrase en question.

Tout en remontant la fermeture éclair de sa veste, elle lui jeta un coup d'œil. Elle ajouta :

– Le lieutenant Leaphorn a transmis la photographie du registre des grimpeurs à monsieur Shaw.

– Ouais, fit-il.

Le vent ébranla la caravane, émit ses bruits de tempête, fit souffler un courant d'air froid autour de son cou.

– Elle a dû trouver ça extrêmement bizarre, reprit-elle, qu'il la laisse brutalement au canyon, puis qu'il abandonne leur voiture et qu'il retourne à Ship Rock pour l'escalader comme ça.

Il hocha la tête.

– Elle avait sûrement une théorie là-dessus, reprit-elle. Je sais que j'en aurais eu une si tu m'avais fait un truc aussi fou que ça.

– Elle a beaucoup pleuré, dit Chee. Elle n'arrivait pas à le croire.

Et, une minute plus tard, Janet n'était plus là. Le baiser d'au-revoir, les promesses d'écrire, l'invitation à venir la rejoindre. Puis il lui avait tenu la portière de sa voiture, commentant la façon dont il faisait toujours plus froid quand la neige s'arrêtait de tomber, et il avait regardé les phares disparaître au sommet de la pente.

Alors il alla se rasseoir sur sa couchette, toucha les pansements autour de son œil, conclut qu'à cet endroit la douleur s'atténuait. Il appuya sur l'ouate qui lui protégeait les côtes, tressaillit et conclut que là, la guérison était plus lente. Il remarqua que la cafetière était toujours allumée, se leva et la débrancha. Il mit la radio, se disant qu'il allait écouter le bulletin météorologique. Puis il l'éteignit et s'assit sur le lit.

Le téléphone sonna. Il le regarda fixement. Il sonna à nouveau. Et encore. Il décrocha.

– Devinez quoi ?

C'était l'agent Bernadette Manuelito.

– Quoi ?

– C'est Begayaye qui vient de me le dire. Il est passé par Ship Rock, aujourd'hui. Les bêtes étaient rassemblées autour de notre endroit, là où le poteau de clôture a été descellé, elles mangeaient du foin frais.

– Bon, fit Chee en s'octroyant un instant pour opérer la transition mentale entre Janet Pete et le duel qui l'opposait au Lone Ranger. Je dirais que pour monsieur Finch, le moment serait parfait pour arrondir ses revenus. Tous les policiers sont partis s'occuper des problèmes de la météo, et tout le monde reste chez soi auprès du feu.

– C'est ce que je me suis dit.

– Je vous retrouve un peu avant le lever du jour. À quelle heure c'est, le lever du soleil en ce moment?

– Vers sept heures.

– Je vous retrouve au bureau à cinq heures. D'accord?

– Hé! fit Bernie. C'est super.

27

– Je vais vous montrer des photos, dit Leaphorn à Amos Nez et il sortit un dossier de sa mallette.

– De jolies femmes en bikini, compléta Grand-père Nez en adressant un large sourire à sa belle-mère.

Madame Benally, qui ne comprenait pas bien l'anglais, lui rendit son sourire.

– Des photos que j'aurais dû vous montrer, il y a onze ans.

Leaphorn posa un cliché sur l'accoudoir du vieux canapé où Nez était assis. Le feu de bois faisait rougeoyer le vieux réchaud en fer qui, dans le hogan des Nez, servait à la fois pour chauffer et pour cuisiner. Le froid régnait sur le canyon, au dehors ; Leaphorn transpirait. Mais Nez avait gardé son pull et madame Benally avait son châle drapé sur ses épaules.

Le vieil homme ajusta ses lunettes sur son nez. Il regarda la photo, sourit à Leaphorn, la lui rendit.

– C'est elle, dit-il. Madame Breedlove.

– Qui est l'homme qui se trouve avec elle ?

Nez reprit l'épreuve, l'étudia à nouveau. Il secoua la tête.

– Je le connais pas.

– C'est Harold Breedlove. Ce que vous regardez là, c'est la photographie que les Breedlove ont faite dans un studio de Farmington le jour anniversaire de leur mariage, l'été juste avant qu'ils viennent ici et qu'ils vous demandent de les guider.

Nez scruta la photo.

– Eh ben ça alors, fit-il. C'est fou ce que les Blancs sont capables d'inventer. C'est qui, l'homme qui était ici avec elle ?

– C'est vous qui allez me le dire.

Il lui tendit deux nouvelles photos.

Il s'était procuré la première en abusant de la gentillesse d'un vieil ami qui travaillait au bureau de Washington de l'Indian Service : c'était le portrait de George Shaw pris dans la revue des anciens élèves de la faculté de droit de l'Université de Georgetown. L'autre provenait des archives photographiques du *Mancos Weekly Citizen* : une photo d'identité des jeunes Eldon Demott et Tommy Castro en casquettes du Corps des Marines.

– Je connais pas le type qui est sur celle-là, fit Nez en lui rendant le cliché de Shaw.

– C'est bien ce que je pensais. Je tenais juste à m'en assurer.

Nez étudia le deuxième.

– Tiens, tiens, fit-il. Mais voilà mon ami Hal Breedlove.

Il rendit la photo d'Eldon Demott à Leaphorn.

– Il n'est plus votre ami, maintenant, fit remarquer celui-ci en touchant le plâtre de la jambe de Nez. C'est lui qui a essayé de vous tuer.

Nez reprit la photo, la regarda et secoua la tête.

– Pourquoi il a... commença-t-il.

Il se tut pour réfléchir.

Leaphorn lui expliqua que la possession du ranch

dépendait de la date du décès de Breedlove, et dépendait à présent de la perpétuation du mensonge.

– Deux hommes seulement savaient quelque chose qui pouvait tout faire foirer. L'un connaissait la date à laquelle Hal Breedlove et Demott ont escaladé Ship Rock : un homme nommé Maryboy qui leur avait donné la permission de grimper. Demott l'a abattu l'autre jour. Ce qui ne laisse plus que vous.

– Eh ben dites donc, dit Nez en faisant suivre ces mots d'une grimace.

– Un policier qui enquête sur tout ça m'a fait prévenir que Demott a chargé son fusil ce matin et qu'il a pris la route. À mon avis, il vient ici voir s'il ne pourrait pas vous prendre à nouveau pour cible.

– Pourquoi ils l'arrêtent pas ?

– Il faut d'abord qu'ils le trouvent.

Leaphorn ne tenait pas à se lancer dans des explications complexes concernant la législation en vigueur... et l'absence totale de toute preuve matérielle donnant la moindre raison d'arrêter Demott.

– Mon idée était de vous conduire à Chinle, vous et madame Benally, et de vous y installer dans un motel. La police peut veiller sur vous jusqu'à ce qu'ils aient bouclé Demott.

Nez s'octroya le temps de la réflexion.

– Non, dit-il. Moi, je vais rester ici.

Il montra le fusil accroché sur le mur opposé.

– Emmenez seulement Grand-mère Benally. Protégez-la.

Madame Benally n'était peut-être pas capable de traduire « bikini » en navajo, mais « motel » ne lui posait aucun problème.

– Je ne vais pas dans un motel, déclara-t-elle.

D'un point de vue pratique, cela mettait un terme à la discussion. Personne ne partait.

Leaphorn n'était pas pris au dépourvu. Avant de se garer au hogan de Nez, il était parti en reconnaissance dans Canyon del Muerto, étudiant les parois des falaises du côté sud en dessous de l'endroit où le ranger avait signalé la présence de l'homme au fusil. Le sergent Deke lui avait dit que c'était juste cinq ou six cents mètres plus loin que chez Nez. Leaphorn n'avait repéré aucun endroit où le sommet de la falaise sud offrait une bonne visée sur le hogan de Nez tout en se trouvant à portée de fusil. Mais à environ quatre cents mètres en remontant le canyon, une énorme plaque de grès avait cédé à l'érosion qui la minait.

La falaise s'était fendue. La plaque s'était écartée de la paroi. Il l'avait étudiée. Quelqu'un qui connaissait l'escalade, qui disposait du matériel et qui ne redoutait pas de risquer la chute d'une hauteur d'un immeuble de quarante étages, pouvait descendre à cet endroit-là. Ça devait être ce que Demott était allé fabriquer là-bas... s'il s'agissait de lui. Il cherchait un chemin pour descendre dans le canyon et en remonter en évitant le goulot d'étranglement de l'entrée.

Pour un adepte de l'escalade, c'était une proximité très avantageuse. Ou pour un oiseau. N'étant ni l'un ni l'autre, Leaphorn devait redescendre Canyon del Muerto sur environ vingt-cinq kilomètres jusqu'à son confluent avec Canyon de Chelly, puis rouler huit ou neuf kilomètres supplémentaires avant d'atteindre l'embouchure de celui-ci et la chaussée de la Route Navajo 64. Après, il lui faudrait repartir en sens inverse et couvrir trente-huit kilomètres vers le nord-est en suivant la rive nord de del Muerto, tourner au sud-ouest pendant peut-être six kilomètres et demi, en direction de Tsaile, et compléter le cercle en s'engageant sur la piste de terre et de cailloux broussailleuse qui permettait aux conducteurs suffisamment téméraires pour l'emprunter de s'enfoncer le long de la mesa en forme de doigt qui séparait les canyons. Les dix ou onze derniers kilomètres de ce circuit allaient lui prendre pratiquement aussi longtemps que les quatre-vingts premiers.

Il se hâta. Il voulait qu'il y ait encore assez de lumière naturelle pour inspecter soigneusement les lieux, que ce soit pour confirmer ou invalider ses soupçons. Plus important, si Demott arrivait, Leaphorn voulait être sur place à l'attendre.

Il semblait y être parvenu. Il fit halte à la grille à bétail où la piste non signalée rejoignait la route, mit pied à terre, se livra à une inspection attentive. Le dernier véhicule à avoir laissé ses traces était ressorti, et cela s'était produit peu après le début de la chute de neige. Douze ou treize kilomètres plus loin, tout en cahots, il quitta la piste et dissimula sa voiture derrière un bosquet de genévriers. Le vent était devenu cinglant mais la neige ne tombait plus qu'en flocons secs et épisodiques.

Les cinquante mètres à peine qui le séparaient de la corniche ouest de Canyon del Muerto se composaient essentiellement de grès nu. S'il avait bien calculé, il se trouvait pratiquement à la verticale du hogan de Nez. En fait, il s'aperçut qu'il était à une centaine de mètres en aval. Du regard, il obtint confirmation que l'habitation était trop protégée par l'avancée rocheuse pour servir de cible depuis l'endroit où il se tenait, à une cinquantaine de centimètres à peine en retrait par rapport au bord. Il distinguait le chemin qu'empruntait Nez avec son camion. En revanche, le hogan lui-même et toutes les structures attenantes, à l'exception d'un enclos à chèvres, étaient cachés au pied de la falaise. Mais il voyait la grande plaque de grès qui s'était détachée, et il se dirigea de ce côté-là en suivant le bord. Il y était presque quand il entendit le gémissement d'un moteur qui rétrogradait en première.

Le long de la falaise, il n'était pas difficile de trouver une cachette. Il se glissa derrière un gros bloc de grès environné de pins pignons. Vérifia son pistolet et attendit.

Le véhicule qui approchait était une Land Rover vert foncé, sale et cabossée, qui venait pratiquement droit sur lui. Elle s'immobilisa à moins de quinze mètres. Le moteur se tut. La portière s'ouvrit. Eldon Demott mit pied à terre. Il tendit le bras derrière lui à l'intérieur du véhicule, s'empara d'un fusil qu'il posa sur le capot. Puis il sortit un rouleau de fine corde jaune pâle et une boîte en carton. Ces deux objets aboutirent également sur le capot. De la boîte, il tira une ceinture en tissu avec baudrier, un casque et une paire de petites chaussures noires. Il s'appuya contre l'aile de la voiture, ôta une botte qu'il remplaça par l'un des chaussons, répéta ce geste. Puis il ceignit la sangle et le harnais d'escalade. Il consulta sa montre, jeta un coup d'œil vers le ciel, s'étira et inspecta les alentours.

Son regard se porta droit sur Joe Leaphorn ; il soupira et tendit la main vers son fusil.

– Laissez-le où il est, lui ordonna l'ancien lieutenant en exhibant son revolver calibre .38.

Demott retira sa main du fusil, la laissa retomber le long de son corps.

– Je pourrais espérer tirer quelque chose, dit-il.

– La saison de la chasse est terminée.

Demott soupira et s'appuya contre l'aile de la voiture.

– On dirait bien.

– Aucun doute là-dessus. Même si je commets une

erreur et si vous me tuez, vous ne pourrez pas repartir d'ici de toute façon. Deux voitures de police sont en route pour venir vous arrêter. Et si vous descendez par la falaise, eh bien, c'est sans espoir.

– Vous allez m'arrêter ? De quelle autorité ? Vous êtes à la retraite. À moins que ce soit comme simple citoyen [1] ?

– C'est une arrestation officielle. Je représente toujours le shérif de ce comté. Je n'ai jamais trouvé le moyen de me démettre de ce mandat.

– De quoi m'accusez-vous... de violation de propriété ?

– Eh bien, plus vraisemblablement, je crois qu'au début ça va être de tentative d'homicide sur la personne d'Amos Nez, et après, une fois que le FBI aura fait son travail, d'homicide volontaire sur celle de Hosteen Maryboy.

Demott le dévisageait, sourcils froncés.

– C'est tout ?

– Je pense que ça sera suffisant.

– Rien sur Hal.

– Rien jusqu'ici. Si ce n'est qu'Amos Nez est persuadé que vous êtes Hal.

Demott réfléchit aux implications de cette déclaration.

– Je commence à avoir froid, dit-il en rouvrant la portière de la voiture. Je vais me mettre à l'abri du vent.

– Non, ordonna Leaphorn en agitant le canon du revolver devant lui.

---

1. *A citizen's arrest* : conformément à la loi, tout citoyen américain témoin d'un délit ou d'un crime peut y mettre un terme en procédant lui-même à l'arrestation de son auteur, une disposition rarement utilisée... *(N.d.T.)*

Demott s'immobilisa, ferma la portière. Il sourit, secoua la tête.

– Une autre arme à l'intérieur, vous croyez ?

Leaphorn lui rendit son sourire.

– Pourquoi prendre des risques ?

– Rien sur Hal, reprit Demott. Bon, j'en suis heureux.

– Pourquoi ?

Il haussa les épaules.

– À cause d'Elisa. L'autre policier, Jim Chee je crois qu'il s'appelle, il venait nous voir aujourd'hui. Il nous a dit que vous aviez consulté le registre sur Ship Rock. Qu'est-ce qu'elle a dit pour ça ?

– Je n'y étais pas. Chee lui a montré la page avec le nom de Hal, et la date. Il m'a raconté qu'elle s'était comme effondrée. Qu'elle avait pleuré. (Il haussa les épaules.) Ce à quoi on pouvait s'attendre, je suppose.

Demott s'appuya davantage contre l'aile de la voiture, l'air abattu.

– Ah, bordel, fit-il en frappant le capot du poing. Merde ! Merde ! Merde ! Merde !

– Ça donne l'impression que c'était prémédité, bien sûr.

– Bien sûr. Et ça ne l'était pas.

– Un accident. Dans le cas contraire, il sera peut-être difficile de l'empêcher d'être impliquée.

– Elle était toujours amoureuse de ce connard. Elle n'a strictement rien eu à voir là-dedans.

– Ça ne me surprend pas. Mais si on tient compte de ce qui est en jeu, les Breedlove vont probablement engager quelqu'un pour étayer l'accusation et leur but sera de récupérer le ranch. De faire frapper l'héritage de nullité.

– Le faire frapper de nullité ? Comment ça ? Ça ne serait pas automatique ? Je veux dire, avec ce que

303

vous m'avez dit sur ce que sait Nez... Vous comprenez, Hal n'héritait pas avant d'avoir trente ans. Étant donné la façon dont la clause était rédigée, tout était caduque s'il n'atteignait pas cet anniversaire.

– Le fait que Nez vous prenne pour Hal n'est pas l'unique preuve qu'il a vécu au-delà de cet anniversaire. Il y a sa signature sur le registre des grimpeurs. Elle est datée du trente septembre. Vous avez connaissance de preuves démontrant qu'il serait mort avant ?

Demott dévisageait Leaphorn, la bouche partiellement ouverte.

– Attendez une minute, dit-il. Attendez. Qu'est-ce que vous me dites, là ?

– Ce que je vous dis, c'est sans doute qu'à mon avis il y a parfois une différence entre la loi et la justice. S'il y a une justice ici, vous allez passer le reste de votre vie en prison pour le meurtre avec préméditation de monsieur Maryboy, avec peut-être un supplément d'une vingtaine d'années pour la tentative de meurtre contre Amos Nez. Je pense que ce serait à peu près équitable. Mais ça ne marchera probablement pas tout à fait comme ça. Votre sœur sera vraisemblablement inculpée de complicité de meurtre par instigation, peut-être même de complicité de meurtre avec préméditation et, en tout cas, de complicité après coup. Et les Breedlove lui reprendront son ranch...

Demott emplit ses poumons d'air. Il baissa les yeux sur ses mains, se frotta le pouce.

– ... Et Cache Creek charriera des eaux rendues grises par le cyanure et les effluents miniers.

– Ouais. J'ai vraiment tout foutu en l'air. Année après année on y pense avec angoisse. Quand le ciel est dégagé, on croit être tiré d'affaires. Plus d'inquiétudes à avoir. Et après, on se réveille dans un cauchemar.

– Qu'est-ce qui s'est passé, là-haut ?

Demott lui adressa un regard interrogateur.

– Vous me demandez des aveux ?

– Vous n'êtes pas en état d'arrestation. Si vous l'étiez, je serais tenu de vous rappeler que vous avez le droit de ne rien dire avant de pouvoir appeler votre avocat. Elisa a dit à Chee qu'elle n'était pas arrivée jusqu'au sommet. C'est bien ça ?

– Oui. Elle commençait à prendre peur. (Il émit un grognement de dérision.) Je devrais dire, à prendre conscience du danger.

Leaphorn hocha la tête.

– Cet anniversaire, pour Hal, c'était vraiment quelque chose d'important, reprit Demott. Il disait, Seigneur Dieu, je vais enfin être libre, et ça le rendait tout excité. Et il avait invité ce type qu'il avait connu à Dartmouth à venir avec sa petite amie pour découvrir Canyon de Chelly, le Monument national Navajo, le Grand Canyon et tout ça. Pour commencer, ils devaient les retrouver, Elisa et lui, au canyon pour fêter son anniversaire. Mais d'abord, il voulait escalader Ship Rock avant d'avoir trente ans. À ses yeux, ça prouvait quelque chose. Alors on l'a escaladé. Enfin, presque.

Demott détourna le regard. Pour décider de ce qu'il veut bien me raconter, pensa Leaphorn. Ou peut-être pour réfléchir.

– Nous nous sommes arrêtés au Ravin en Rappel. Elisa était restée derrière, une heure avant environ. Elle avait dit qu'elle allait nous attendre là. Alors Hal et moi on se reposait pour aborder le dernier passage difficile. Il n'avait pas arrêté de souligner le nombre de fois où l'ascension oblige à monter, puis à redescendre pour gagner une nouvelle voie d'accès vers le sommet. Il disait qu'il y avait sûrement une meilleure route avec tout le bon matériel de rappel qu'on a maintenant. Enfin bon, il a commencé à s'avancer à flanc de falaise. Il disait qu'il voulait voir s'il y avait un chemin plus rapide pour descendre.

Demott se tut. Il s'assit sur l'aile de la Land Rover, scrutant Leaphorn du regard.

– Je suppose qu'il y en avait un, dit celui-ci.

Demott acquiesça de la tête.

– En partie.

– Une rafale de vent l'a surpris. Quelque chose comme ça ?

– Pourquoi faites-vous ça ?

– J'aime bien votre sœur. C'est une femme gentille, attentionnée. Et de plus, je n'aime pas que les exploitants de mines à ciel ouvert détruisent les montagnes.

Le vent qui soufflait était un peu plus fort désormais, et plus froid. Il venait du nord-ouest, écartant les cheveux du visage de Demott et chassant la poussière autour des pneus de la Land Rover.

– Sur quoi tout cela débouche-t-il ? demanda Demott. Je ne connais pas bien la loi.

– Ça dépendra surtout de la manière dont vous vous y prendrez.

– Je ne comprends pas.

– Voilà où nous en sommes pour l'instant. Nous avons trois crimes graves. L'homicide de Maryboy associé à des blessures par balles infligées à un policier navajo. Ça, le FBI s'en occupe. Puis il y a la tentative de meurtre contre Amos Nez qui n'intéresse pas le FBI.

– Hal ?

– Un accident, officiellement avéré. Cela n'intéresse pas le FBI. Et personne d'autre non plus, à l'exception de la société Breedlove.

– Qu'est-ce qui se passe maintenant ?

– Cela dépend de vous. Si j'étais encore membre de la Police tribale navajo et si je travaillais sur cette affaire, je vous conduirais en prison sur de fortes présomptions concernant les coups de feu tirés contre Amos Nez. La police se livrerait à une vérification balistique de votre fusil et, si les balles correspondent à celle qu'on a retirée du cheval de Nez, vous êtes inculpé de tentative de meurtre. En conséquence Nez est appelé à comparaître à la barre des témoins, Elisa devient votre complice après coup mais est probablement inculpée de complicité avec préméditation. Ça incite les Breedlove à remplir les papiers légaux pour obtenir l'annulation de l'héritage. Et ce que Nez déclare réveille le FBI qui établit le lien avec Maryboy. Les tests balistiques auxquels on procède sur l'arme avec laquelle vous l'avez tué, et qu'on trouvera je pense soit dans la boîte à gants soit sous le siège avant, vous incriminent pour ce meurtre-là. À mon avis, vous êtes condamné à perpétuité. Elisa ? Je ne sais pas. Beaucoup moins.

Demott avait suivi cet exposé avec une attention soutenue, acquiesçant parfois de la tête. Fronçant parfois les sourcils.

– Mais pourquoi Elisa ?

– S'ils ne parviennent pas à convaincre le jury qu'elle a contribué à la préparation du meurtre, vous vous rendez compte à quel point il est facile de prouver qu'elle a contribué à dissimuler la vérité. Il n'y a qu'à faire prêter serment à Nez et à quelques-uns des gens de la Thunderbird Lodge. Ils vous ont vu là-bas avec elle.

– Vous avez mentionné une option. Vous avez dit que ça dépendait de moi. Comment est-ce possible ?

– Nous allons à Gallup. Vous vous rendez. Vous dites que vous voulez avouer le meurtre de Maryboy et les coups de feu tirés sur Jim Chee. Rien sur Nez. Rien sur Hal. Rien sur l'ascension de Ship Rock.

– Et vous, que dites-vous ? Je veux dire, sur l'endroit où vous m'avez trouvé. Pourquoi, et tout le reste.

– Je ne suis pas là. Je me gare à un endroit d'où je peux vous voir pénétrer dans le poste de police, j'attends un moment, et quand je ne vous vois pas ressortir, je vais quelque part et je mange un morceau.

– Juste Maryboy, alors, et Chee ? Et Elisa ne sera pas impliquée dans cette histoire ?

– Sans Nez dans le tableau, comment pourrait-elle l'être ?

– Euh, cet autre policier. Celui que j'ai blessé. Il n'a pas deviné la plus grande partie de tout ça ?

– Chee ? fit Leaphorn avec un petit rire. Chee est un authentique Navajo. La vengeance ne l'intéresse pas. C'est l'harmonie qu'il veut.

L'expression de Demott était sceptique.

– Qu'est-ce qu'il ferait ? demanda Leaphorn. La raison pour laquelle vous lui avez tiré dessus est évidente. Vous essayiez de prendre la fuite. Mais il faut que vous leur fournissiez une raison plausible pour avoir tué Maryboy. Chee ne va pas venir se précipiter pour expliquer que le vrai mobile est on ne sait trop quelle histoire compliquée ayant pour but de continuer à cacher le fait que personne n'a signalé la chute de Hal Breedlove sur la montagne, il y a onze ans. Qu'est-ce qu'il aurait à y gagner ? À part beaucoup de travail et de frustration. D'une façon comme de l'autre, vous allez passer le restant de votre vie en prison.

– Oui, acquiesça Demott.

Mais la manière dont il l'avait dit fit perdre son calme à Leaphorn.

– Et on peut dire que vous l'avez bien mérité, bon sang. Plus que ça. Le meurtre de Maryboy était un assassinat de sang-froid. J'en avais déjà vu, mais ça avait toujours été l'œuvre de psychopathes. De gens émotionnellement infirmes. Je veux que vous m'expliquiez comment un être humain normal peut décider d'aller abattre un vieil homme.

– Ce n'est pas ce que j'ai fait. On a retrouvé le squelette. Après, on a identifié Hal. Le cauchemar devenait réalité. J'ai paniqué. Personne d'autre que ce vieil homme ne savait que j'étais monté là-haut, ce jour-là, avec Hal et Elisa. Nous étions allés lui demander le droit de traverser ses terres, mais c'était il y a onze ans. Je ne pensais pas qu'il s'en souviendrait. Mais il fallait que j'en sois sûr. Alors j'y suis allé ce soir-là et j'ai frappé à sa porte. S'il ne me reconnaissait pas, je m'en allais et je n'y pensais plus. Il m'a ouvert et je lui ai dit que j'étais Eldon Demott et qu'on m'avait signalé qu'il avait des génisses à vendre. Et tout de suite, j'ai vu qu'il me reconnaissait. Il m'a dit que j'étais l'homme qui était monté là-haut avec monsieur Breedlove. Il a commencé à s'énerver. Il m'a demandé comment j'avais pu partir en laissant un ami là-haut, sur la montagne. Et maintenant qu'il savait qui j'étais, il allait le dire à la police. Je suis sorti et je suis monté dans ma voiture, mais le voilà qui me suit avec son 30-30 à la main, et qui veut que je retourne dans sa maison. Alors j'ai sorti mon pistolet de la boîte à gants et je l'ai mis dans ma poche. Il est retourné dans la maison, il a enfilé son manteau et son chapeau, et il allait me conduire tout droit au poste de police de Shiprock. Alors, vous comprenez...

– C'est comme ça que ça s'est passé, alors ?

– Ouais, confirma Demott. Mais si je peux juste garder Nez en dehors de tout ça, on peut peut-être sauver Elisa ?

Leaphorn hocha la tête.

Demott tendit lentement la main vers le fusil.

– Ce que je voudrais faire c'est ramener le levier d'armement pour que cette arme ne soit plus dangereuse.

– Et après ?

– Après, j'avance de cinq pas de ce côté, jusqu'au bord de la falaise, et je la jette en bas dans l'anfractuosité la plus profonde, là où personne ne pourra jamais la retrouver.

– Allez-y. Je ne regarderai pas.

Demott mit ses paroles à exécution.

– Bien, dit-il. Je veux seulement quelques minutes pour écrire une petite lettre à Elisa. Je veux qu'elle sache que je n'ai pas tué Hal. Quand je suis monté au sommet et que j'ai signé le registre à sa place, c'était uniquement pour qu'elle ne perde pas le ranch.

– Faites.

– Il faut que je prenne mon carnet dans la boîte à gants, pour ça.

– Je vous surveille, dit Leaphorn en allant se placer à un endroit d'où il lui était possible de le faire.

Demott récupéra un petit calepin à spirale et un stylo à bille, referma la boîte à gants, sortit de la voiture à reculons et se servit du capot comme table. Il écrivit rapidement, utilisant deux pages. Il les déchira, les plia et les laissa tomber sur le siège de la voiture.

– Bon, dit-il, finissons-en.

– Demott, cria Leaphorn. Attendez !

Mais Eldon Demott avait déjà franchi à la course la demi-douzaine d'enjambées qui le séparaient du rebord de Canyon del Muerto et il avait sauté dans le vide, battant l'air de ses bras et de ses jambes.

Leaphorn demeura sur place un instant à écouter. Et n'entendit rien d'autre que le vent. Il s'approcha du bord et regarda. Demott avait apparemment heurté le grès à l'endroit où la falaise s'avançait dans le canyon, quelque soixante mètres en contrebas. Le corps avait rebondi et atterri sur la pente d'éboulis rocheux, juste à côté de la route. Le premier voyageur qui passerait par là le verrait.

Il avait laissé la portière de la Land Rover ouverte. Leaphorn tendit la main et prit la lettre en la tenant par ses bords.

Chère Sœur,

La première chose que tu fais en lisant ça c'est appeler Harold Simmons à son cabinet juridique, ne dis rien à personne avant d'en avoir parlé avec lui. J'ai vraiment réussi à faire un sacré gâchis mais j'en suis sorti maintenant et tu peux quand même avoir une belle vie à t'occuper du ranch. Mais je veux que tu saches que je n'ai pas tué Hal. J'ai honte de te dire beaucoup de ces choses mais je veux que tu saches ce qui s'est passé.

Environ une semaine après la disparition de Hal, j'ai reçu un coup de téléphone de lui. Il était dans un motel de Farmington. Il n'a pas voulu me dire où il était allé, ni pourquoi il faisait ça, mais il m'a dit qu'il voulait escalader Ship Rock tout de suite avant qu'il fasse trop froid. Je lui ai répondu Bon Dieu, non. Il m'a dit que si je refusais il me fichait à la porte. J'ai refusé quand même. Alors il m'a dit que si j'acceptais et si je ne te disais rien, il reviendrait sur sa décision de signer le contrat d'exploitation du minerai et il repousserait ça d'une année entière. Il m'a dit qu'il voulait tout t'expliquer une fois qu'on serait redescendus. Alors j'ai dit d'accord et je suis passé le chercher à son motel vers cinq heures le lendemain matin. Il a refusé de me dire un mot sur l'endroit où il était allé et sur sa conduite bizarre. Mais nous l'avons escaladé, jusqu'au Ravin en Rappel, et là il a insisté pour s'avancer à flanc de falaise pour voir s'il y avait une voie où on pourrait descendre avec de bonnes mains et une corde. Une rafale de vent l'a surpris et il est tombé.

C'est tout, Elisa. Durant toutes ces années, j'ai eu trop honte pour te le dire et j'ai encore honte. Je crois que ça m'a fait perdre la tête. Parce que quand je suis allé voir monsieur Maryboy pour lui dire que ses bêtes venaient sur nos pâturages sur la Réserve-aux-Mille-Parcelles, on s'est mis à s'engueuler, il a décroché son fusil et je lui ai tiré dessus et après j'ai tiré sur le policier pour m'enfuir. Je me suis renseigné sur la peine à laquelle je peux m'attendre et c'est le reste de ma vie en prison, alors je vais prendre le plus court chemin pour en sortir et je vais battre le record mondial de la descente du haut d'une falaise de deux cent cinquante mètres jusque dans le fond de Canyon del Muerto.

Souviens-toi que je t'aime.
J'ai juste perdu la tête.
Ton grand frère, Eldon.

Leaphorn la relut, la replia soigneusement, la replaça sur le siège. Il sortit son mouchoir, abaissa le taquet de verrouillage, essuya le siège en cuir à l'endroit où il avait pu le toucher et claqua la portière.

Il conduisit un petit peu plus vite qu'il n'était raisonnable sur la piste, pressé de la quitter avant que quelqu'un ait repéré le corps de Demott. Il ne voulait pas rencontrer une voiture de police arrivant en sens inverse et, s'il réussissait, la neige sèche qui était maintenant portée par le vent éliminerait rapidement tout indice établissant que Demott n'avait pas été seul. Il était presque arrivé à Window Rock avant qu'un appel, sur sa radio, ne lui signale que le cadavre d'un homme avait été découvert dans Canyon del Muerto.

Il monta le thermostat qui se trouvait à côté de sa porte d'entrée, entendit le générateur d'air chaud entrer en action dans un grondement, sous la maison, mit la cafetière à chauffer puis se lava la figure et les mains. Ceci fait, il vérifia son répondeur télé-phonique, enfonça le bouton, écouta les premiers mots du discours d'un représentant en assurances et enclencha le bouton d'effacement. Il prit alors sa tasse à café rangée à son crochet, sortit le sucre et la crème, se versa du café et s'assit à côté du téléphone.

Il but et composa le numéro de Jim Chee à Shi-prock.

– Jim Chee.

– C'est Joe Leaphorn. Merci pour le message que vous m'avez fait parvenir. J'espère que je ne vous appelle pas au mauvais moment.

– Non. Non. Je me demandais ce qui se passait. Et je voulais vous parler d'une arrestation à laquelle nous avons procédé aujourd'hui dans notre affaire de vols de bestiaux. Mais à propos, vous êtes au courant qu'on a trouvé le corps d'un homme dans Canyon del Muerto ? Deke m'a dit que c'était près de chez Nez. Il m'a dit que c'est Demott.

– J'ai eu un petit écho sur mon moniteur radio.

Bref silence. Chee s'éclaircit la voix.

– D'où vous m'appelez ? C'était bien Demott ? Vous y étiez ?

– Je suis chez moi. Vous n'êtes plus en service?

– Comment ça? Oh. Euh, non. Je suppose.

– Il serait préférable que vous en soyez sûr.

– D'accord. J'en suis sûr. Je suis juste en train d'avoir une conversation amicale avec un citoyen non identifié.

– Demain, vous allez recevoir l'information que Demott s'est suicidé. Il s'est jeté du haut de la falaise au-dessus de chez Nez. Un peu comme s'il avait sauté d'un immeuble de soixante étages. Et il a laissé un ultime message à sa sœur. Il y explique qu'une querelle l'a opposé à monsieur Maryboy pour une histoire de bétail et qu'il a tiré. Qu'il vous a blessé dans sa fuite. Il dit à Elisa qu'il n'a pas tué Hal. Il lui dit que Hal l'a appelé de Farmington une semaine après sa disparition, le jour de sa fête d'anniversaire, qu'il lui proposait de remettre d'un an la signature du contrat d'exploitation de la mine qu'il mijotait si Demott acceptait d'escalader Ship Rock avec lui le lendemain. Demott explique qu'il a gardé le secret parce qu'il avait honte de le lui avouer.

Silence. Puis Chee s'exclama :

– Eh bien dites donc!

Leaphorn attendit que les implications fassent leur chemin.

– Je ne suis pas censé vous demander comment vous savez tout ça?

– Exact.

– Qu'a-t-il dit pour Nez?

– Qui ça?

– Amos Nez, répéta Chee. Oh, je crois que je comprends.

– Ça vous évite beaucoup de travail, non?

– On peut le dire. Sauf lorsqu'on retrouvera le fusil. Le corps près de chez Nez, le fusil sûrement pas loin. Nez récemment blessé par balles. Deux et deux font quatre, et les analyses balistiques font problème. Même le FBI ne pourra pas s'en tirer par un haussement d'épaules.

– Je pense que le fusil n'existe pas, déclara Leaphorn.

– Oh?

– J'ai le sentiment que Demott ne voulait pas que sa sœur soit impliquée. Il ne voulait donc pas qu'on établisse un lien entre l'affaire Nez et l'affaire Maryboy, parce qu'avec Nez, sa sœur se retrouve inculpée de complicité.

– Je vois, dit Chee d'une voix un peu hésitante. Mais Nez, lui? Il ne va pas en parler?

– Nez n'est pas tellement du genre à parler. Et il va penser que c'est moi qui ai poussé Demott du haut de la falaise pour l'empêcher de lui tirer dessus.

– Ouais. Je comprends ça.

– Je pense que Demott a fait ça en partie pour empêcher la société Breedlove de faire du ranch une mine à ciel ouvert. De polluer sa rivière. Il a donc laissé à la postérité une lettre de suicide attestant qu'il se trouvait sur Ship Rock avec Hal une semaine après le fameux anniversaire. Ajoutez ça au fait que Hal a signé le registre une semaine après ce même anniversaire.

– Les deux documents sont aussi faux l'un que l'autre.

– Ah bon? J'aimerais bien être là quand vous essayerez de convaincre l'agent spécial qu'il doit rouvrir le dossier qu'on lui a confié sur l'homicide de Maryboy, mettre au panier une confession rédigée au seuil de la mort sous prétexte que Demott a menti sur son mobile. Je vois ça d'ici. « Et quel était son véritable mobile, monsieur Chee? » Son vrai mobile, c'était de tenter de prouver que ce décès accidentel, qui était survenu onze ans plus tôt, avait eu lieu un autre week-end, et que...

Chee riait. Leaphorn se tut.

– D'accord, dit Chee. Je vois ce que vous voulez dire. Tout ce à quoi ça aboutirait, ça serait à beaucoup de temps et de travail gâchés, peut-être à faire accuser madame Breedlove de je ne sais quoi, et à restituer le ranch à la société Breedlove.

– Et permettre à l'avocat d'encaisser une grosse commission, ajouta Leaphorn.

– Oui.

– Demain, quand l'information sera rendue publique, j'enverrai à Shaw les détails contenus dans la lettre de suicide. Et je lui rendrai ce qu'il reste de son argent. Bon, qu'est-ce que vous vouliez me raconter sur les vols de bétail?

– Ça paraît dérisoire après ça, mais l'agent Manuelito a arrêté Dick Finch aujourd'hui. Il faisait monter des génisses appartenant à Maryboy dans sa caravane.

GLOSSAIRE

Anasazis : les premiers habitants de l'Amérique du
Nord. Venus probablement par le détroit de Béring,
ils se réfugient dans les habitations troglodytiques du
plateau du Colorado et parviennent à vivre de la
chasse et de l'agriculture dans ce climat semi-aride.
Puis, brusquement, ils disparaissent à la fin du
XIIIe siècle.

Arroyo : terme espagnol désignant le lit à sec, en
général au fond d'une gorge ou d'un canyon, d'une
rivière dont l'eau se tarit en été.

Bâtiment administratif : la réserve navajo est divisée
en 78 *chapters* ou divisions administratives ; on
trouve donc 78 sièges administratifs locaux, ou *chap-
ter houses*, placés sous l'autorité du Conseil Tribal
(v. ce mot).

Chant : v. chanteur, rite guérisseur et voie.

Chanteur (*yataalii* ou *hatathali* en navajo) : chez les
Navajos il est celui que l'on appelle pour tenir les
rites guérisseurs car il est le dépositaire de ces procé-

dures extrêmement complexes destinées à libérer le malade de l'emprise d'un sorcier (par exemple), au moyen de prières et de chants associés à des peintures de sables (v. ce mot). Un chanteur ne peut donc connaître que quelques « chants » et certains rites disparaissent actuellement car ils appartiennent exclusivement à la tradition orale. Mais le chanteur n'est ni un *medicine-man* ni un shaman : la guérison est collective, profite d'abord au patient puis, par voie de fait, à l'univers tout entier qui retrouve l'harmonie (*hozho*). Encore convient-il de comprendre qu'il s'agit souvent davantage d'un retour à la sérénité morale du patient au sein de son environnement que d'une véritable guérison au sens médical du terme.

Chindi : mot navajo désignant le fantôme. Les Navajos ne croient pas à un au-delà après la mort. Au mieux ils trouvent le néant. Au pire, la partie malsaine et malfaisante de l'individu revient hanter les vivants et leur apporter la maladie et la mort.

Clan (ou peuple) : concept familial très élargi. Chez les Navajos, on en dénombre 65 (v. famille). La quatrième partie du *Diné bahané* (transcription par Paul G. Zolbrod du cycle relatant les origines des Navajos) relate leur création et la façon dont ils ont reçu leur nom.

Concha : les ceintures concha, ou concho, se composent d'une forme unique répétée ou de deux formes alternées en argent rappelant des coquillages.

Conseil Tribal : créé vers 1930, il siège à Window Rock et administre la Grande Réserve et ses richesses naturelles. Ses membres, élus au suffrage universel à bulletin secret, représentent les 78 divisions administratives constituant la réserve.

Danse des filles : héritée de la *squaw dance* de la Voie de l'Ennemi, elle est organisée lors des week-ends estivaux et provoque chez les jeunes Navajos d'aujourd'hui maints débordements très irrespectueux des coutumes ancestrales.

Dinee ou **Dineh** : le Peuple (également le Clan) ; tel est le nom que se donnent les Navajos. Ils habitent la région qu'ils appellent Dinetah, la plus grande réserve des USA, d'une superficie de 64 750 km^2.

Dinetah ou **Dineh Bike'yah** (mot à mot : parmi le Peuple) : les limites des Terres du Peuple, marquées par les Quatre Montagnes sacrées qui correspondent grossièrement aux quatre points cardinaux et sont associées aux quatre couleurs, coquillages et moments de la vie ; Sis no jin ou Tsisnadzhini à l'Est (Blanca Peak, Nouveau-Mexique, couleur blanche, coquille blanche, l'enfance) ; Tso'dzil ou Tsotsil au Sud (Mont Taylor, Nouveau-Mexique, couleur bleue, turquoise, l'âge adulte) ; Dook o'ooshid ou Dokoslid à l'Ouest (Monts San Francisco, Arizona, couleur jaune, abalone, la mort), Debe'ntsa ou Depentsa au Nord (La Plata Mountains, Colorado, couleur noire, obsidienne, le recommencement).

Dualisme : Dieu-qui-Parle et Dieu-qui-Appelle, Premier Homme et Première Femme, Garçon Abalone et Fille Abalone, la source de vie qui contient à la fois la « matière » nécessaire à la vie et le moyen lui permettant de passer l'épreuve du temps, la forme non physique dissimulée à l'intérieur de la forme physique des choses, tous ces éléments de la mythologie navajo relèvent d'un dualisme presque systématique pouvant être associé à un pôle positif et un pôle négatif, un caractère masculin et un caractère féminin ; ces contraires complémentaires sont ensuite regroupés pour donner des séquences de quatre dont le premier couple est à son tour considéré comme « positif », le second comme « négatif », l'association des « contraires » pouvant culminer dans la fusion finale et le recommencement symbolisés par le chiffre neuf.

Famille : système matrilinéaire chez les Navajos ; les jeunes époux se mettent en quête d'un endroit où construire leur hogan (v. ce mot), tant pour s'isoler que pour avoir suffisamment d'espace afin de pratiquer l'élevage des moutons. Il faut ici distinguer la notion de clan de ce que Hillerman appelle « outfit » en américain et que nous avons traduit par famille élargie : une sorte de clan géographique élargi permettant aux Navajos isolés de se regrouper à trois ou quatre « familles » afin de coopérer pour certains travaux ou certains rites. Cet « outfit » peut regrouper de 50 à 200 personnes. Ce terme peut également s'appliquer aux habitations et installations attenantes.

Fantôme : v. chindi.

Femme Araignée (*Na'ashjé'ii asdzaa*) : Membre du Peuple Sacré, elle révèle aux Jumeaux Héroïques (dont le plus actif est Tueur de Monstres) l'identité de leur père (le Soleil-Père) que leur mère, Femme-qui-Change, leur a dissimulée. Elle leur indique aussi comment franchir les obstacles pour parvenir jusqu'à lui à l'aide d'un cercle de plumes arrachées à des aigles-monstres et d'un chant magique.

Femme-qui-Change (*Asdzaa nadleehé*) : dans la mythologie navajo, elle est une des deux « filles jumelles » de Premier Homme et de Première Femme, créée en présence de nombreux autres représentants du Peuple Sacré à partir d'une figurine de turquoise lors d'une cérémonie complexe et poétique. Elle s'accouple avec Shivanni (*Johonaa'éi*), le Soleil-Père, pour donner naissance aux Jumeaux Héroïques, Tueur-de-Monstres et Fils-Né-des-Eaux (ou Né-de-L'Eau, son nom changeant à plusieurs reprises durant le cycle des origines). Plus tard, Dieu-qui-Parle et Dieu-qui-Appelle, associés à d'autres membres du Peuple Sacré au cours d'une cérémonie de création nécessitant l'utilisation d'objets sacrés, d'épis de maïs, et le souffle du Vent (*Nilch'i*), lui transmettent ce don de création qu'elle réalisera en frottant diverses parties de son corps et en recueillant la couche de peau superficielle dans sa main. Elle est avec sa sœur, Femme Coquillage Blanc (*Yoolgai asdzaa*) la seule représentante du Peuple Sacré à être à la fois entièrement bonne et hantée par la solitude.

Four Corners : la région des États-Unis où, fait unique dans le pays, les frontières séparant quatre États (Arizona, Utah, Colorado, Nouveau-Mexique) se coupent à angle droit.

Grand-père : terme qui, du fait du système clanique des Navajos, s'applique aux hommes âgés appartenant au clan de la mère.

Haatali, hataalii, hathatali ou **yataalii** : terme navajo pour désigner le chanteur.

Harmonie : v. hozho.

Heure : selon Tony Hillerman, le concept navajo le plus déroutant car « ... pour eux, ce n'est pas un continuum, un flot régulier. Ils se le représentent sous la forme de blocs. De rencontres. Et par voie de conséquence des mots comme « en avance » ou « en retard » n'ont pour eux aucun sens. (...) Les Navajos ne sont jamais où ils sont censés être. Les autres Indiens appellent cela « l'heure navajo », ce qui signifie « Dieu sait quand ! » (interview accordée au traducteur, octobre 1987, publiée dans *Polar n° 1*, Rivages, 1990).
Pourtant, lors de l'Éveil des Masques qui marque la quatrième nuit du Yeibichai (v. ce mot), c'est toujours à minuit que le chanteur « réveille » les dieux.

Hogan : la maison du Navajo, sorte de structure au toit arrondi faite de rondins et de boue séchée. Un abri et un corral au minimum viennent la compléter. Le hogan d'été utilisé pendant le pacage des moutons est de facture plus grossière. Des règles précises commandent l'orientation de l'habitation traditionnelle (v. points cardinaux).

Hopi : dans la langue de ces Indiens pueblo, *hopitu* signifie « le peuple paisible ». Leur réserve se trouve enclavée dans la réserve navajo du nord de l'Arizona : le recensement de 1989 indiquait que 9617 personnes habitaient sur la réserve hopi mais ils ne seraient pas plus de 3 000 à vivre réellement dans les villages ancestraux des trois mesas. Ce sont avant tout des cultivateurs et des chasseurs.

Hosteen : mot navajo qui exprime le respect dû à la personne (en général l'homme adulte) à laquelle on s'adresse.

Hozro ou **hozho** : mot navajo qui signifie la beauté, l'harmonie de l'individu avec le monde qui l'entoure.

Maïs : l'une des quatre plantes sacrées des Navajos. Quantité de rites font appel à la farine de maïs qui peut être offrande faite aux dieux mais également symbole de purification ou de fécondité.

Medicine-man : v. shaman.

Mesa (mot espagnol) : montagne aplatie caractéristique des États du Sud-Ouest. Lorsqu'elle ressemble plus à une colline qu'à un plateau elle devient une butte. Et une butte au sommet arrondi est une colline. Parmi les mesas les plus connues, citons Mesa Verde, dans le Colorado, haut-lieu archéologique, et les Première, Deuxième et Troisième Mesa sur lesquelles se perchent les villages hopi ancestraux.

Montagnes Sacrées : v. Dineh Bike'yah.

Mort : les Navajos ont une crainte maladive de la mort au point de s'entourer de toutes sortes de précautions et d'éprouver une intense répugnance à toucher un cadavre qu'ils enterrent le plus rapidement possible dans un lieu secret. Pour eux, il n'y a pas de « paradis », au mieux le repos. Dans la mythologie navajo, deux habitants du cinquième monde meurent quatre jours après avoir observé un fantôme, d'où cette répulsion. Plus tard dans le cycle, les Jumeaux Héroïques, après avoir obtenu du Soleil les armes nécessaires pour triompher des monstres qui apportaient la mort au Peuple, épargnent plusieurs maux nécessaires : Sa, Celle-qui-Apporte-le-Grand-Age, et d'autres qui correspondent à la Misère, à la Faim et au Froid. Puis Tueur-de-Monstres conclut : « Et maintenant l'ordre et l'harmonie règnent en ce monde. »

Navajo : les prêtres espagnols les appelaient « Apaches del nabaxu » ; le terme actuel est donc la corruption espagnole du mot pueblo signifiant « grands champs cultivés », « Apache » signifiant ennemi en zuñi. Arrivés tardivement en Arizona ils se rendirent odieux par leur violence et leurs rapines avant d'acquérir, au contact des autres civilisations, nombre de techniques et de connaissances. Leur faculté d'adaptation s'est une nouvelle fois vérifiée dans le domaine des transmissions lors de la Deuxième Guerre mondiale. Ils habitent la plus grande réserve des USA, la terre de leurs ancêtres, et exploitent eux-mêmes les ressources naturelles d'un sous-sol riche par l'intermédiaire du Conseil Tribal. Par le passé, ce peuple ne constituait pas une tribu à proprement parler, ce qui explique le non-respect de certains traités au XIXe siècle : la parole d'un chef de clan n'engageait pas les autres Navajos (ce dont les envahisseurs blancs ont parfois largement tiré profit). Ils constituent la nation indienne la plus importante du pays (près de 200 000 membres).

Oiseaux : buse à queue rousse (*buteo jamaicensis*), chouette des terriers (*speotyto cunicularia*), corbeau, corneille, faucon crécerelle, gros-bec, jaseur des cèdres (*bombycilla cedrorum*), sturnelle des prés (*sturnella magna*), vautour d'Amérique (*cathartes aura*).

Peintures de sable ou **peintures sèches** : elles font partie des rites guérisseurs et ont pour but de permettre au « malade » de retrouver une unité d'harmonie avec le monde. Le chanteur et ses aides y travaillent pendant des heures et utilisent pollen, pierres écrasées, charbon de bois, etc., pour représenter des sujets ayant trait au Peuple Sacré. L'œuvre est ensuite détruite avant la tombée de la nuit de crainte que les esprits mauvais ne reprennent le dessus et ne rendent la guérison impossible.

Peuple : le nom que se donnent les Navajos. Également synonyme de Clan.

Peuple Sacré (*Haashch'ééh dine'é*) : concept navajo. Ils sont capables du bien comme du mal et l'on peut arriver à les manipuler à l'aide de chants et de prières appropriés ; le Peuple de l'Esprit de l'Air, issu des mondes souterrains, qui donnera naissance au Peuple de la Surface de la Terre à Cinq Doigts (v. Femme-qui-Change), peut avoir l'aspect d'animaux (Grand Serpent, Grande Mouche, Coyote...), d'êtres humains (Femme-qui-Change, Premier Homme...), ou d'éléments naturels (le Peuple du Vent, le Peuple du Tonnerre...).

Points cardinaux : ils jouent un très grand rôle dans les rites religieux. Chez les Navajos, la porte du hogan fait face à l'Est qui symbolise le souffle de vie ; le Sud représente la piste de vie ou piste de la beauté, de l'harmonie ; l'ouverture pratiquée dans un mur après un décès doit être dirigée vers le Nord qui représente le mal ; l'Ouest figure la mort (voir également Dinetah).

Pollen : il intervient dans quantité de rites navajo au même titre que la farine de maïs (v. ce mot).

Premier Homme : sa création, associée à celle de Première Femme, est l'œuvre du Peuple Sacré, à partir de deux épis de maïs, et avec l'aide du Vent (v. dualisme et Femme-qui-Change).

Pueblo : village en espagnol. Au contraire des bergers navajo, semi-nomades, les Indiens Pueblo (Hopis, Zuñis, etc.), sont des agriculteurs sédentaires. On les trouve exclusivement dans le Sud-Ouest des USA. Taos, au Nouveau-Mexique, est le plus visité des pueblos.

Quatre : ce chiffre joue un grand rôle chez les Navajos qui dénombrent quatre montagnes sacrées, quatre plantes sacrées, quatre bijoux sacrés, etc. (v. également dualisme).

Religion : pour l'essentiel, les Indiens du Sud-Ouest croient à l'interdépendance des choses de la nature et à l'harmonie ou beauté, *hozho* en navajo, qui doit régner dans leur réserve et par suite dans l'univers tout entier.
Mais les rites navajo sont, à l'exception de la Voie de la Bénédiction, destinés à guérir alors que chez les pueblos, les cérémonies religieuses ont pour but d'appeler les bienfaits que les kachinas, ou esprits ancestraux, pourront leur apporter sous la forme de nuages de pluie.
Des Navajos convertis au christianisme on dit qu'ils suivent la route de Jésus. Certains se convertissent à la foi mormone. D'autres adhèrent par exemple aux croyances de la Native American Church, organisa-

tion religieuse regroupant plusieurs tribus ; elle adapte le christianisme à des croyances et à des rites locaux, autorisant en particulier l'utilisation sacramentelle du peyotl hallucinatoire.

Chez les Pueblos, il existe une pluralité de prêtrises et de fraternités qui se partagent l'administration du sacré en renforçant la cohésion de la tribu et ses principes moraux.

Réserve-aux-Mille-Parcelles ou Réserve en Damier : selon les propres termes de Tony Hillerman : « Au XIXe siècle, lorsque la politique nationale fut de construire des voies de chemin de fer d'un bout à l'autre du continent, le Congrès attribua aux compagnies ferroviaires des portions de terre qui s'étendaient sur presque 50 kilomètres (30 miles) de part et d'autre de la voie. Une parcelle sur deux, chacune de 2,5 km^2, était donnée à la compagnie alors que l'autre restait la propriété du gouvernement, c'est ce que nous appelons les terres appartenant au domaine public. Par la suite, une part de ce domaine public a été attribué aux Navajos comme faisant partie intégrante de leur réserve. D'où le damier que constituent terres navajo et terres privées. Aujourd'hui, une grande partie de ces terres privées ont été acquises par la tribu. »

Riche : le désir de posséder est, chez les Navajos, le pire des maux, pouvant même s'apparenter à la sorcellerie. Citons Alex Etcitty, un Navajo ami de l'auteur : « On m'a appris que c'était une chose juste de posséder ce que l'on a. Mais si on commence à avoir trop, cela montre que l'on ne se préoccupe pas des siens comme on le devrait. Si l'on devient riche, c'est que l'on a pris des choses qui appartiennent à d'autres. Prononcer les mots " Navajo riche " revient à dire " eau sèche ". » (*Arizona Highways*, août 1979.)

Rites guérisseurs : à chaque maladie correspond un rite guérisseur qui peut durer jusqu'à neuf jours. Parfois, pour un seul chant, plusieurs centaines de prières et d'incantations doivent être exécutées au mot près. Si le chanteur est à la hauteur, le patient retrouvera l'harmonie. Par exemple, la Voie de l'Ennemi permet de guérir celui qui est sous l'emprise d'un sorcier, la Voie du Sommet de la Montagne celui qui s'est trop approché d'un ours...

Shaman : terme quelque peu impropre (de même que *medicine-man*) pour désigner le chanteur navajo.

Sorcier : homme ou femme décidé à faire le mal.

Tueur-de-Monstres : l'un des Jumeaux Héroïques (v. Femme-qui-Change et mort).

Ute : tribu formée de sept nations, originaire des Rocheuses, ennemie des Navajos, qui vécut en relative bonne harmonie avec les Blancs jusqu'en 1878, lorsque ceux-ci les spolièrent de leurs territoires pour en exploiter les précieuses ressources. Certains guerriers s'étaient notamment joints aux troupes de Carson pour l'invasion de Canyon de Chelly.

Végétation : genévrier (*juniperus*), olivier de Bohême (*elaeagnus angustifolia*), pin pignon (*pinus pinea*), pin ponderosa (*pinus ponderosa*), sapin, tremble d'Amérique ou tremble de Frémont (*populus tremuloides*) pour les arbres.

Pour herbes et buissons : arroche (*chenopodiaceae* ou *salt bush* en américain), bouteloue (*bouteloua* ou *grama grass* en américain), chamiso ou chamisa (terme indien dont la traduction est herbe-aux-lapins), chênes verts nains (*chaparal* en américain), herbe-aux-serpents (*snakeweed* en américain, terme collectif désignant des plantes associées aux reptiles par la forme, les vertus curatives etc...), luzerne, sauge (*artemisia tridentata*), thé mormon (*ephedra*, le nom de cette plante se référant à l'usage qui en était fait dans le traitement de la blennorragie, par allusion à l'ancienne polygamie des Mormons). Pour certaines de ces plantes nous avons préféré le terme local au terme français.

Voie (de la Bénédiction, du Sommet de la Montagne etc.) : rite guérisseur navajo. La Voie de la Bénédiction est seule à posséder un but préventif en enseignant comment le Peuple Sacré a créé le Peuple de la Surface de la Terre à Cinq Doigts (*Nihookaa' dine'é*) et comment il lui a communiqué les techniques nécessaires pour y vivre.

Voie Navajo : ce terme désigne l'ensemble de la culture et des coutumes traditionnelles des Navajos.

Wash : le lit, souvent asséché, d'un cours d'eau d'importance variable que des pluies torrentielles parfois tombées très loin en amont peuvent soudain transformer en un fleuve ou un torrent en furie.

Yataalii ou hatatali : mot navajo désignant le chanteur.

Yeibichai : ce chant navajo est le seul faisant appel à des masques.

Zuñis : peu nombreux, vivant en accord avec leurs coutumes ancestrales, ils ont su préserver leur identité au fil des siècles. Ce sont avant tout des agriculteurs travaillant une terre aride. Ils sont cinq mille cinq cents à vivre sur la réserve du pueblo le plus important du Nouveau-Mexique.

Rivages/noir

Joan Aiken
Mort un dimanche de pluie (n° 11)

André Allemand
Au cœur de l'île rouge (n° 329)
Un crime en Algérie (n° 384)

Robert Edmond Alter
Attractions : Meurtres (n° 72)

Claude Amoz
L'Ancien Crime (n° 321)

Jean-Baptiste Baronian
Le Tueur fou (n° 202)

Cesare Battisti
Dernières cartouches (n° 354)

William Bayer
Labyrinthe de miroirs (n° 281)

Marc Behm
La Reine de la nuit (n° 135)
Trouille (n° 163)
À côté de la plaque (n° 188)
Et ne cherche pas à savoir (n° 235)
Crabe (n° 275)
Tout un roman ! (n° 327)

Tonino Benacquista
Les Morsures de l'aube (n° 143)
La Machine à broyer les petites filles (n° 169)

Bruce Benderson
Toxico (n° 306)

Abdel-Hafed Benotman
Les Forcenés (n° 362)

Stéphanie Benson
Un meurtre de corbeaux (n° 326)
Le Dossier Lazare (n° 390)

Pieke Biermann
Potsdamer Platz (n° 131)

Bill Pronzini/Barry N. Malzberg
  La nuit hurle (n° 78)

Michel Quint
  Billard à l'étage (n° 162)
  La Belle Ombre (n° 215)
  Le Bélier noir (n° 263)
  L'Éternité sans faute (n° 359)

Hugh Rae
  Skinner (n° 407)

Diana Ramsay
  Approche des ténèbres (n° 25)
  Est-ce un meurtre ? (n° 38)

John Ridley
  Ici commence l'enfer (n° 405)

Louis Sanders
  Février (n° 315)
  Comme des hommes (n° 366)

Budd Schulberg
  Sur les quais (n° 335)

Philippe Setbon
  Fou-de-coudre (n° 187)
  Desolata (n° 219)

Roger Simon
  Le Clown blanc (n° 71)
  Génération Armageddon (n° 199)
  La Côte perdue (n° 305)

Pierre Siniac
  Les mal lunés (n° 208)
  Sous l'aile noire des rapaces (n° 223)
  Démago Story (n° 242)
  Le Tourbillon (n° 256)
  Femmes blafardes (n° 274)
  L'Orchestre d'acier (n° 303)
  Luj Inferman' et La Cloducque (n° 325)
  De l'horrifique chez les tarés (n° 364)
  Bon cauchemar les petits... (n° 389)

Neville Smith
  Gumshoe (n° 377)

Les Standiford
Pandémonium (n° 136)
Johnny Deal (n° 259)
Johnny Deal dans la tourmente (n° 328)
Une rose pour Johnny Deal (n° 345)

Richard Stark
La Demoiselle (n° 41)
La Dame (n° 170)

Richard Stratton
L'Idole des camés (n° 257)

Vidar Svensson
Retour à L.A. (n° 181)

Paco Ignacio Taibo II
Ombre de l'ombre (n° 124)
La Vie même (n° 142)
Cosa fácil (n° 173)
Quelques nuages (n° 198)
À quatre mains (n° 227)
Pas de fin heureuse (n° 268)
Même ville sous la pluie (n° 297)
La Bicyclette de Léonard (n° 298)
Jours de combat (n° 361)

Ross Thomas
Les Faisans des îles (n° 125)
La Quatrième Durango (n° 171)
Crépuscule chez Mac (n° 276)
Traîtrise ! (n° 317)
Voodoo, Ltd (n° 318)

Brian Thompson
L'Échelle des anges (n° 395)

Jim Thompson
Liberté sous condition (n° 1)
Un nid de crotales (n° 12)
Sang mêlé (n° 22)
Nuit de fureur (n° 32)
À deux pas du ciel (n° 39)
Rage noire (n° 47)
La mort viendra, petite (n° 52)
Les Alcooliques (n° 55)

Rivages / Mystère

Michael Dibdin
L'Ultime Défi de Sherlock Holmes (n° 17)

John Dickson Carr
En dépit du tonnerre (n° 5)

Jacques Futrelle
Treize enquêtes de la machine à penser (n° 29)

Edward D. Hoch
Les Chambres closes du Dr Hawthorne (n° 34)

William Kotzwinkle
Fata Morgana (n° 2)

Alexis Lecaye
Einstein et Sherlock Holmes (n° 19)

John P. Marquand
À votre tour, Mister Moto (n° 4)

Kai Meyer
La Conjuration des visionnaires (n° 33)

Thomas Owen
L'Initiation à la peur (n° 36)

Dorothy Salisbury Davis
Au bout des rues obscures (n° 41)

Pierre Siniac
Le Mystère de la sombre zone (n° 42)

Anthony Shaffer
Absolution (n° 10)

J. Storer-Clouston
*La Mémorable et Tragique Aventure
de Mr Irwin Molyneux* (n° 11)

Rex Stout
Le Secret de la bande élastique (n° 1)
La Cassette rouge (n° 3)
Meurtre au vestiaire (n° 6)

Hake Talbot
Au seuil de l'abîme (n° 38)

Josephine Tey
Le plus beau des anges (n° 7)

Achevé d'imprimer en juillet 2001
sur les presses de l'Imprimerie Maury-Eurolivres
45300 Manchecourt
pour le compte
des Éditions Payot & Rivages
106, bd Saint-Germain - 75006 Paris

Dépôt légal : mars 2000
N° d'imprimeur : 88708